Jean-René Ladmiral

Traduire : théorèmes pour la traduction

Gallimard

A ma mère

τὸ ὄν λέγεται πολλαχῶς

ARISTOTE

PRÉFACE
À LA SECONDE ÉDITION

Une réédition, c'est une occasion de faire le point; c'en est même l'obligation, en quelque façon. La première édition du présent livre remonte à quelque quinze ans[1]. Après les travaux du regretté Georges Mounin, mais aussi d'Alfred Malblanc, de Jean-Paul Vinay et Jean Darbelnet, d'Henri Meschonnic, voire d'essayistes comme Valery Larbaud[2]..., c'était quand même l'un des rares livres sur la question — pour ne citer que les travaux en langue française[3]. Depuis, il s'est fait un certain travail sur la traduction qui tend à déplacer un peu les perspectives et commande sans doute certaines réévaluations. Dès lors, se pose la question de savoir si le présent livre a gardé la même actualité ou s'il n'est pas plutôt « dépassé ». En tout cas convient-il sans doute de déterminer quel est le sens que peut prendre ce livre dans le contexte actuel. C'est à préciser tout cela que devrait s'employer la présente préface — qu'au demeurant je me permettrai d'écrire en première personne,

---

1. C'était en 1979, dans la Petite Bibliothèque Payot, n° 366.
2. On trouvera les références précises de la plupart des ouvrages cités dans la bibliographie qui est en fin d'ouvrage (cf. *infra* p. 266 sqq.). — Je n'ai pu compléter cette dernière que très partiellement, dans les notes de la présente préface, en indiquant quelques-unes des études parues depuis 1979. Parmi ces dernières, je n'ai pas cru inutile de citer notamment plusieurs de mes propres travaux, parus depuis la première édition du présent ouvrage, dans la mesure où ces derniers s'inscrivent (comme la présente réédition) dans le cadre d'une réflexion d'ensemble.
3. Cf. Jean-René Ladmiral, « 30 ans de traductologie de langue française - Éléments de bibliographie », in *TransLittérature,* n° 3, juin 1992, pp. 13-22. Il s'agit essentiellement d'une bibliographie, précédée d'un « chapeau » où je me suis essayé à proposer un bref survol de mes recherches depuis la première édition du présent livre. Quant à la revue elle-même, c'est l'organe de l'A.T.L.F. (Association des Traducteurs Littéraires de France) et d' « ATLAS » (Assises de la Traduction Littéraire en Arles).

renonçant au *nous* de modestie de la rhétorique académique traditionnelle, dont on verra que je ne m'en étais pas départi dans le corps du livre que je me trouve dans la position délicate d'autopréfacer ici.

Un livre comme celui-ci, qui s'attache à assumer l'échéance réflexive d'une théorie de la traduction en rapport direct avec la pratique qu'en a eue son auteur, s'inscrit dans le champ des sciences humaines à une place qui est la sienne, et en un sens qu'il conviendra de déterminer. À ce propos, je voudrais d'emblée faire une remarque générale d'ordre épistémologique. En vertu d'une idéologie — qui, comme beaucoup de bonnes choses et, en l'occurrence, de moins bonnes, nous vient d'outre-Atlantique — il semblerait qu'à peine quelques années après sa parution, un livre soit « dépassé » et doive disparaître des bibliographies en sciences humaines comme des librairies. À en croire d'aucuns, les livres vieilliraient en sciences humaines aussi vite qu'en sciences exactes ! ce qui, à l'évidence, est inexact et procède de cette idéologie qu'on appelle tout simplement depuis plus d'un siècle le *positivisme*. L'idée est qu'il n'est de connaissance que scientifique, et que les sciences humaines ne seraient crédibles qu'autant qu'elles s'identifient aux sciences exactes, qu'elles les singent !

Il y aurait beaucoup à dire sur cette idéologie philosophiquement simpliste et fausse ; et il n'est pas certain qu'elle ne recouvre pas ici les intérêts corporatistes plus troubles d'une sorte de syndicat des nouveaux venus de la production intellectuelle, dans le cadre d'un contexte de concurrence universitaire (*publish or perish* !) et d'inflation éditoriale dont, au demeurant, beaucoup semblent se plaindre... Je m'en tiendrai à rappeler que les sciences humaines constituent une culture spécifique de la modernité — une « troisième culture » pour ainsi dire, à côté de la « culture » traditionnelle et de ce qu'il faut bien appeler la culture scientifique [4] — et que les travaux auxquels elles donnent lieu ne sont (heureusement !) pas soumis au même rythme d'obsolescence que les publications

---

4. Cf. Jean-René Ladmiral, « Pour une philosophie de la traduction », in *Revue de métaphysique et de morale,* n° 1/1989, p. 14 et *passim.* C'est tout un dossier sur *La traduction philosophique* que rassemble ce numéro. — Au reste, on notera que je me suis efforcé d'indiquer, dans les notes de la présente préface, un bon nombre de ces numéros spéciaux de revues consacrés thématiquement à la traduction.

émanant de la recherche scientifique (*stricto sensu*). Voit-on qu'il fallût renoncer à lire Freud et Piaget, Marx et Max Weber, Saussure et Jakobson, etc. au motif qu'ils seraient « dépassés » ? Beaucoup plus modestement (mais pour les mêmes raisons quant au fond), il ne m'a pas paru inutile de voir rééditer le présent ouvrage... Et on voudra bien ne pas lire qu'un plaidoyer *pro domo* déguisé dans la mise au point épistémologique que je viens de faire (et dont voudrait s'autoriser ladite réédition).

Cela dit, il est certain que la recherche et la réflexion en sciences humaines « avancent » ou « progressent », elles aussi à leur façon. Plus spécifiquement, s'agissant de traduction, il y aurait une seconde remarque à caractère épistémologique à faire, touchant le champ d'études lui-même. Il n'est guère douteux qu'aujourd'hui on s'intéresse à la traduction, de multiples façons, et qu'elle est devenue un objet de recherche et de réflexion à part entière. Mais quand, en 1979, la première édition de ce livre a paru, il n'en allait pas de même : il s'agissait alors encore de fonder la discipline elle-même, qui allait spécifiquement prendre les phénomènes de traduction pour objet ; et avec d'autres, je suis de ceux qui ont travaillé à donner droit de cité au mot, mais aussi surtout au concept de *traductologie*[5]. Sur ce dernier point de terminologie, les choses sont en passe d'être acquises ; mais il convient d'apporter quelques précisions sur le statut de ladite discipline.

Pour des raisons qui tiennent à l'histoire des sciences humaines, c'est dans le cadre de la linguistique qu'il a été question de la traduction — quand il en a été question, c'est-à-dire très peu. Il y avait là une certaine logique dans la mesure où la linguistique fournit une méthodologie et une terminologie qui permettent d'étiqueter les réalités évidemment langagières avec lesquelles la traduction a affaire et de les conceptualiser. Il reste que ce n'est que par une approximation provisoire qu'on avait cru devoir faire de la traductologie un chapitre, une sous-discipline de la linguistique ; outre-Rhin on tend même à l'identifier à la Linguistique Appliquée (l'anglicisme de la

5. Cf. notamment mon étude, « Philosophie de la traduction et linguistique d'intervention », in *Lectures,* n° 4-5, août 1980, pp. 11-41... Il s'agit d'un numéro spécial sur le thème *Traduzione tradizione* de la revue italienne bilingue publiée par des universitaires de Bari chez Dedalo libri.

double majuscule étant censé marquer ici la cohérence d'une spécialité à part entière).

En fait, la théorie de la traduction et la connaissance des phénomènes connexes exigent une ouverture *interdisciplinaire* qui va bien au-delà de la seule linguistique et met à contribution la quasi-totalité des « lettres et sciences humaines », en aval de quoi peut se constituer une traductologie autonome. Il est clair, par exemple, qu'il y a place pour une psychologie du traducteur et, plus précisément, des processus mentaux qui sont à l'œuvre lors de ce transfert interlinguistique qu'implique la traduction. D'aucuns, comme Eugene A. Nida et Charles R. Taber ont souligné que la pratique traduisante s'inscrit dans le contexte d'une société (et d'une époque) et qu'en somme il y a une dimension « ethno-sociologique » de la traduction qui fait que la traductologie est aussi dans le prolongement des sciences sociales. Qu'il y ait une histoire (voire aussi une géographie) des modes de traduire, ce n'est que trop évident. Point n'est besoin non plus d'insister sur la parenté existant entre le travail du philologue et celui du traducteur. Il faut noter au passage aussi le lien de la traduction avec l'ethnologie, ainsi qu'avec l'ethnopsychiatrie comme l'avait déjà indiqué un Georges Devereux et comme viennent le confirmer des travaux plus récents, etc.

Mais ce n'est pas seulement avec les sciences humaines (*stricto sensu*) que la traduction a à voir, c'est aussi avec les études littéraires : ne fût-ce bien sûr que parce que la littérature comparée fait fond sur des traductions ; mais plus encore parce que la traduction est une modalité spécifique de l'écriture, et pas seulement la traduction littéraire, dans la mesure où tout traducteur est un « réécrivain », un « co-auteur » (cf. *inf.*, p. 22 et *passim*). Il n'est pas jusqu'à la théologie et ses corollaires que sont l'exégèse et l'herméneutique, dont la traductologie n'ait beaucoup à apprendre : rappelons que la Bible est le texte le plus traduit et que c'est à saint Jérôme et à Luther qu'on doit des réflexions sur la traduction qui sont inaugurales et, justement, d'inspiration théologique[6]. Enfin, et surtout, s'agissant de réflexion autant et plus que de savoir proprement dit, c'est-à-dire de faire la *théorie* de cette pratique assez connue qu'est la traduction, c'est à un mode de pensée d'ordre

6. Sur le lien entre traduction et théologie, cf. *inf.*

philosophique que renvoient les raisonnements et les analyses qui constituent l'essentiel de la traductologie.

L'ampleur de ces horizons interdisciplinaires faisait qu'il y a une quinzaine d'années je me trouvais dans la situation de tenir sur la traduction un discours à dominante linguistique, pour les raisons qui viennent d'être indiquées, mais qu'en même temps (et pour ces mêmes raisons) j'étais conduit à souligner l'autonomie de la traductologie et à dire qu'au bout du compte, cette sous-discipline de la linguistique n'en était pas vraiment une. Entre-temps, il est intervenu un certain nombre de renouvellements dans le champ intellectuel qui me conduiraient aujourd'hui à une double inversion de perspective.

D'abord, la linguistique n'est plus tout à fait ce qu'elle était, pure et dure. On se souviendra qu'il y a quelque deux (ou trois) décennies, c'est à la phonétique et à la syntaxe que tendait à se limiter ce qui faisait le cœur de la linguistique, dont était corrélativement exclue la sémantique dans la mesure où la référence au sens était disqualifiée comme relevant d'un « mentalisme » non scientifique. Ce positivisme que la linguistique américaine avait emprunté au béhaviourisme d'une psychologie déjà vieillie allait souvent de pair, notamment en France, avec un terrorisme théoriciste qui ne dédaignait pas d'aller parfois chercher du côté de la version althussérienne de la philosophie des sciences de Bachelard les arguments d'une « coupure épistémologique » simplifiée, discréditant toute recherche qui allait à s'écarter des orthodoxies linguistiques dominantes d'alors. Sur ce plan, on en conviendra, les choses ont bien changé. La linguistique d'aujourd'hui intègre ce qui relevait hier de la « linguistique externe » et fait une place à la sémantique, mais aussi à la pragmatique, etc.

Or il est bien clair qu'en traduction tout procède d'un passage par le sens, dont on postule nécessairement qu'il est accessible — sauf à rêver une « machine à traduire » fantasmatique plus proche du miracle de la Pentecôte que des promesses à venir d'une recherche scientifique en cours... Il est tout aussi clair que si l'exclusion de la sémantique du champ de la linguistique hier faisait que la traductologie *in statu nascendi* ne pouvait guère non plus s'y maintenir, il en va tout autrement aujourd'hui où on assiste à une redistribution des champs de recherche. Ainsi la linguistique elle-même tend-elle à se fondre dans un champ de recherches plus vaste, rebaptisé *sciences du langage* où elle se trouve rejointe par des approches complémentaires. Il y a là plus qu'une simple « valse des étiquettes » promotionnelle — dans le meilleur des cas — et dès lors, la traductologie y trouve (ou retrouve) naturellement sa place : n'est-elle pas en effet, en ce sens, une science du langage ? C'est d'autant plus vrai que cette réorganisation va plus loin et que lesdites sciences du langage tendent elles-mêmes à rejoindre les sciences cognitives.

Du même coup, les problèmes que pose la dite « machine à traduire » prennent un sens renouvelé dans le cadre de cet ensemble où s'interpénètrent sciences du langage et sciences cognitives. Il faut dire d'abord qu'il y a là un domaine spécifique, dont il a toujours été d'emblée bien clair qu'il ne relève pas de cette « vision » fantasmatique et proprement « magique » qui vient d'être évoquée. Plus sérieusement, en même temps que se sont produits un certain nombre de changements dans le champ de ce qu'il est convenu d'appeler la « traduction humaine », qui est ce qui nous occupe ici, les recherches touchant la traduction automatique (T.A.) ont elles-mêmes pris un tour nouveau. Peu après la Seconde Guerre mondiale, ces recherches avaient été menées dans l'enthousiasme, avec de gros moyens et sous le couvert du secret stratégique et industriel, les enjeux économiques étant là particulièrement importants. Après une période de crise et de remises en question (notamment budgétaires), il y a eu une reprise des recherches dans ce domaine très spécifique et relativement fermé.

Parallèlement, il s'est produit comme un éclatement de l'objet lui-même : la traduction entièrement automatique (T.A.) se trouvant renvoyée à une échéance au mieux très lointaine, les recherches se sont plutôt fixé comme objectif la traduction assistée par ordinateur (T.A.O.) ; et plutôt que de rechercher une automatisation du processus de la traduction elle-même, on cherche à mettre en place toute une synergie d'aides à la traduction, allant de la documentation automatique, et particulièrement terminologique, à la mise au point d'un poste de travail du traducteur intégré mettant à disposition tout un ensemble d'outils informatiques [7]. S'il reste vrai que la

7. Il est clair qu'il y aurait matière à donner là une bibliographie immense, et à peine dominable ; il n'entre pas dans mon propos ni dans

T.A. et la T.A.O. constituent un domaine bien spécifique et tout à fait distinct du monde de la traduction humaine — qui, encore une fois, est notre seul objet ici même et qui doit nécessairement faire fond sur une saisie du sens, alors que la « machine à traduire » ne peut que traiter matériellement des chaînes de signifiants — il devient envisageable à terme que, dans le cadre des sciences cognitives en plein essor, un certain nombre de passerelles puissent exister entre ces deux modes de la traduction qui, en attendant, continuent à développer leurs logiques propres parallèlement et séparément.

Par ailleurs — comme par une inversion de perspective opposée et complémentaire de celle qui a été indiquée plus haut — au moment où la traductologie retrouve sa place au sein d'une linguistique rebaptisée « sciences du langage », le discours qu'elle tient tend à devenir moins strictement linguistique qu'il ne l'était déjà. Cela s'explique d'abord pour les raisons déjà indiquées. Logiquement engagée dans une démarche de recherche et d'approfondissement, la traductologie s'est donc trouvée conduite à en appeler à la contribution des sciences humaines pour mieux cerner l'ensemble des facettes de son objet et pour « muscler » sa méthodologie. C'est ainsi que, pour ma part, j'en suis venu ces dernières années à faire une place croissante à des problématisations de nature psychologique, dans le cadre des enseignements de traductologie que je dispense, ou dans mes plus récentes publications [8].

Mais ce concours interdisciplinaire ne correspond pas seulement à une logique de développement interne à la traductologie ; c'est aussi la marque d'un intérêt croissant pour la traduction dans le champ intellectuel. Je n'en veux pour preuve que la réflexion et les polémiques qu'a déclenchées récemment encore la publication (en cours) des retraductions de Freud [9].

---

nos possibilités de l'indiquer ici et je signalerai seulement le numéro spécial que consacre à la traduction et i'ordinateur la revue *Langages*, n° 116, décembre 1994.

8. Cf. notamment la psychologie sociale de la traduction à laquelle j'ai consacré toute la première partie du livre que j'ai publié en collaboration avec Edmond Marc Lipiansky : *La Communication interculturelle*, Paris, Armand Colin, 1989, rééd. 1991 (Bibliothèque européenne des sciences de l'éducation), pp. 21-76.

9. Sans entrer dans les détails — et sans citer l'ensemble des études et numéros de revues qu'ont suscités ces controverses — je me contenterai de renvoyer au livre où l'équipe qui anime la publication de

Au point qu'on a pu se demander comme l'avait fait joliment Wladimir Granoff : « La psychanalyse serait-elle, de nos jours, saisie par la traduction comme M. Le Trouhadec par la débauche [10] ? »

Plus fondamentalement encore, c'est dans le champ de la philosophie elle-même que la traduction a acquis récemment droit de cité comme telle. Traditionnellement, les philosophes n'y voyaient qu'une activité marginale, subalterne et « technique » ; et voilà que des auteurs comme Jacques Derrida ou Michel Serres ne dédaignent pas de s'y intéresser [11], que des colloques et des numéros de revues philosophiques lui sont consacrés [12]. « Traduire les philosophes [13] » est, à vrai dire, une longue tradition du métier philosophique et il y a bien longtemps que les meilleurs se mettent en devoir de relever ce défi ; mais c'était là aussi comme un point aveugle, comme un refoulé de la conscience philosophique [14]. D'un point de vue

cette retraduction des « OCF.P. » (*Œuvres complètes de Freud :* Psychanalyse, aux P.U.F.) a explicité ses principes de traduction, à mes yeux très discutables : André Bourguignon, Pierre Cotet, Jean Laplanche et François Robert, *Traduire Freud,* Paris, Presses Universitaires de France, 1989. J'ajouterai seulement *Traduction et psychanalyse,* Actes du colloque C.L.I.C./A.D.E.C./Coq-Héron, éd. Georges Kassaï & Jean-René Ladmiral, publiés par la revue *Le Coq-Héron,* n° 105 (1988) ; ainsi que le dossier « Traduire Freud : la langue, le style, la pensée », éd. Céline Zins, Jean-René Ladmiral et Marc B. de Launay dans le cadre des Actes des *Cinquièmes Assises de la Traduction littéraire* (Arles 1988), Arles, Actes Sud, 1989, pp. 67-156.

10. Wladimir Granoff, « Freud écrivain : traduire ou standardiser » in *L'Écrit du temps,* n° 7, été 1984, pp. 15-30. Je signale au passage que l'ensemble de ce numéro de revue est consacré au thème : « La décision de traduire : l'exemple Freud ».

11. Jacques Derrida, « Des Tours de Babel », in *Difference in Translation,* éd. Joseph F. Graham, Ithaca & Londres, Cornell University Press, 1985, pp. 209-248 ; Michel Serres, *Hermès III : La Traduction,* Paris, Éditions de Minuit, 1974 ; *Les Tours de Babel.* Essais sur la traduction, Mauvezin, Trans-Europ-Repress, 1985.

12. Cf. par exemple, les deux numéros spéciaux sur la traduction qu'ont publiés deux revues proprement philosophiques : la *Revue d'esthétique,* n° 12 (1986) et la *Revue de métaphysique et de morale,* n° 1/1989.

13. C'est là le titre d'un important colloque qui s'est tenu les quatre dimanches 19 et 26 janvier, 22 et 29 mars 1992 à la Sorbonne, et dont les Actes paraîtront prochainement.

14. Cf. mon étude de la *Revue de métaphysique et de morale :* « Pour une philosophie de la traduction », *loc. cit.,* pp. 5-9.

strictement traductologique, la traduction philosophique n'est qu'une spécialité, un mode de traduire parmi d'autres, qui pourra être thématisé dans le cadre d'une typologie de la traduction [15].

Mais il y a quelque chose de nouveau dans le fait que, depuis quelques années, est prise en compte la dimension proprement philosophique de la traduction elle-même : c'est ce que j'appellerais volontiers un « tournant philosophique » de la traduction. On a pu en prendre la mesure à l'occasion des débats qui ont accompagné la parution des retraductions, controversées, de *Sein und Zeit* de Heidegger. Il y a là un parallélisme remarquable avec ce qui s'est passé en psychanalyse : de même que les retraductions de Freud ont révélé les enjeux psychanalytiques (et philosophiques) qu'elles impliquaient, de même les retraductions de l'œuvre maîtresse de Heidegger ont mis en évidence les enjeux philosophiques dont elles sont l'objet ; et on ne s'étonnera sans doute pas que ces controverses soient apparues d'abord dans le champ philosophique, puis dans les milieux psychanalytiques. Du coup, le renversement d'une antimétabole prendra en l'occurrence un sens profond, et pas seulement rhétorique : la traduction des textes philosophiques, la traduction de la philosophie révèle qu'il y a à proprement parler une philosophie de la traduction et que c'est à bon droit qu'on peut dire la traduction philosophique [16], c'est-à-dire qu'il y a un enjeu philosophique de toute traduction.

C'est si vrai que ces réflexions ne concernent pas seulement les milieux philosophiques, l'univers pour ainsi dire « spécialisé » des philosophes *ex professo,* mais aussi les milieux de la traduction. Les travaux du regretté Antoine Berman sont à cet égard doublement significatifs, à la fois pour leur importance dans le champ de la traduction et l'audience qu'y ont eue ses théories, et pour la dimension philosophique qu'elles recè-

15. C'est, par exemple, à situer ainsi la traduction des textes philosophiques dans le cadre de la typologie de la traduction que je propose à cette occasion, que je me suis attaché dans mes « Éléments de traduction philosophique », in *Langue française,* n° 51, septembre 1981, pp. 19-34. (Je précise, au passage, qu'il s'agit là encore d'un numéro de revue entièrement consacré à la traduction.)

16. C'était le sens de la virgule dans l'intitulé de mon étude : « La traduction, philosophique », in *Sens et Être.* Mélanges en l'honneur de Jean-Marie Zemb, éd. Eugène Faucher, Frédéric Hartweg et Jean Janitza, Presses Universitaires de Nancy, 1989, pp. 129-138.

lent [17]. Berman était traducteur et philosophe, mais c'était aussi un littéraire, et ses travaux constituent certainement la contribution la plus importante au débat depuis une quinzaine d'années, il est vrai dans une direction opposée aux miens. Sans entrer dans le détail, je dirai qu'il était plutôt du côté du littéralisme — comme un Henri Meschonnic (dont il avait été en partie l'élève) et aussi comme Walter Benjamin lui-même [18].

La vogue que connaît depuis quelques années l'essai que Benjamin justement a consacré à la traduction (dans le cadre d'un *come-back* général de cet auteur) va encore dans le même sens que les considérations que je suis en train de développer. Cet essai sur *La Tâche du traducteur* [19], souvent cité, parfois lu et rarement compris — rarement compris, parce que c'est un texte excessivement difficile — est d'ailleurs à bien des égards problématique. Son écriture ésotérique et son argumentation cryptique le désignent comme un Manifeste en faveur du littéralisme, plus facile à citer comme une autorité proprement « prestigieuse », mais énigmatique, qu'à analyser. Sans doute a-t-il, au demeurant, très largement contribué à mettre à l'ordre du jour une problématisation philosophique de la traduction ; et ce, compte tenu de ce qui vient d'être indiqué, au niveau d'un public paradoxalement assez large. En ce qui me concerne, je pense que c'est un texte fondateur, certes, et d'une très haute tenue : une référence obligée, en somme, mais qu'il convient de critiquer [20], dès lors que c'est bien à penser la traduction qu'on attendra qu'il nous soit une aide.

17. Outre ses nombreux articles (dont certains ont été publiés dans le cadre des numéros de revues et des publications collectives mentionnés ici), il faut d'abord citer : *L'Épreuve de l'étranger.* Culture et traduction dans l'Allemagne romantique, Paris, Gallimard, 1984 (coll. Les Essais, n° CCXXVI) ; ainsi que son livre sur John Donne et sur la critique de traduction, Paris, Gallimard, 1994.
18. Il existe d'ailleurs une étude d'Antoine Berman sur Walter Benjamin, encore inédite.
19. Walter Benjamin, « La Tâche du traducteur », in *Œuvres,* t. I : *Mythe et violence,* trad. Maurice de Gandillac, Paris, Denoël, 1971 (Dossiers des Lettres Nouvelles), pp. 261-275. (Ce livre est, hélas ! épuisé depuis plusieurs années, et le texte qui nous intéresse difficilement accessible en français.)
20. C'est au demeurant ce que je me suis permis de faire dans plusieurs études : « Entre les lignes, entre les langues », dans le cadre du numéro *Walter Benjamin* de la *Revue d'esthétique* (nouvelle série), n° 1 (1981), pp. 67-77 ; « Les enjeux métaphysiques de la traduction - À

Il reste que c'est à la confrontation avec Henri Meschonnic, Antoine Berman et Walter Benjamin que je dois d'avoir été amené à reprendre sur nouveaux frais la question du littéralisme en traduction. En raison des limites imparties à cette préface, je ne peux que renvoyer le lecteur à l'étude que j'ai publiée sur ce sujet[21], où mon propos est de faire une critique radicale de la position littéraliste. Pour ce faire, ayant recours à deux néologismes, j'ai établi une opposition entre ceux que j'appelle les *sourciers* et ceux que j'appelle les *ciblistes*. Pour aller vite, je dirai qu'il y a deux façons fondamentales de traduire : ceux que j'appelle les « sourciers » s'attachent au *signifiant* de la *langue,* et ils privilégient la langue-*source* ; alors que ceux que j'appelle les « ciblistes » mettent l'accent non pas sur le signifiant, ni même sur le signifié mais sur le *sens,* non pas de la langue mais de la *parole* ou du discours, qu'il s'agira de traduire en mettant en œuvre les moyens propres à la langue-*cible.* Parmi les « sourciers », je rangerai donc Walter Benjamin, Henri Meschonnic ou Antoine Berman ; et parmi les « ciblistes », Georges Mounin, Efim Etkind[22] et moi-même.

Et le moindre paradoxe n'est pas que ces deux concepts néologiques puissent avoir une certaine audience auprès du grand public, jusque dans la presse et les magazines[23]. Je ne puis, bien sûr, que me féliciter du succès de mon « *design* terminologique » pour ainsi dire ! Mais le plus étonnant est justement que de tels problèmes, relevant de la théorie de la traduction, ne soient pas restés cantonnés dans le discours des spécialistes : voilà qui est tout à fait nouveau. En fait, c'est là sans doute une retombée indirecte du fait que les problèmes de la traduction ne sont plus l'apanage de la seule *traductologie —*

propos d'une critique de Walter Benjamin », dans le cadre d'un dossier sur *La traduction* du *Cahier* du Collège International de Philosophie, n° 6 (1988), pp. 39-44, etc.

21. Jean-René Ladmiral, « Sourciers et ciblistes », in *Revue d'esthétique,* n° 12 (1986), pp. 33-42.

22. Efim Etkind, *Un Art en crise.* Essai de poétique de la traduction poétique, trad. Wladimir Troubetzkoy avec la collaboration de l'auteur, Lausanne, L'Âge d'Homme, 1982 (Slavica).

23. Un magazine comme *Télérama* ne va-t-il pas jusqu'à publier tout un « dossier » sur le thème « Profession traducteur » organisé autour de cette opposition entre « les sourciers et les ciblistes » ? Cf. *Télérama,* n° 2306, du 26 mars au 1er avril 1994, pp. 8-21, *speciatim* pp. 8, 14, etc.

au sens strict où, comme je l'ai indiqué plus haut, il s'agit de la discipline qui prend la traduction pour objet, répondant en cela à ce qui serait un intérêt de connaissance *scientifique* pour la traduction (à la mesure de ce que peuvent connaître les dites « *sciences* humaines »).

Depuis plusieurs années, en effet, il est apparu pour les choses de la traduction un intérêt spécifique qu'on pourra dire « intellectuel » ou *culturel,* que manifestent des débats comme ceux qui touchent les retraductions de Freud et de Heidegger, tels qu'ils ont été mentionnés plus haut, mais aussi plus généralement une attention maintenant assez largement répandue pour les « arrière-cuisines » de la traduction littéraire. Le succès relatif des Assises de la Traduction littéraire organisées chaque année « en Arles » (ATLAS) ou la création du Collège international des traducteurs, à Arles aussi (après celui de Straehlen, en R.F.A.) en sont la preuve.

Cela est surtout vrai en France. Mais on peut sans doute commencer à discerner quelque chose d'un peu analogue en Allemagne, par exemple, où il y a eu longtemps de nombreuses publications dans le domaine d'une traductologie ou « science de la traduction » (*Übersetzungswissenschaft*) d'obédience strictement linguistique, dont paradoxalement était écartée toute préoccupation à caractère spéculatif relevant de cet intérêt philosophique pour la traduction dont il vient d'être souligné l'émergence en France depuis quelques années ; or on voit qu'après une période de latence, où le nombre des publications sur la traduction avait eu tendance à baisser, il se développe outre-Rhin (notamment autour de Göttingen) un intérêt croissant pour les questions relevant de l'histoire de la traduction, de la théorie de la traduction littéraire, et philosophique, etc. ; et il semble qu'il en aille à peu près de même pour les publications en langue anglaise.

Plus profondément, et pour en revenir à une problématique proprement philosophique, c'est encore à la lecture de Walter Benjamin que je dois d'en être venu — là encore *a contrario* — à thématiser ce que j'ai appelé les « enjeux métaphysiques de la traduction ». D'un mot : l'idée est que, si le littéralisme est une régression au plan d'une pédagogie des langues et de la traduction (cf. *inf.,* pp. 23-83), et un contresens au niveau de l'esthétique des traductions littéraires dont se réclament mes adversaires « sourciers », c'est aussi plus fondamentalement le retour d'un refoulé religieux, le symptôme d'un impensé théologique de la modernité. Quelques siècles (à peine) d'une sécularisation encore imparfaite pèsent moins lourd qu'une tradition bimillénaire comme le christianisme, fondateur de notre culture, ou *a fortiori* que le judaïsme. C'est ce que fait éclater la traduction comme dispositif révélateur des profondeurs de notre *rapport à l'écrit.* La thèse est que tout texte-source (ou texte de départ) tend à être investi — au moins, inconsciemment, par les « sourciers » — comme un *texte sacré.* Mais si c'est bien de l'inconscient et de l'Absolu qu'il s'agit, alors on comprend la violence polémique et « passionnelle » de certaines polémiques dont la traduction vient fournir la matière. Surtout qu'en l'occurrence, ce sont là deux théologies (au moins) qui s'affrontent... Ainsi ai-je été amené à hasarder l'idée d'un « inconscient théologique de la traduction ».

Telle est la philosophie de la traduction qui constitue l'une des directions qu'ont prises mes recherches ces dernières années : après quelques articles [24], j'y consacrerai mon prochain livre. Ce serait en quelque sorte le « troisième étage » de mes recherches sur la traduction. Par analogie (ludique) avec celui qui va d'abord « sur le terrain » comme ethnographe, avant de faire œuvre d'ethnologue en produisant la synthèse théorique de ses recherches, je dirai que j'ai été d'abord « traducto*graphe* », en traduisant une dizaine de livres de l'allemand (et de l'anglais), et qu'ensuite j'en ai « induit » le discours théorique de ma traducto*logie,* qui fournit la matière du présent livre. En sorte que serait venu maintenant le temps de passer à un troisième niveau, celui de ce que je me suis plu à appeler *cum grano salis* ma « traducto*sophie* ». Mais l'annonce de ce prochain livre n'est pas un désaveu du présent, c'en est le prolongement.

Ce sera le prolongement spéculatif et philosophique du travail cognitif et « scientifique » (au sens large des « *sciences* humaines ») des recherches qu'au demeurant je n'en cesse pas pour autant de mener en traductologie. Au reste, la dimension

24. « La traduction : des textes classiques ? », in *La Traduzione dei testi classici.* Atti del Convegno di Palermo 6-9 avril 1988, a cura di Salvatore Nicosia, Napoli, M. D'Auria Editore, 1991, pp. 9-29 ; « Pour une théologie de la traduction », in *TTR.* Traduction, Terminologie, Rédaction. Études sur le texte et ses transformations (Montréal), n° 2/ 1990, pp. 121-138 ; et cf. *sup.* à propos de Walter Benjamin, etc.

philosophique n'en était pas absente quand, d'emblée, je me suis mis en devoir de réfuter l' « objection préjudicielle » d'intraduisibilité (cf. *inf.*, pp. 85-114). Surtout, la traductologie reste avant tout une discipline réflexive. Comme c'est en règle générale le cas dans les sciences humaines, l'épistémologie de la discipline y est coextensive au discours de recherche qu'elle a pour vocation de tenir. Ainsi le discours méta-théorique d'une épistémologie de la traduction, que ne peut pas ne pas tenir la traductologie — et qui fait que le discours-*sur* la traduction qu'elle est, est du même coup aussi un « discours sur le discours sur » la traduction — c'est aussi par là même ce qui en fait, paradoxalement, un discours très directement *pratique*[25]. Plus simplement : j'ai souvent défini la traductologie comme une « praxéologie », c'est-à-dire comme une science de la pratique, *pour* la pratique, d'où mon titre *Traduire : théorèmes* pour *la traduction* ; et quand j'insiste maintenant sur l'idée que c'est une discipline réflexive, ce n'est pas une contradiction. Paradoxalement, la pratique de la traduction a le singulier pouvoir de nous aveugler sur elle-même, et sur tout ce que par ailleurs nous savons pertinemment la concernant. Une part importante, essentielle, du travail traductologique ira à *désambiguïser* les concepts. Je n'en prendrai ici qu'un exemple.

Le concept de *traduction* lui-même fait problème ! Si l'on synthétise la plupart des définitions qui entreprennent de saisir ce qui fait la nature de la traduction, on en viendra à un énoncé de base du type : la traduction produit un texte-cible sémantiquement, stylistiquement, poétiquement, rythmiquement, culturellement, pragmatiquement... équivalent au texte-source. Et j'aurais pu encore allonger la liste des adverbes qui viennent ici modaliser l'idée d'équivalence. De fait, la multiplication des modalités adverbiales ne vient pas ici préciser le concept, mais en masquer le caractère aporétique. En effet, le concept d'*équivalence* n'est finalement ici qu'un synonyme de celui de *traduction* ; en sorte que ce type de définition est de nature tautologique, c'est-à-dire qu'il nous apprend seulement que la traduction est une traduction !

---

25. C'est ce que je me suis appliqué à montrer dans mon étude intitulée « Traductologiques », in *Retour à la traduction* : numéro spécial de la revue *Le Français dans le monde* (Recherches et applications), éd. Marie-José Capelle, Francis Debyser et Jean-Luc Goester, août-septembre 1987, pp. 18-25.

Si l'on se tourne maintenant vers les controverses qui touchent les traductions, on verra qu'en règle générale ceux qui critiquent une traduction le font en reprochant au traducteur de s'être écarté du texte original : comme si la traduction se trouvait inconsciemment définie en termes d'*identité*. Mais si tel devait être le cas, alors on retomberait dans ce que j'ai critiqué comme étant « l'utopie sourcière de la traduction [26] » et dont la logique impensée est tout simplement que la traduction devrait être la répétition du texte original ! La traduction, cette activité si répandue que nous avons tous pratiquée, ne fût-ce qu'au collège, et qui ne nous faisait pas problème, voilà que nous sommes en difficulté (*in Verlegenheit*) pour la définir. Ne semblerait-il pas qu'elle soit un *indéfinissable*, à la manière des termes premiers que ne « définissent » pas les « fonctions propositionnelles » d'une axiomatique ? Il y a là quelque chose d'inattendu et de tout à fait paradoxal, mais dont il convient de prendre acte.

Dès lors, il ne reste plus qu'à renoncer à des définitions qui entendent saisir l'essence de la traduction en compréhension et à se tourner vers des « définitions réelles » qui désignent leur objet en extension. C'est ce que fait un Gideon Toury, qui définit la traduction comme un « phénomène empirique », c'est-à-dire qu'à l'en croire : est une traduction ce qui se donne pour telle et est acceptée comme telle dans une culture donnée à une époque donnée [27]. Mais, au bout du compte, n'est-on pas là encore bien près d'une tautologie ? Certes, ce peut être une façon de se mettre en devoir de satisfaire à la nécessité discursive à laquelle est soumis un universitaire de « définir » ses termes. Mais on aura besoin d'une autre définition. Aussi ne nous restera-t-il que la (quatrième) solution minimaliste d'une définition du type : Ça sert à quoi ? comme en usent les enfants... C'est ce que j'ai cru devoir faire ici même : Qu'est-ce qu'une traduction ? Ça sert à « nous dispenser de la lecture du texte original » (cf. *inf.*, p. 15) !

Quand j'affirme que la traductologie est une discipline

---

26. « La traduction : des textes classiques ? », *loc. cit.*, p. 27.
27. Gideon Toury, « Translated Literature : System, Norm, Performance : Toward a TT-Oriented Approach to Literary Translation », in *In Search of a Theory of Translation*, Tel-Aviv, The Porter Institute for Poetics and Semiotics, 1980, pp. 35-50.

réflexive, c'est donc bien d'abord à une réflexivité proprement conceptuelle que je pense ; mais c'est aussi à ce que j'appellerai une certaine réflexivité psychologique, qui est en continuité directe avec la précédente. De fait, on retrouvera là en quelque sorte le même renversement par antimétabole qu'on a vu plus haut dans le rapport entre philosophie et traduction : il y avait les controverses concernant les retraductions de Freud, la traduction de la psychanalyse, et voilà qu'on doit prendre en compte la psychanalyse de la traduction, c'est-à-dire tout un travail psychologique du sujet traduisant sur lui-même. Ce serait dans ce sens qu'il y aura lieu de chercher réponse à la question : À quoi ça sert la traductologie ?

Ça peut servir à porter remède à ces difficultés de traduction qui, de proche en proche, finissent par induire de véritables blocages psychologiques chez le traducteur, obligé de tenir compte de contraintes multiples et souvent contradictoires. Placé dans une situation de double, voire de multiple contrainte (*double bind*), le traducteur aura besoin d'objectiver le problème auquel il se trouve confronté, de le conceptualiser et même tout simplement de le verbaliser, pour prendre le recul nécessaire à partir duquel il devra trouver une solution, c'est-à-dire « trancher ». Telle est du moins la fonction que j'assigne à celle que j'appelle la traductologie « productive », c'est-à-dire à la traductologie d'aujourd'hui[28].

Il s'agit moins de produire et d'accumuler tout un savoir sur les divers aspects de la traduction que de mettre en place le discours d'une *culture traductologique,* grâce à laquelle celui qui traduit soit mieux à même de faire ce travail réflexif ; et, encore une fois, la réflexivité conceptuelle va de pair avec une réflexivité psychologique. C'est pourquoi le discours traductologique a quelque chose d'un « discours thérapeutique » : sa fonction est aussi d'instaurer ce que j'ai appelé — par analogie avec la psychanalyse — un « champ traductologique » où, par la grâce d'un « travail » de la parole (verbalisation) et de la

---

28. Il y a là toute une problématique que je développe, en la situant au sein d'une histoire de la traductologie, dans le cadre de mes deux études : « Quelles théories pour la pratique traduisante ? », in *La Traduction,* Actes des Rencontres autour de la traduction..., Paris, B.E.L.C., 1986, pp. 145-166 ; et « Traductologiques », *loc. cit.*, p. 23 sq.

réflexion (conceptualisation), puissent se traiter et être levés les blocages psychologiques dont je viens de parler[29].

C'est à répondre à ces échéances de la pratique que s'est attaché le livre qu'on va lire, le paradoxe (déjà noté) étant que cela se fait sur le mode d'un discours théorique. Quant à ce dernier, on verra que c'est surtout à la linguistique qu'il emprunte les outils intellectuels lui permettant de problématiser les exemples de traduction qu'il convoque. Mais on aura compris que l'horizon de ce travail traductologique est de nature psychologique. Surtout, on fera plus que soupçonner maintenant que le fond de l'affaire est de l'ordre d'une réflexivité philosophique. Dans ce triangle interdisciplinaire qui définit l'essentiel du discours traductologique entre linguistique, psychologie et philosophie, on aura deviné que c'est sans doute la philosophie qui « tire les ficelles » et qui est là un peu comme le « nain bossu » auquel Walter Benjamin comparait la théologie, qui n'ose plus guère se montrer mais détermine la politique en dernière instance...

JEAN-RENÉ LADMIRAL,
Paris, lundi de Pentecôte, 23 mai 1994.

---

29. Cf. ma contribution aux Journées européennes de la traduction professionnelle (UNESCO, Paris 25-26 mars 1987) : « Technique et esthétique de la traduction », in *Encrages* (Hachette/Université de Paris-VIII : Vincennes à Saint-Denis), n° 17, printemps 1987, pp. 190-197 et *speciatim* p. 195.

En matière de traduction — on l'a assez dit — l'articulation de la théorie à la pratique fait problème; il existe un fossé entre théoriciens et praticiens. Il arrive même que d'excellents esprits justifient ce clivage, alléguant que ceux qui se mettent en devoir de satisfaire aux exigences de la théorie ne sauraient s'imposer de faire des traductions eux-mêmes... Au risque de banaliser un peu les choses, disons tout de suite que nous ne voyons là, au mieux, que l'une des innombrables figures prises par le démon du perfectionnisme, bien connu de tous ceux qui se risquent à écrire. Au pire, c'est d'impuissance qu'il s'agit : c'est se refuser à franchir le pas (*saltus mortalis?*), à descendre du Ciel des Idées pour en « mettre en pratique » les beaux préceptes; et l'on comprend l'impatience qu'inspirent aux traducteurs, aux praticiens du métier, « littéraires » ou « techniques », ceux qui ainsi théorisent comme la colombe de Kant, c'est-à-dire « dans le vide ».

C'est à récuser un tel clivage que s'essaye le livre qu'on va lire, à montrer que les intuitions des traducteurs ne sont pas nécessairement aveugles théoriquement et que les concepts des théoriciens ne restent pas forcément vides de toute pratique. C'est bien à partir de notre propre pratique de traducteur, en la prolongeant et en tendant à la « dépasser » (*aufheben*), que nous avons entrepris ici de réunir les éléments d'une théorie de la traduction. Traducteur et préfacier de J. Habermas — et, plus généralement, de ceux auxquels est associée l'étiquette d' « Ecole de Francfort » — nous nous voulons aussi praticien de ce dont par ailleurs nous entendons faire la théorie (1). Nous sommes en l'occurrence ce qu'il est convenu d'appeler un « traducteur littéraire », à temps partiel bien sûr, et d'une espèce particulière puisque nous nous consacrons essentiellement au domaine philosophique.

La philosophie, au sens large où il est permis en français d'y subsumer la psychanalyse et les sciences sociales..., est donc notre « terrain » (comme disent les ethnologues et maintenant aussi, de plus en plus, les linguistes). Elle est aussi ce dont se nourrit notre réflexion sur la traduction elle-même. Car ce n'est pas la linguistique contemporaine qui, à elle seule, peut permettre d'élaborer une théorie, une « science » de la traduction : elle fournit une méthodologie, des outils de conceptualisation ; mais il faudra bien se garder de tout terrorisme « théoriciste ». Au reste, n'en déplaise aux positivismes prévalents, « la grammaire est une grande vieille dame et la linguistique n'est née ni d'hier ni d'avant-hier », comme le rappelle justement J.-M. Zemb (1978, p. III), elle s'enracine dans une tradition qui la dépasse et qui n'est autre que la philosophie.

Les exigences de la pratique, visant à mettre au point un « produit », imposent en outre un élargissement interdisciplinaire débordant la discipline théorique qui prend pour objet « le langage appréhendé à travers les langues naturelles » (A. Culioli, 1968, p. 106). Entre linguistique et philosophie, la traduction est aussi une philologie — cette dernière étant selon Jean Fourquet « amour des beaux textes ». Georges Mounin

---

(1) Cf. E. Fromm (1971), J. Habermas (1973) et (1974), Th. W. Adorno (1979), etc. — N.B. : On trouvera en fin de volume (cf. *inf.*, p. 267 sqq.) les références bibliographiques complètes des différents travaux cités, auxquels nous ne renvoyons dans les pages qui suivent qu'en indiquant les noms d'auteur et les dates de parution (éventuellement indiciées d'une lettre).

n'avait pas tort de chercher des réponses aux « problèmes théoriques de la traduction » du côté de l'ethnographie et de la philologie justement (G. Mounin, 1963, pp. 227 sqq. et 242 sqq.).

Encore un mot de l'expérience sur laquelle nous faisons fond : notre langue-source privilégiée est l'allemand, beaucoup plus que l'anglais (et notre langue-cible, le français). Cela n'est pas sans importance. Dans le dialogue franco-allemand, pour proches que soient les langues et les cultures mises en présence par la traduction, il leur reste les unes aux autres assez d'étrangeté pour que soit déjouée l'illusion de transparence. Alors que la dominance anglo-saxonne nous ferait vite oublier la spécificité de son enracinement, comme par un ethnocentrisme... décentré ou inversé, et les distances qu'il reste à couvrir pour rejoindre les cultures dont nous ne sommes ni les colonisateurs ni les colonisés.

Tel est le terrain propre de la pratique traductive à partir de laquelle nous nous sommes attaché à dégager ce que nous appelons des *théorèmes pour la traduction,* dont il nous apparaît qu'ils sont transférables aussi à d'autres domaines que ceux dont ils sont issus. Mais, en matière de traduction, il reste qu'il ne faut pas confondre théorie et pratique, qu'il faut bien les séparer avant de les articuler l'une à l'autre. Le pathos théoriciste ne permet pas de faire l'économie de la pratique traduisante, avec ses écueils. A quoi bon une belle théorie rigoureusement cohérente, et « scientifique », qui ne mordrait pas sur les réalités effectives du métier?

Aussi la théorisation que nous proposons se contente-t-elle d'être *incidente* ou latérale : elle ne se constitue pas comme la somme d'un corpus doctrinal, c'est plutôt une théorie « en miettes » ou *à l'œuvre,* attachée à relever le défi renouvelé des innombrables problèmes concrets que ne cesse de nous poser la pratique de la traduction. Elle est donc aussi nécessairement *plurielle,* assumant en cela son inachèvement comme sa condition. D'où les approches différentes qui font la matière de ce livre, où l'on ne cherchera pas d'autres horizons de convergence que l'*expérience* d'une pratique qu'il reste à chacun

9

d'actualiser pour son propre compte (2). D'où aussi le pluriel de ces « théorèmes » dont l'unité ne s'effectue réellement qu'à *traduire*... (3)

(2) En fin de volume (cf. *inf.*, p. 266 sq.), on trouvera les références des études qui ont été ici réunies.

(3) Nous remercions la Société Française des Traducteurs de nous laisser donner au présent volume un titre qui n'est pas sans rappeler celui de la revue *Traduire*, organe de la S.F.T.; cette convergence était d'autant mieux venue et nous était d'autant plus agréable que nous sommes nous-mêmes de ce syndicat.

1   QU'EST-CE QUE LA TRADUCTION?

La traduction est un cas particulier de convergence linguistique : au sens le plus large, elle désigne toute forme de « médiation interlinguistique », permettant de transmettre de l'information entre locuteurs de langues différentes. La traduction fait passer un message d'une langue de départ (LD) ou langue-*source* dans une langue d'arrivée (LA) ou langue-*cible*.

La « traduction » désigne à la fois la pratique traduisante, l'activité du traducteur (sens dynamique) et le résultat de cette activité, le texte-cible lui-même (sens statique). Le mot prend aussi parfois le sens métaphorique excessivement élargi d'expression, représentation, interprétation (p. ex. « cette nervosité était la traduction d'une certaine gêne... »).

1. Le métier de traducteur

La traduction est une activité humaine universelle, rendue nécessaire à toutes les époques et dans toutes les parties du globe par les contacts entre communautés parlant des langues différentes, que ces contacts soient individuels ou collectifs, accidentels ou permanents, qu'ils soient liés à des courants d'échanges économiques ou apparaissent à l'occasion de voyages ou qu'ils fassent l'objet de codifications institutionnalisées (traités bilingues entre Etats, par exemple). Il n'est guère de peuplade si reculée qui soit totalement isolée et puisse se passer d'un recours à la traduction. Le mythe de la Tour de Babel donne aussi la mesure de son ancienneté : bien avant les bureaux de traduction de nos Organisations internationales, il y a eu toutes sortes de traducteurs jurés et patentés, secrétaires latins, traducteurs-interprètes des Cours pharaoniques, etc. Cette médiation linguistique entre communautés de langues différentes a donc toujours exigé en leur sein la présence d'individus bilingues, assumant la fonction de traduction et d'interprétation.

Au sens restreint, on distinguera l'*interprétariat*, récemment rebaptisé *interprétation* (cf. *inf.*, p. 42) — cette « traduction orale », qui peut être consécutive ou simultanée — de la *traduction* proprement dite, portant sur des textes écrits. S'il y a un fond de démarches analogues sous-jacentes à ces opérations différentes, les Ecoles d'interprètes et de traducteurs n'en distinguent pas moins très nettement les deux filières.

Le traducteur (comme aussi l'interprète) doit disposer d'une solide connaissance de ses langues de travail, d'une culture générale étendue et, dans le cas des traductions « techniques », d'une connaissance du domaine auquel appartient le texte à traduire; d'où l'obligation pour lui de se documenter constamment. La formation de traducteur est assurée, pendant une durée de 3 ou 4 ans, par des Instituts universitaires comme l'Ecole Supérieure d'Interprètes et de Traducteurs (E.S.I.T.) à Paris (cf. D. Moskowitz, 1972), l'Ecole d'Interprètes de Genève, etc.; il existe aussi des établissements privés. Le consensus semblait s'être établi que la langue-cible doit être exclusivement la « langue maternelle » (langue A), le traducteur ayant en général deux langues-source de travail (langues B et C) : « on traduit dans sa langue! » Toutefois, certains invoquent la pression des besoins et les nécessités d'une adaptation « flexible » à la diversification et au renouvellement rapide de la demande pour exiger maintenant des futurs traducteurs une « mobilité » en vertu de laquelle ils seraient en mesure de traduire indifféremment en direction de plusieurs langues-cible (y compris donc d'une ou plusieurs langues étrangères ou « non maternelles »); mais il n'est pas certain que cette volonté de rentabilisation polyvalente du traducteur (de la traductrice) « à tout faire » soit véritablement réaliste et linguistiquement praticable sur une échelle assez étendue.

Quant au « thème » et à la « version » pratiqués dans le cadre scolaire, ils subordonnent les opérations de traduction à la stratégie globale de l'enseignement des langues et comportent tout un ensemble de contraintes propres; ce sont des *exercices pédagogiques* qui représentent un cas limite, relativement aberrant par rapport à la traduction proprement dite (cf. *inf.*, p. 23 sqq.). Cette dernière vise à *produire* un texte pour un public, et non pour un correcteur. La véritable traduction est un *acte de communication,* économiquement déterminé par les conditions de production du traducteur.

Très nombreux sont en fait les traducteurs qui n'ont pas fréquenté les Instituts de formation spécialisés et se sont formés « sur le tas ». Il y en a aussi beaucoup pour qui la traduction n'est qu'un métier d'appoint; les traducteurs à plein temps sont employés dans des bureaux de traduction, privés ou publics, ou bien ils exercent ce métier à la commande et comme une profession libérale. Les utilisateurs de traduction et, notamment, les maisons d'édition (« donneurs d'ouvrage ») ont en général leur « réviseur » auquel est soumis le travail des traducteurs. La dimension juridique que peuvent revêtir les traductions (dans le cadre d'un procès ou pour les traités entre Etats, par exemple) a suscité l'existence de différents corps de traducteurs-experts accrédités, chargés d'en certifier la validité.

On s'accorde généralement à déplorer un certain retard de la France en matière de traductions, par rapport à l'Italie par exemple; et nombre d'ouvrages étrangers très importants attendent longtemps leur traduction française, à l'exception peut-être des textes en anglais-source. Les conditions économiques viennent ici converger avec un traditionnel ethnocentrisme culturel. Les éditeurs se plaignent de ce que les traductions se vendent mal et de la mauvaise qualité des traducteurs. Ces derniers connaissent des conditions économiques souvent très dures : sous-payés et pressés par les échéances de leurs contrats, ils sont parfois amenés à négliger la qualité pour accroître leur rendement; de plus, le prestige social du métier de traducteur est assez faible. Et il ne semble pas que la loi de l'offre et de la demande, en principe favorable aux bons traducteurs car ils sont assez rares, mais aussi un marché de la traduction en pleine extension, suffisent à entraîner une revalorisation de la profession.

La traduction est *propriété littéraire* et protégée comme telle par le Droit français (loi du 11 mars 1957). Les traducteurs ont un syndicat national, la S.F.T. (Société Française des Traducteurs), qui est elle-même à l'origine de la création de la F.I.T. (Fédération Internationale des Traducteurs).

On distingue traditionnellement traduction *littéraire* et traduction *technique*. Cela correspond à une différence entre les types de textes à traduire mais aussi à des clivages d'ordre économique : les « littéraires » traduisent des livres et sont rétribués, assez modestement, selon le régime des droits d'auteur (avec en principe un à-valoir forfaitaire); les « techniques » reçoivent le plus souvent des honoraires, lesquels sont notablement plus substantiels. La création en 1973 d'une Association des Traducteurs Littéraires de France (A.T.L.F.), par scission de la S.F.T., fait écho à ces clivages. On appellera « traduction technique » aussi bien la traduction de textes juridiques, scientifiques, etc. que proprement techniques; la traduction d'un ouvrage de sciences humaines sera dite « traduction littéraire ».

2. Les problèmes linguistiques de la traduction

Le problème de la traduction est souvent posé dans les termes antinomiques d'un débat académique : traduction littérale ou traduction littéraire dite « libre », autrement dit la fidélité ou l'élégance, la lettre ou l'esprit. Ce sont ces deux pôles d'une même alternative, indéfiniment rebaptisés, qui scandent l'histoire de la traduction selon un mouvement de balancier entre « l'équivalence formelle » et « l'équivalence dynamique » (E. A. Nida, 1964, p. 159 sqq.), entre le mot-à-mot et les « belles infidèles » (cf. G. Mounin, 1955)...

Aux sources historiques de la traduction, on trouve d'abord les textes sacrés, comme la traduction grecque de l'Ancien Testament (dite des « Septante »), la traduction latine de la Bible par Saint Jérôme (la « Vulgate »), etc. Encore maintenant, l'*American Bible Society* développe une immense activité de traduction tous azimuts, sous l'impulsion du linguiste Eugene A. Nida qui s'y est illustré. Les textes littéraires de l'Antiquité ont aussi joué un grand rôle dans la tradition qui est celle de la traduction en Occident : le nombre des traductions de l'*Iliade* et de l'*Odyssée* est à cet égard impressionnant, quoique sans comparaison avec celles de la Bible. Les littératures nationales européennes ont commencé avec des traductions du grec et du latin, comme en fait foi le prestige dont jouit en France le *Plutarque* traduit par Amyot ; et les œuvres de la Pléiade, par exemple, font apparaître une continuité allant de la traduction proprement dite à la simple adaptation qui ne fait que s'inspirer des chefs-d'œuvre antiques (cf. *inf.*, p. 104). Nombreux sont aussi les écrivains qui, comme Valery Larbaud, nous ont légué des « Arts de traduire » (cf. V. Larbaud, 1957).

Il est clair que de nos jours les besoins en matière de traductions sont extrêmement diversifiés et atteignent une ampleur considérable qui va croissant. C'est l'urgence et la masse de ces besoins en ce qui concerne les traductions scientifiques qui sont à l'origine des travaux sur la traduction automatique (T.A.) ou « machine à traduire » entrepris depuis la Seconde Guerre mondiale.

La finalité d'une traduction consiste à nous *dispenser de la lecture du texte original* — voilà les termes dans lesquels il convient selon nous de définir ce qu'est proprement une traduction. La traduction est censée remplacer le texte-source par le « même » texte en langue-cible. C'est le caractère problématique de cette identité qui fait toute la difficulté d'une théorie de la traduction : on parlera d' « équivalence »...

En première approximation, on rapprochera la traduction d'un *transcodage*, où le message nous parvient en code-source (les impulsions électriques du morse par exemple) avant d'être décodé puis recodé (en se servant du code-cible de notre alphabet graphique par exemple). Mais ce serait réduire les langues naturelles a des alphabets (cf. l'étymologie de « grammaire »), au mieux à de simples nomenclatures lexicales, la traduction se contentant de remplacer les mots-source par les mots-cible selon une correspondance supposée bi-univoque entre les uns et les autres (1). De fait, à l'origine commune de la traduction et du dictionnaire, on trouve de telles listes de termes bilingues, voire plurilingues, appelées *tables de concordance* (cf. glossaire sumérien-akkadien); de même, les travaux sur la « machine à traduire » commencent avec des recherches portant sùr le dictionnaire automatique. Il reste qu'en réalité la traduction ne met pas seulement en jeu le vocabulaire, mais aussi la syntaxe, ainsi que la stylistique et la dimension proprement idiomatique des langues concernées. C'est ce qui rend impraticable le pur et simple mot-à-mot d'un transcodage.

Toute théorie de la traduction est confrontée au vieux problème philosophique du Même et de l'Autre : à strictement parler, le texte-cible n'est pas le *même* que le texte original, mais il n'est pas non plus tout à fait un autre... Le concept même de « fidélité » au texte original traduit cette ambiguïté, selon qu'il s'agit de fidélité à la lettre ou à l'esprit.

Ce débat traditionnel sur les « belles infidèles » débouche sur une autre antinomie fondamentale de la traduction le problème de l'*intraduisibilité*. Tout est traduisible, et/ou : la traduction est impossible. Tous ces problèmes sont insolubles en soi et en général : on y trouve qu'au coup par coup des solutions partielles (cf. *inf.*, p. 85 sqq.).

Plutôt qu'en termes de code ou de message, c'est en se servant des concepts saussuriens de *langue* et de *parole*, plus proprement linguistiques et n'impliquant pas le même niveau de formalisation, qu'on pourra esquisser une théorie de la traduction. (La

(1) C'est la fiction simplificatrice dont parlait Warren Weawer, pour ses travaux en matière de T.A., assimilant la traduction à un problème de cryptographie : il décidait en première approche d'assimiler le texte de tel article russe à un texte en fait rédigé en anglais initialement, puis « codé » selon une grille de symboles énigmatique dont il restait à découvrir la clef. Traduire, ce serait alors décoder ou, plus précisément, transcoder. Cf. *inf.*, pp. 34, 56, 222 sq., 226 sq., 250 sq..

langue désigne le stock des virtualités linguistiques dont dispose la communauté, la parole est la réalité de l'activité qui met en œuvre la langue, cf. *inf.*, p. 223.) Le concept d'*équivalence* reproduit l'ambiguïté de la traduction : on précisera qu'il s'agit d'une identité de la parole à travers la différence des langues.

On posera en principe qu'il convient de traduire — c'est-à-dire de « faire passer » en langue-cible — ce qui ressortit à la parole dans le texte-source, car c'est ce que « dit » l'auteur qu'on traduit. La traduction de ce qui appartient à la langue (formes du signifiant phonologique et graphique, contraintes grammaticales, habitudes « idiomatiques »...) est au contraire placé sous le signe de la différence : aux éléments de langue-source, on substitue seulement des équivalents en langue-cible (cf. *inf.*, p. 223 sq.).

Mais l'application de ce principe général fait souvent problème dans la pratique. Certes, on traduira sans hésiter angl. *I am sorry* par fr. *excusez-moi* parce que ce sont des expressions toutes faites appartenant au stock collectif, en somme des unités de langue à considérer globalement ; mais il ne semble pas qu'on puisse s'autoriser de ce que la tendance à une conceptualisation très poussée est coextensive au discours théorique de « langue » allemande pour aller jusqu'à alléger systématiquement d'une part de leur contenu théorique les phrases d'un texte allemand qu'on traduit en français... (2).

Non seulement il peut être difficile d'abstraire la parole de l'auteur de la langue-source au sein de laquelle elle a trouvé sa formulation, mais surtout la solidarité de chaque langue avec

(2) C'est pourtant la tentation que nous avons eue parfois en traduisant certains textes de J. Habermas, Th. W. Adorno, de Kant. D'une façon générale, la philosophie et les sciences humaines s'incarnent dans des styles d'écriture tout à fait différents selon qu'on a affaire à des auteurs de langues française, allemande ou anglaise et aux traditions respectives où ils s'inscrivent ; et il y aurait là la matière d'un chapitre de rhétorique comparée des discours théoriques, qui mériterait de venir s'ajouter à des livres comme ceux de A. Malblanc (1966) ou de J.-P Vinay et J Darbelnet (1968). Voir les concepts d'*incrémentialisation* et d'*entropie*, en l'occurrence « parolisantes » (cf. *inf.* p. 219 sq.)

tout un *contexte culturel* fait apparaître la nécessité d'intégrer à la théorie de la traduction la perspective *extra-linguistique* (ou « para-linguistique ») d'une anthropologie. En effet : comment traduire fr. *ordinateur* ou *cassoulet* en peul? ou le vocabulaire japonais de la cérémonie du thé, voire seulement les expressions techniques du *base-ball*, en français?

C'est ainsi qu'après Sapir et Malinowski, E. A. Nida a montré que la solution des problèmes de traduction est aussi souvent d'ordre ethnologique que proprement linguistique. C'est ainsi qu'on a pu dilater le concept linguistique de « langue » aux dimensions d'une « langue-culture » (H. Meschonnic, 1973, p. 308 et *passim*) ou thématiser la « périlangue » culturelle, situationnelle et comportementale qui en est solidaire (cf. *inf.,* pp. 61, 178 sq., etc.).

Plus généralement, on se ralliera à la formulation de J. C. Catford pour qui la traduction réside dans l'identité du « sens contextuel » (dans l'acception excessivement élargie de l'anglais *context,* qui subsume à la fois l'environnement textuel et la situation référentielle), autrement dit dans l'équivalence linguistique et/ou « fonctionnelle » : l'énoncé-source et l'énoncé-cible ont le « même » sens quand « ils fonctionnent dans la même situation » (J. C. Catford, 1967, p. 49). Ce parti pris de « sémanticien » appelle à vrai dire une linguistique de la parole et une théorie de l'énonciation.

Il confirme en outre que, de la théorie linguistique à la pratique traduisante, le rapport n'est pas celui d'une pure et simple *application* linéaire, pas plus que de la biologie à la médecine. Aussi, tant qu'ils n'ont pas la pratique réelle de la traduction (et bien peu l'ont), les linguistes produisent-ils un discours théorique radicalement insatisfaisant pour les traducteurs parce qu'inadéquat à leur pratique. C'est aussi pourquoi, par ailleurs, on ne saurait parler en toute rigueur de « techniques de traduction ».

3. De la théorie à la pratique

Dans la pratique, la traduction sera bien sür toujours partielle. Comme tout acte de communication, elle comportera un certain degré d'*entropie,* autrement dit une certaine déperdition d'information. Le métier de traducteur consiste à choisir le moindre mal; il doit distinguer ce qui est essentiel de ce qui est accessoire. Ses *choix de traduction* seront orientés par un choix fondamental concernant la *finalité* de la traduction, concernant le public-cible, le niveau de culture et de familiarité qu'on lui suppose avec l'auteur traduit et avec sa langue-culture originale. C'est ainsi que la traduction visera plus ou moins à la « couleur locale », au dépaysement (dans le temps comme dans l'espace), et les lunettes du traducteur seront respectivement des « verres colorés » ou des « verres transparents » (G. Mounin, 1955, p. 109 sqq.) : par exemple, on traduira en français la πόλις grecque par *la Cité* ou bien par *l'Etat.*

Sous le titre *Stylistique comparée du français et de l'anglais,* on doit à J.-P. Vinay et J. Darbelnet (1968) l'un des meilleurs manuels de traduction qui soient. Les auteurs tentent d'y définir le concept d'*unités de traduction* (cf. *inf.,* p. 203 sqq.), correspondant non pas à des mots mais à des groupes syntagmatiques faisant sens, et ils proposent sept types de solution aux difficultés de traduction.

Face à une lacune lexicale de sa langue-cible (un mot « intraduisible »), le traducteur peut avoir recours à la solution désespérée de l'*emprunt,* qui importe tel quel le terme-source étranger (signifiant et signifié), ou à cette importation plus discrète qu'est le *calque* (emprunt du signifié sans le signifiant). Dans les deux cas, c'est le plus souvent le mot, mais aussi la chose elle-même qui sont importés de la langue-culture-source. L'emprunt peut revêtir une valeur stylistique de « couleur locale » : *feed-back* pourra être préféré en français-cible à son doublet plus tardif, et resté plus technique, *rétroaction* (3). Certaines Universités francophones connaissent le statut de « Professeur ordinaire », calquant l'*Ordinarius* germanique, et il y a aussi des « Professeurs extraordinaires ». Puisque l'emprunt et le calque importent un signifié-source, il conviendra que ce dernier soit explicité, soit en note, soit par un contexte qui le

_____

(3) Cf. notre Note du traducteur in J. Habermas (1973), p. IX.

paraphrase (ce qui revient au même). Le *mot-à-mot* (ou la traduction « littérale ») est parfois possible : c'est le cas limite, optimiste, où la traduction tend à se confondre avec un transcodage, mais cette traduction idéale est l'exception.

A côté de ces trois solutions « directes », J. Darbelnet et J.-P. Vinay proposent quatre procédés de « traduction oblique ». La *transposition* remplace « une partie du discours » par une autre ; ainsi le traducteur sait que, là où le français emploie le verbe *aimer* (aimer se baigner, le chocolat...), on construira souvent une phrase modalisée par l'adverbe *gern* en allemand, et inversement. La *modulation* implique pour ainsi dire le détour d'une paraphrase synonymique, la même idée se trouvant exprimée différemment en langue-source et en langue-cible : l'anglais *forget it!* devient en français *n'y pense(z) plus*... L'*équivalence* prend l'énoncé-source comme un tout et entreprend de proposer un équivalent-cible correspondant à la même situation référentielle (non linguistique) : on traduira l'une par l'autre les expressions suivantes fr. *j'ai une faim de loup*, esp. *tengo un hambre canina* et ital. *ho una fame da cavallo*...

Enfin, l'*adaptation* désigne moins un procédé de traduction qu'elle n'en indique les limites : c'est le cas limite, pessimiste, de la quasi-intraduisibilité, là où la réalité à laquelle se réfère le message-source n'existe pas pour la culture-cible. E. A. Nida en donne de nombreux exemples à propos de la traduction de la Bible : comment traduire la parabole du figuier dans une langue qui ne connaît cet arbre que par son espèce non comestible et vénéneuse ? Quant au nom de Dieu, les difficultés rencontrées pour le traduire semble ressusciter là de très anciens interdits...

Au vrai, si l'on y regarde de très près, cette classification des sept différentes solutions à apporter aux difficultés de traduction apparaît elle-même un peu formelle, dans la mesure où les trois premières solutions proposées restent en deçà de ce qu'est véritablement l'activité traduisante, et où la septième et dernière va au-delà : l'emprunt, le calque et le mot-à-mot ne sont *pas encore* de la traduction, et l'adaptation n'est *déjà plus* une traduction. De plus, le concept d' « équivalence » a une validité extrêmement générale et il tend à désigner toute opération de traduction. Il est notamment bien difficile d'en distinguer clairement ce qui est appelé une « modulation ». Or c'est cette opération de traduction elle-même qu'il conviendra de définir... (4).

4. Horizons de la traduction

Au-delà de ces obstacles culturels à la traduction, qui mettent en difficulté une théorie « situationniste » de la traduction, il se pose plus généralement le problème des *métalangages,* où le signifié n'est gagé sur aucun autre référent que lui-même (cf. *inf. :* Appendice I, p. 249 sqq.). Ainsi la philosophie et, plus encore, la poésie posent-elles dans toute son ampleur le problème de la traduction. *A fortiori* faut-il ici déborder la dimension linguistique vers une *poétique de la traduction,* qui suppose une théorie de la « littérarité » (cf. H. Meschonnic, 1973).

Le vieux problème des traductions en vers ne semble plus guère se poser dans la mesure où on tend à s'accorder pour n'y voir qu'une façon maladroite de singer la forme du poème original sur le registre, tout à fait différent, de la langue-cible. On se heurte à la double « intraduisibilité » de la forme du signifiant et des formes littéraires, rhétoriques ou métriques, lesquelles relèvent de l'idiosyncrasie culturelle.

On insistera sur la nécessité de traduire moins le sens ou le

---

(4) Mais, ces limites une fois indiquées, il reste que l'ouvrage de J.-P. Vinay et J. Darbelnet est un auxiliaire méthodologique très précieux, ne fût-ce qu'en raison des nombreux exemples dont il illustre les outils conceptuels qu'il met en œuvre. La *Stylistique comparée du français et de l'allemand* de A. Malblanc (1966) ne mérite pas les mêmes éloges, car elle est notamment encore trop entachée d'une idéologie linguistique idéaliste qui, dans le sillage de la philosophie humboldtienne, tend à imaginer une « âme des peuples » derrière le « génie de la langue »... Mais il faut reconnaître aussi que J.-P. Vinay et J. Darbelnet n'échappent pas toujours tout à fait eux-mêmes à ce reproche.

mètre que la « fonction poétique », l'effet suscité en nous par le poème ; à vrai dire, ce n'est qu'au prix d'un investissement de la *subjectivité* du traducteur, qui fait dès lors figure d'*interprète* mais aussi de « co-auteur » ou « réécrivain » (cf. *inf.*, p. 232 sq.). Au reste, cette dimension humaine est-elle jamais absente d'aucune traduction ? Et, dès lors, n'y a-t-il pas lieu de soupçonner que la « machine à traduire » (la « T.A. ») ne soit qu'une coûteuse utopie fantasmatique et techniciste, rescapée de la mythologie babélienne... (5) ?

(5) Au-delà de cette introduction aux problèmes de la traduction, on trouvera plus loin les éléments bibliographiques d'un Guide de lecture, en Appendice II (cf. *inf.*, p. 258 sqq.).

2

LA TRADUCTION
ET L'INSTITUTION PÉDAGOGIQUE

0. Préliminaires

Les considérations théoriques qu'on va lire se situent à l'intersection de deux directions de recherche différentes en « Linguistique Appliquée » : d'une part, les problèmes de la *traduction* et, d'autre part, la problématique complexe des rapports entre *linguistique et pédagogie des langues*. Il s'agira bien sûr des *langues vivantes étrangères;* sans être totalement absente, la référence aux « langues mortes » ne sera jamais ici thématique et mériterait en outre une étude particulière. Nous nous sommes en outre limité à l'enseignement des langues dans le cadre *scolaire* (du Secondaire), excluant de notre propos des problèmes comme celui des écoles maternelles bilingues, l'enseignement des langues aux adultes, le cas des pays multilingues, etc.

S'agissant d'une étude « théorique », la question terminologique, qui ne saurait rester sans incidence proprement conceptuelle, est appelée à y revêtir une certaine importance. Par une ambiguïté courante du français, neutralisant des oppositions qui correspondent à différents degrés d'abstraction nominale (substantive et adjective, et plus rarement verbale) au plan du signifié, le mot *pédagogique* fonctionne à la fois comme l'adjectivation de deux substantifs différents *enseignement* (N_0) et *pédagogie* (N_1). Le titre de cette contribution reproduit cette ambiguïté qu'elle aura à lever. Cette démarche progressive de désambiguïsation conceptuelle ne concernera pas seulement le concept de « pédagogie », que l'interférence docimo-pédagogique (cf. *inf.*, p. 69 sqq.) montre avoir lui-même un double sens (N_1 et N_2), ou le champ morpho-sémantique *thème/version/traduction*... Le signifiant *norme* renvoie lui-même à deux signifiés terminologiques, l'un pédagogique, l'autre linguistique : l'un et l'autre sont en cause ici et leur coïncidence au plan du signifiant est, plus qu'un obstacle, un indice. En concordance avec le couple anglo-saxon *source language : target language* (en allemand *Ausgangsprache : Zielsprache*), nous préférons à l'opposition classique en français entre *langue de départ* (LD) et *langue d'arrivée* (LA) le franglais *langue-source : langue-cible*, où le deuxième élément nominal (substantif déterminatif) pourra rester invariable et avoir une fonction suffixale permettant d'engendrer tout un ensemble de composés terminologiques apparentés, stylistiquement plus maniables dans un discours déjà marqué par de nombreuses nominalisations que les syntagmes nominaux à relais prépositionnel (de/d').

C'est à de telles propositions terminologiques, sans audace, que nous nous en tiendrons. Il semble en effet que, en linguistique comme ailleurs, la solution des problèmes théoriques ne passe ni ne commence par le dogmatisme subjectif de décrets terminologiques préalables (cf. *inf.*, p. 137) mais qu'on risque bien plutôt de s'en approcher par la description et l'approfondissement d'une *désambiguïsation des concepts*. C'est peut-être encore plus vrai en matière de didactique, et l'on n'a pas cru devoir céder aux tentations du volontarisme et de l' « illusion pédagogiques ».

1. Pédagogie des langues et traduction

1.1. Contre la traduction

La pédagogie des langues (vivantes étrangères) entretient avec la traduction des rapports au moins ambivalents comme en témoigne la vieille ambition qu'il faille parvenir à « penser en anglais » — à penser *directement* en anglais, en allemand, etc., au lieu de traduire en langue-cible une sorte de brouillon mental français (la pensée étant censée précéder le langage). Il y a là déjà un discrédit jeté sur les exercices de traduction. Ces derniers ont pour nature de faire fond sur la compétence en langue maternelle (le français)(1), de s'y référer constamment par un mouvement de va-et-vient entre les deux langues de sorte que sont sans cesse mobilisées des connaissances du français qui jouent un rôle analogue à celui d'un « souvenir-écran » et développent des *résistances*(2) réciproques entre les deux systèmes. Le professeur Guberina, théoricien de la méthode audio-visuelle structuro-globale de Saint-Cloud/Zagreb, a insisté sur l'importance de ces phénomènes au niveau des systèmes phonologiques(3). Les exercices de traduction auraient donc des conséquences pernicieuses, préjudiciables à leur finalité explicite et spécifique comme élément d'une pédagogie des langues vivantes, et préjudiciables à la finalité globale de l'ensemble pédagogique où s'insère l'apprentissage d'une langue étrangère. Ces inconvénients pourront être articulés de la façon suivante.

L'apprentissage de la langue seconde étrangère serait perturbé en raison des résistances psycholinguistiques développées par la langue maternelle. Parallèlement et inversement, mais à un moindre degré, on assisterait à une relative inhibition des ressources expressives en français. La pratique de la traduction s'accompagne de l'expérience bien connue d'une *perte des moyens d'expression* très frustrante. Finalement, la multiplication des interférences, dans les deux sens, aboutirait à une détérioration réciproque des deux systèmes linguistiques.

---

(1) Par un parti pris de simplification terminologique, on conviendra de ne pas problématiser l'équation *langue première* (L1) = *langue* « *maternelle* ». De même la question psycholinguistique du bilinguisme sera mise entre parenthèses, ainsi que les problèmes connexes.

(2) ... en un sens tout à fait comparable à celui des « résistances » de la psychanalyse.

(3) L'opposition « phonologie »/*phonétique* prend alors, dans ce contexte, une valeur polémique. Cf. en outre les résultats ambigus et incertains, mais suggestifs, de la pratique audiologique du Dr. A. Tomatis (1963).

C'est ainsi qu'on a pu rendre le latin (ou l'allemand...) responsable des lourdeurs stylistiques reprochées à certains élèves; alors qu'en réalité c'est là pour eux sans doute l'occasion d'un effort pour tenter de maîtriser une syntaxe plus complexe, et que nous avons un fallacieux idéal de la phrase courte et paratactique, corrélatif d'une scotomisation des ressources grammaticales et stylistiques de la langue et d'une inhabileté à en faire usage.

Dans cette perspective, la version et surtout le thème seront considérés comme des exercices « réactionnaires », rescapés de l'antique méthode, purement livresque, où il fallait apprendre tout un catalogue rébarbatif de règles de grammaire et de lecture, et autres tableaux de conjugaisons..., pour se lancer ensuite « à coups de dictionnaire » dans l'entreprise tâtonnante et ânonnante de traduction. A supposer que cette méthode *grammaire-traduction* ait convenu en ce qui concerne les *langues mortes* — et cela n'est pas certain — il y avait là un lourd héritage dont il convenait absolument de se débarrasser dès lors que les « langues étrangères » enseignées étaient aussi des « langues vivantes » (4). Et ce n'est là nullement l'exigence « révolutionnaire » d'une extrême-gauche pédagogique : dès le XVIᵉ-XVIIᵉ siècle, le *French Littelton* (cf. Cl. Holyband, 1953), plusieurs fois réédité, se met en devoir d'y satisfaire.

L'ensemble des méthodes actuellement pratiquées dans l'enseignement secondaire, qu'on n'osera plus appeler « modernes », sont des méthodes dites *actives* (5). Ce sera le cas, bien sûr, des fameuses « méthodes audio-visuelles », mais c'est aussi

(4) Il s'est d'ailleurs développé entre-temps tout un mouvement pédagogique pour le Latin vivant; on a même constitué récemment des batteries d'exercices structuraux pour cette langue.

(5) Mais d'autres pédagogies peuvent aussi se justifier, en fonction de situations spécifiques : cf. notamment J.-R. Ladmiral (1975*b*). Par ailleurs, il n'est pas traité ici de la méthode « fonctionnelle notionnelle », plus récente et qui n'était guère connue en 1972, au moment où est parue la première version de la présente étude; on notera au reste que ladite méthode fait droit à quelques-unes des remarques critiques formulées ici (cf. aussi J.-R. Ladmiral, 1975 *e*).

le cas de celle qui est devenue la méthode traditionnelle et dominante, la « méthode directe », telle qu'elle est définie par les Instructions officielles (6).

1.2. La méthode directe

Cette méthode est dite à la fois *active* et *concrète*. Elle tourne autour de l'idée de *spontanéité*. Mais des formulations comme celle d' « expression personnelle et spontanée », qui reviennent souvent, ne doivent pas faire illusion. Il ne s'agit pas d'exercices du type du fameux « texte libre » mis à l'honneur par la pédagogie Freinet, et qui aurait sa place dans l'enseignement des langues « vivantes » (voire anciennes). Le concept de « spontanéité » indique surtout qu'il y aura production (et réception) d'énoncés en langue étrangère *sans passer par l'intermédiaire du français* (7). Ce n'est en réalité qu'une manière de prendre parti contre la traduction, c'est sa négation. Le mot même de traduction n'apparaît qu'assez rarement : le rejet de l'idée tend vers l'absence du mot. Le commentaire expliquant le sens du texte aura toujours lieu *en langue étrangère*, « dans la langue enseignée », que l'on évitera de « panacher » avec le français. La traduction elle-même n'est tolérée qu'à l'extrême fin de la leçon et à titre de *vérification*, car il faut bien quand même s'assurer

(6) On trouvera le texte des Instructions officielles analysées ici in *Langues vivantes. Horaires, programmes, instructions*, Paris, S.E.V.P.E.N. (IPN), 1970 (brochure n° 74 Pg) — cité dans notre texte « IPN » suivi de l'indication de la pagination. Entre-temps, il est paru d'autres textes, notamment en 1972 : cf. *Langues vivantes. Horaires, objectifs, programmes et instructions*, Paris, C.N.D.P., 1978 (brochure n° 6074); pour prendre connaissance du dernier état de la question, on se reportera aux brochures *Réforme du système éducatif, pour les classes de 6e/5e* (réf. n° 6083) et ... *pour les classes de 4e/3e* (à paraître en 1979). Il nous est apparu que tous ces changements, réels, n'affectent cependant pas fondamentalement les présupposés idéologiques généraux de l'enseignement scolaire des langues et qu'ils ne rendaient pas caduques les analyses, datées, présentées ici.

(7) L'expression plus récente, et sans doute éphémère, de « traduction spontanée » désigne une traduction non préparée.

que le texte « expliqué en langue étrangère » a été effectivement compris.

« La *traduction* ne devra survenir qu'une fois effectivement vérifiée au cours de l'entretien en langue étrangère l'assimilation exacte du contenu, pour pouvoir se concentrer uniquement sur la justesse de l'expression française. On ne s'abstiendra de l'entreprendre que si le passage étudié doit constituer le texte d'une version faite à domicile » (8).

Surtout, on expulse du Premier cycle les exercices de traduction; le mot n'apparaît pas dans les programmes officiels des Sixième et Cinquième. Encore ne consent-on en Quatrième qu'au thème, pas à la version, et avec d'expresses réserves : « De temps à autre et avec prudence, brefs exercices de thème » (9). Il est bien précisé dans les *Instructions particulières pour l'option* « *langue vivante I renforcée* » *en classe de 4e I et II* qu' « on n'utilisera (donc) pas l'horaire renforcé pour développer exclusivement l'explication littéraire ou multiplier les exercices de traduction » (IPN, p. 50). C'est seulement en Troisième que leur est reconnu à l'un et à l'autre le statut explicite d' « Exercices écrits » *autonomes :*

« Versions dont le texte aura d'abord fait l'objet d'une explication (toujours conduite dans la langue enseignée). Thèmes d'imitation brefs, essentiellement destinés à contrôler et affermir les connaissances grammaticales » (IPN, p. 23).

Si donc au niveau fondamental des principes et du Premier cycle le français est presque totalement absent, on n'en assiste pas moins à une certaine *réintroduction de la traduction* par la suite. C'est ainsi par exemple que la traditionnelle « minute de phonétique » initiale peut faire place à l'explication en français d'un point de grammaire qui sera illustré au cours de la leçon;

(8) IPN. p. 40. La *justesse* doit être ici comprise au sens de la *précision* sémantique. et non pas tant d'une finesse des nuances stylistiques en français-cible.

(9) IPN p. 21 On trouvera dans une note de l'Instruction du 25 février 1963 concernant l'enseignement de l'allemand une mise en garde encore plus drastique (IPN p. 82 cf. *inf.* p. 49)

on pourra même commencer par une re-traduction du texte de la leçon précédente.

Bien plus, par un effet de ce qui sera thématisé plus bas sous le titre d' « interférence docimo-pédagogique », il est à craindre que l'échéance ultérieure d'*exercices écrits* de thème et de version, où la finalité docimologique d'une notation est explicite, ne pèse d'un poids très lourd et ne réagisse comme par un choc en retour sur la nature et la fonction de la traduction, minimale, admise au Premier cycle. La *traduction minimale* en fin de leçon — ou au début la re-traduction, ce qui revient au même —, conçue au départ comme simple *vérification orale*, tend dans cette perspective à anticiper l'épreuve de thème/version. C'est un peu ce que donne à penser l'Instruction du 1er décembre 1950 précisant que ladite traduction minimale est proprement nécessaire (indispensable et inévitable, exigible). Ainsi, comme on l'a vu, « on ne s'abstiendra de l'entre-prendre que si le passage étudié doit constituer le texte d'une version faite à domicile » (IPN, p. 40).

De même, l'effort demandé concernant « la justesse de l'expression française » risque de « dégénérer » dans la pratique en un exercice stylistique de français-cible. Dans le cadre institutionnalisé de l'enseignement, il n'est pas jusqu'aux appels explicites (IPN, pp. 45, 49...) en faveur d'une collaboration interdisciplinaire — notamment avec le professeur de lettres, c'est-à-dire en fait de français — qui ne contribuent à « re-franciser » les expériences de dépaysement encore fragiles dont le professeur de langue s'applique à susciter les occasions.

1.3. Les méthodes audio-visuelles

Il faut voir dans la méthodologie (*methodics* ou *methodology*) audio-visuelle autant et plus une *approche pédagogique* qu'une technologie d'appareils plus ou moins coûteux, plus ou moins utiles et dont on sait plus ou moins bien se servir... (10). C'est

(10) Les « méthodes » elles-mêmes se limitent assez souvent à un matériel pédagogique (*teaching materials*) assez restreint. Dans l'arse-

d'abord l'*occasion* de re-prendre l'esprit de ces mêmes principes au sérieux et de les appliquer cette fois-ci de façon systématique, à la lettre. La pédagogie audio-*visuelle* permet d'éliminer radicalement la langue maternelle de la classe de langue.

Le *tertium quid* permettant d' « accrocher » les signifiés aux signifiants de la langue étrangère n'est plus la traduction française mais l'image. Cette association — maintenant exclusive de toute traduction — du « signifiant-texte » auditif au « signifié-image » visuel ne fait que systématiser de façon radicale un principe qui était déjà celui de la méthode directe, mais auquel elle s'autorisait certaines entorses : la communication interlinguistique (utilisant la traduction d'une langue à l'autre) est éliminée au profit d'une communication intralinguistique (en langue étrangère) où les « bruits » et les « trous » sont compensés par la variation systématique de paramètres extra-linguistiques (contexte référentiel ou *situationnel*), le dialogue permettant d'assurer la boucle régulative. C'est dans ces termes sémiotiques qu'une pragmatique de la communication donne accès à la sémantique du système-cible. Mais l'image n'est pas seulement une sorte de « signifié-pivot », contribuant à la circulation de l'information, elle a aussi une fonction psycholin-guistique. Compte tenu d'un relatif « pouvoir de fascination de l'image », cette dernière *inhibe* la traduction française de la séquence entendue : la traduction ne doit en aucun cas être la réponse articulatoire (ou mentale) fournie par les élèves au stimulus auditif.

Concurremment, *l'écriture* est bannie des débuts du cours *audio*-visuel (11), elle n'apparaît qu'au bout de plusieurs mois.

---

nal foisonnant et diversifié à l'extrême des auxiliaires audio-visuels (*audio-visual aids*), il faut en effet distinguer notamment l'audio-visuel « lourd » et l'audio-visuel « léger », etc.

(11) Conformément au primat des gnosies auditives et des praxies articulatoires, les méthodes sont beaucoup plus audio-... que ...-visuelles. Les prestiges de l' « audio-visuel » peuvent d'ailleurs céder la place aux plus modestes méthodes audio-orales (cf. le mot-porte-manteau anglais *aural*).

Mais ce primat de la langue parlée, c'est-à-dire entendue, qui lui aussi a un double fondement théorique, à la fois linguistique et psycholinguistique, ne fait là encore que reprendre avec une rigueur beaucoup plus systématique quelque chose qui était déjà dans la méthode active traditionnelle; et les Instructions officielles (IPN) mettent le maître en garde à plusieurs reprises contre les menaces d'interférences imputables à la graphie.

Quant à *la grammaire* de la langue étrangère, on renoncera à l'enseigner thématiquement en français. Elle fera l'objet d'un apprentissage par approximations successives grâce aux seules vertus d'une pratique manipulatoire des « structures » (12). C'est encore le même programme que la méthode directe n'avait pu (ou osé) réaliser intégralement et dont elle avait seulement accepté de s'écarter un peu : si « les remarques grammaticales » sont « faites en français », elles doivent absolument être « suivies d'application immédiate » (IPN, p. 40) et elles « seront peu nombreuses » (IPN, p. 41). Bien plus :

« Dans les classes d'initiation surtout, les règles de grammaire (syntaxe ou morphologie) ne seront expliquées, et brièvement formulées, qu'après des exercices répétés individuels et collectifs, faits dans la langue étrangère, qui auront mis l'élève en présence de formes encore nouvelles dont il doit saisir et retenir *empiriquement* la valeur et le sens avant tout raisonnement analytique. *La règle, avant d'être donnée en français, doit surgir inductivement de la masse des exemples où elle est appliquée.*

On évitera, dans l'étude de la grammaire, toute subtilité dont l'intérêt ne serait que théorique. » (IPN, p. 41 — c'est nous qui soulignons.)

Par tous ces garde-fous, la traduction est radicalement exclue de l'apprentissage d'une langue étrangère, au niveau de ses « structures fondamentales ».

1.4. Finalités didactiques et bilinguisme

1.4.1. Au-delà de la « méthode directe » donc, la mise en œuvre de *médias audio-visuels,* voire d'une méthode « structuro-

(12) Sur le statut du métalangage à enseigner, cf. notamment J.-R. Ladmiral (1975*d*), p. 5 sqq.

globale », la pratique du « bain linguistique », etc. ne font que prendre en compte de façon systématique et « scientifique » la même hypothèse pédagogique en somme déjà ancienne (sans bien sûr que là s'épuise toute leur spécificité). Car l'idée qu'une langue étrangère doit s'apprendre parallèlement à la langue maternelle, derrière des parois étanches de toute traduction, est bien une *hypothèse pédagogique,* quoique les propositions avancées soient la plupart du temps référencées à un, et même ici à deux domaines scientifiques (linguistique et aussi psychologie). Ce n'est pas le lieu ici de trancher quant au bien-fondé de ces présupposés d'une psycholinguistique qui paraît plus empirique que proprement « scientifique » (13).

Le vrai problème est celui des *finalités* de cette *pratique* pédagogique (14). Or, tout se passe comme si notre enseignement des langues avait pour fonction de *produire des « bilingues »* (au sens courant, non linguistique et maximaliste, d' « équilingues ») (15). L'idéal du système scolaire français est

(13) Les pédagogues partent souvent de propositions premières du type : « la science (la psychologie) nous apprend que... », « (depuis X.) on sait maintenant que... », « les récentes découvertes des psychologues (des linguistes) ont montré que... », etc. Ce ne sont presque toujours que des alliciants, ayant une fonction purement apologétique et de plus sans références assignables. Ici se trouve posé, plus généralement, le problème de la médiation humaine d'une recherche scientifique que les deux extrêmes qui la définissent, maximalisme théorique et minimalisme expérimental, empêchent d'être immédiatement utile.

(14) Chaque méthode a ses avantages et ses inconvénients spécifiques : la méthode directe devenue une méthode traditionnelle prémunit mal les élèves contre les interférences, alors que ceux qui sont passés par les méthodes audio-visuelles font plus d'agrammaticalités, d'agraphies... C'est donc d'abord un problème de choix.

(15) C'est exactement *l'idéal implicite,* par nous critiqué, que préconisent les Instructions officielles, tel qu'une analyse de leur contenu (comme celle que nous esquissons) permet de le dégager. La situation est évidemment différente en Belgique par exemple, où le bilinguisme fait figure de nécessité politique et de possibilité pratique : et l'on comprend que ce puisse être l'objectif proposé par M. de Grève et F. van Passel (1973); cf. J.-R. Ladmiral (1975 *d*), p. 10.

élevé (du moins l'*était*-il...) : on demande pour la langue étrangère un modèle de compétence comparable à celui du français, avec connaissance de la culture étrangère ; alors qu'en fait le français (langue maternelle) et la langue étrangère sont justiciables de deux types de pédagogies radicalement différentes.

Implicitement, les « élèves » sont plus ou moins identifiés à des « enfants » (lat. *infans*), à des bébés qui apprennent le langage en même temps qu'une langue qui sera la « leur ». Globalement, ce schéma sous-jacent reste présent même quand certaines méthodes audio-visuelles, comme par exemple celle de Saint-Cloud/Zagreb, se montrent conscientes et préoccupées des problèmes spécifiques posés par cette dualité linguistique (« bilinguisme » au sens large d'un « contact linguistique » individuel) ainsi que par l'antériorité proprement *déterminante* de la langue maternelle, et qu'elles prennent leurs distances par rapport à une assimilation trop naïve du français à la langue étrangère et des élèves aux bébés.

Le modèle de compétence proposé est celui du *bilinguisme coordonné*. C'est un idéal pédagogique non explicitement formulé mais susceptible d'être mis en évidence à partir même des Instructions officielles. L'enseignement des langues

« s'attache à créer une association directe et instinctive entre la chose et le mot qui la désigne » (IPN, p. 51).

« L'effort constant du maître doit tendre à instituer une *association immédiate* (sans intermédiaire) entre le signe étranger, mot ou forme, et la chose signifiée, objet ou action. Le mot ne sera donc jamais présenté ni appris isolément, *accouplé à l'un de ses équivalents français*. La mémoire de l'enfant ne doit l'enregistrer qu'associé à l'objet qu'il désigne ou à l'image de ce dernier, ou incorporé à un ensemble verbal qui fait apparaître son sens et sa nuance exacte. » (IPN, p. 39 — c'est nous qui soulignons.)

Dans le cadre de cette perspective, l'enseignement de *civilisation* a lui-même littéralement une fonction de dépaysement. La langue étrangère doit pouvoir se référer à une « situation sémioculturelle différente ».

C'est le sens de la « méthode *concrète* » pratiquée; la traduction aurait pour effet (ou peut-être même pour but...) d'empêcher le maintien séparé du fonctionnement des deux systèmes linguistiques de ce « bilinguisme étanche ». On risquerait de voir se dégrader ce bilinguisme coordonné en bilinguisme « composé » ou mieux « composite » (*compound*) : le passage des signifiants d'une langue à ceux de l'autre se faisant sur la base trompeuse des signifiés français, auxquels les signifiants de la langue étrangère seraient couplés comme une série supplémentaire de signifiants « de rechange » selon une concordance bi-univoque. Sur la base de ce redoublement du signifiant, la traduction deviendrait d'ailleurs en fait un simple *transcodage;* ce qui correspond à une analyse illégitime, méconnaissant la spécificité du fonctionnement sémantique des idiomes et inadéquate aux mécanismes de la traduction. La pédagogie des langues n'est rien autre que la résistance organisée à un tel principe d'interférences.

1.4.2. Concernant cet idéal pédagogique d'un bilinguisme coordonné, deux questions méritent d'être posées : *peut*-on y satisfaire? et *doit*-on le poursuivre? Il n'est pas certain que la réponse à donner doive être positive ni que cette réponse doive être la même à l'une et l'autre question.

Il faut préciser que, « quoique soumis à diverses tentatives de vérifications expérimentales, le modèle composé/coordonné donné du fonctionnement bilingue n'a pas eu de confirmation décisive » (A. Tabouret-Keller, 1972, p. 307); c'est déjà une incertitude théorique qui amène à relativiser les présupposés pédagogiques et incline à la prudence.

Par ailleurs, sur le plan pratique, il n'est à l'évidence pas possible de réaliser intégralement le programme d'un véritable « bilinguisme ». On pourra par exemple objecter que cette dichotomie bi-linguistique est battue en brèche par la présence obligée d'une métalangue grammaticale qui resterait de toute façon présente à l'esprit des sujets (élèves). Ainsi, l'élève ne serait en mesure d'appréhender les *catégories verbales de la temporalité* que parce qu'elles existent aussi et déjà en français. On aurait donc affaire à une traduction « préalable » (implicite), cette opération inter-linguistique ayant un fondement métalinguistique (16).

Remarquons d'abord que l'exemple est privilégié et que cela risque de n'être vrai que pour les catégories de *temps* proprement dites. En ce qui concerne les *aspects* ou les *modes*, il y a *aperception globale* de la séquence linguistique et de la situation qui lui est indissolublement et « immédiatement » associée, à laquelle elle s'intègre et qui lui donne son sens. C'est une « structure » au sens psycholinguistique et gestaltiste d'une séquence signifiante audio-orale associée de façon *synthétique* à un signifié global, visuel et pratique. Par ailleurs, le primat accordé aux temps du verbe, qui seraient ensuite modalisés par un éventuel aspect (notre imparfait, par exemple, étant d'abord et essentiellement un temps du passé, *puis* accessoirement un duratif, voire un fréquentatif, etc.), est une hiérarchie conceptuelle qui tient bien autant à la tradition de l'enseignement grammatical qu'à la structure immanente du verbe français. La « métalangue grammaticale » des catégories de la temporalité est une métalangue *culturelle* — occidentale — plus que linguistique. Un tel invariant interlinguistique ne pourra pas, non plus, être compté au nombre des *universaux* de langage (translinguistiques) dans la mesure où c'est notamment lui, cet axe linéaire de la temporalité sur lequel ont glosé tant de philosophes occidentaux comme Kant ou Bergson... dont les travaux ethnolinguistiques menés dans l'esprit de l'hypothèse dite de Sapir-Whorf tendent à montrer la relativité. Cette transversalité interlinguistique ne semble pas représenter finalement un très grand danger d'interférences pour les francophones. Dans la phrase *I used to go there,* ce qui est perçu, c'est essentiellement l'aspect fréquentatif (17), et c'est à une péda-

(16) Ainsi le latin a-t-il longtemps fonctionné dans la tradition occidentale comme métalangue universelle, sur la base d'une indéniable parenté des langues indo-européennes, dont n'était pas dissimilée l'originalité respective.

(17) La forme fréquentative a au demeurant un sens doublement aspectuel : elle n'est un temps du « passé » qu'au sens d'un parfait ou d'un accompli négatif, en quelque sorte le « dépassé ».

gogie maladroite que les formes du fréquentatif doivent d'être associées à l'imparfait français.

Il est vrai qu'en grec ancien, dans les tableaux de conjugaisons, on réinterprète les aspects en termes de « temps », alors que, pour une part d'entre eux du moins (aoriste), ces aspects sont libres de toute connotation « temporelle ». Mais, pas plus que pour les langues vivantes, cela ne tient à une pente naturelle des élèves qui ne pourraient se passer de métalangue grammaticale. Ce n'est pas non plus le fait d'une *langue morte,* sans situations d'actualisation ni locuteurs natifs. C'est parce que la pédagogie des langues anciennes en est restée essentiellement au schéma grammaire-traduction.

Il est tout à fait praticable et réaliste, dans ce cas comme dans beaucoup d'autres, d'espérer obtenir chez les élèves un dé-conditionnement culturel et d'inhiber les traductions « spontanées ». Les images des méthodes audio-visuelles intentionnent d'ailleurs très précisément un minimum délicat de « couleur locale » qui soit de nature à produire ce dé-conditionnement en faisant percevoir quelque chose du complexe des identités et des différences entre les civilisations correspondant respectivement à la langue étrangère et à la langue maternelle. En somme : au niveau élémentaire, c'est-à-dire simple et fondamental, des structures de base d'une langue étrangère qui ont une fréquence élevée, et en ayant recours aux exercices itératifs de type *pattern drill* ou « pratique audio-orale » intensive de ces structures (dialogues), il est sans doute permis d'espérer qu'on puisse monter chez les élèves des schèmes comportementaux de nature globale mais à caractère relativement simple, qu'il s'agisse de praxies articulatoires ou de gnosies auditives, qui seront mobilisables sans rien qui ressemble jamais à une traduction (18).

Cela ne saurait toutefois représenter que ce qu'on pourrait

(18) Cf. IPN, pp. 36, 47, 50 et *passim,* où on insiste sur « l'acquisition des automatismes phonétiques et structuraux », « les habitudes motrices nécessaires »... On laissera de côté le difficile problème d'un éventuel passage de la mémoire immédiate (qui est une constante physiologique) à la mémoire profonde (qui concerne les informations sémantiques).

appeler des îlots de bilinguisme coordonné. Ces derniers seront susceptibles d'atteindre une forte densité au niveau des structures fondamentales, mais un tel « idéal pédagogique » est tout juste réalisable à ce niveau élémentaire et l'on restera encore longtemps très loin du modèle de compétence des locuteurs natifs (19).

1.4.3. Il ne paraît pas non plus souhaitable de poursuivre cet « idéal bilingue ». D'abord, tout objectif pédagogique doit être réalisable, et facilement réalisable, sinon il risque de devenir un principe supplémentaire de rejet scolaire et d'assumer ainsi objectivement une fonction de sélection sociale. En vérité, le but de l'enseignement des langues n'est pas de produire des bilingues, pas plus que celui de la gymnastique ne doit « chauffer » une élite de futurs champions! comme si la culture servait à faire des professeurs qui, à leur tour, feront des professeurs — selon un mot de Simone Weil — par un phénomène d'identification qui veut que déjà les professeurs soient d'anciens et « incorrigibles » bons élèves...

La tentation de tout enseignant est de valoriser excessivement la discipline qu'il enseigne, et les professeurs de langues n'échappent pas à cette « pesanteur pédagogique ». Mais, en dépit de la rengaine officielle, tout Français ne sera pas un exportateur, en contact constant avec des non-francophones; et l'enseignement des langues doit être mis à la place qui est la sienne. La finalité de l'enseignement secondaire réside en une *formation fondamentale* où la pédagogie des langues n'apporte qu'une contribution. La modestie des résultats obtenus mais aussi la considération psycholinguistique probable que l'école secondaire correspond à l'âge le plus défavorable pour l'acquisition d'une langue seconde devront à cet égard inspirer le choix d'objectifs pédagogiques mesurés, au lieu de ce maximalisme « bilinguiste ».

S'il est vrai que l'idée de *culture générale* n'est pas absente des

---

(19) Sur ces problèmes et sur le « renversement de stratégie » que nous proposons en pédagogie des langues, cf. J.-R. Ladmiral (1975*d*), p. 12 sqq.

Instructions officielles : « (Ainsi) se trouvent étroitement associés l'entraînement linguistique des élèves et leur formation générale » (IPN, p. 44); il n'en reste pas moins que l' « objectif culturel » (IPN, p. 47) intentionné est de nature essentiellement « civilisationnel » (cf. *inf.*, p. 61). Ce que l'on veut faire connaître aux élèves, c'est *la vie et la pensée du peuple étranger* (IPN, pp. 36, 47 et *passim*). Se gardant de tout exposé systématique d'histoire de la civilisation, le professeur de langue « s'attachera...

« à faire prendre conscience aux élèves des *mœurs*, des *attitudes d'esprit*, des *tendances affectives* de *l'homme étranger* ainsi que de ses préoccupations économiques et sociales. Il s'appliquera à faire porter sur lui un jugement clairvoyant, à faire découvrir en quoi il nous est proche et en quoi il diffère de nous. Conduite dans un esprit objectif et généreux, cette étude devrait éveiller une curiosité intelligente, ouverte et critique à la fois, susciter chez les élèves le goût des échanges, l'intérêt pour d'autres modes de vie et de pensée, les inciter en tout cas aux confrontations pacifiques de l'esprit, aux comparaisons fécondes qui leur permettraient, tout en prenant une conscience plus vive de leur propre culture, de l'approfondir et de préparer les voies de son renouvellement. » (IPN, p. 45 — c'est nous qui soulignons.)

Le dépaysement civilisationnel visé par cet enseignement est de nature ethnopsychologique beaucoup plus qu'ethnolinguistique, et cette culture civilisationnelle s'inscrit dans une perspective humaniste de « rapprochement des peuples » (20), participant d'une idéologie d'esprit « social-démocrate » qui n'est autre que celle du *mouvement pour le bilinguisme*. Ainsi :

« Personne n'oubliera (cependant) :
Que tout enseignement, si élémentaire soit-il, donné par un homme de culture est un enseignement de culture;
Que la plus humble phrase de langue étrangère permettant à un

(20) Il n'est que de penser à ce que, dans le domaine du *franco-allemand*, on a pu appeler *Verbrüderungsquatsch...*; cf. J.-R. Ladmiral (1978), p. 29, etc. D'une façon générale, on rejoint là toute une problématique à laquelle nous consacrerons prochainement une série d'études, dans le cadre de la recherche que nous menons avec l'aide de l'O.F.A.J. (Office franco-allemand pour la jeunesse) sur la dynamique des groupes bilingues...

de nos élèves d'entrer en *communication directe* et vivante avec un camarade étranger, peut être en elle-même instrument de culture, car elle amorce l'indispensable *dialogue préparatoire à tous les rapprochements humains.* » (IPN, p. 43 — c'est nous qui soulignons.)

Il y aurait beaucoup à dire à propos de et contre cette idéologie « bilinguiste ». Le mouvement pour le bilinguisme, qui est en fait essentiellement d'expression française, tend vers un bilinguisme franco-anglais dont la contre-partie est bien évidemment, en réalité, un recul sur tous les autres fronts linguistiques. On doit se contenter ici de pointer le danger de ce que nous appellerions volontiers la « dé-culturation franglaise », qui pourra s'avérer corrélative d'une incapacité pratique à dissimiler chacune des deux langues et même entraîner des interférences en langue maternelle (L1). Le problème se pose essentiellement pour l'anglais, car le « bilinguisme pédagogique » vient ici renforcer une tendance générale de civilisation. Un tel bilinguisme « atlantique » n'est au demeurant pas réciproque, bien au contraire, et ce déséquilibre ne fait que s'accroître depuis plusieurs années. Aussi l'extension de cet idéal bilinguiste à l'enseignement des autres langues que l'anglais est-il un contre-feu qui, génétiquement, fait figure de contradiction, Sauf à caresser l'espérance fantasmatique et douteuse qu'on voie un jour se généraliser une éducation trilingue, voire quadrilingue... A moins qu'au contraire on admette que l'anglais ne *doit* pas être *la* langue seconde (L2) de nos élèves, leur « première langue » étrangère (21)!

(21) C'est le problème que, parmi les tout premiers, notre collègue Bernard Cassen a posé de façon vigoureuse, clairvoyante et courageuse, proposant que l'anglais soit toujours « deuxième langue » étrangère enseignée, et ce, bien qu'il soit lui-même angliciste : cf. B. Cassen (1974). Hélas! il apparaît qu'on ne prend pas du tout le chemin qu'il a indiqué ; et la situation s'est encore notablement aggravée depuis la première parution de la présente étude, en 1972. Comme le montrent les projets récemment exposés par le Secrétaire d'Etat J. Pelletier (en avril 1979, à Strasbourg!), il semble qu'on veuille aller vers une nouvelle génération de *Gallo-Ricains* — pour reprendre le mot de J. Cellard (1975), pp. 1 et 8, et de H. Gobard (1976), p. 105 sq. et *passim*. Sur ces problèmes, cf. en outre J.-R. Ladmiral (1973).

Peut-être aussi la traduction est-elle justement le double contre-feu à opposer à cet *incendie linguistique* de l'Occident qui s'annonce avec le « bilinguisme anglo-X » (22) auquel nous serions voués comme à une fatalité — mais dont il n'est vrai que ce nous soit véritablement un destin! Contre-feu à la fois au niveau du traducteur, « bilinguiste » professionnel, qui met en œuvre une résistance organisée aux interférences, et au niveau des textes traduits et de leurs lecteurs où ce serait une façon de conjurer ce péril de satellisation linguistique et culturelle (cf. *inf.*, p. 97 sq.).

Au bout du compte, le bilinguisme n'est certes pas vraiment l'objectif que se fixent les professeurs de langues : ils n'ont pas cette illusion; mais, au-delà de la conscience qu'ils ont de l'impact limité de leurs efforts pédagogiques, il reste qu'il y a là pour eux un idéal lointain dont (un peu comme les théologiens, entre la « thèse » et l' « hypothèse ») ils tendent à s'approcher, asymptotiquement. Surtout, cette option *bilinguiste* tendancielle est immanente à l'enseignement des langues dans la logique interne de l'institution pédagogique telle que nous la connaissons et telle que nous venons d'en analyser les implications. Cela ne va pas d'ailleurs sans contradictions. Chassée du premier cycle de l'enseignement secondaire, la traduction n'en revient que plus massivement par la suite dans l'institution pédagogique, où elle fait figure de procédure docimo-pédagogique d'une importance cardinale...

2. Traduction, thème et version

2.1. La « traduction »

Le terme même de *traduction* est ambigu. Le thème et la version que nous avons pratiqués au lycée sont deux opérations de traduction; mais la traduction ne se limite pas à ce que l'on connaît sous les noms de « thème » et de « version » : ce n'est

(22) ... au sens « où X représente n'importe quelle langue du monde, ravalée progressivement au rang d'un dialecte du quotidien alors que l'anglais (l'américain?) finirait par être *la* langue de culture », cf. J.-R. Ladmiral (1975*c*), p. 142.

pas seulement le terme générique correspondant à ces deux spécifiques, qui à eux deux recouvriraient la totalité de son aire sémantique (et de son « extension »). Le thème et la version définissent un type tout à fait particulier de traduction : *la traduction comme exercice pédagogique*. Ce cas particulier est un cas remarquable dont il s'agit de faire ressortir la spécificité.

On devra même opposer cette opération pédagogique à ce qu'on pourrait appeler la *traduction proprement dite* — ou, si l'on veut, traduction « traductionnelle ». A la différence du thème et de la version, la traduction (*stricto sensu*) est à elle-même sa propre fin et le texte traduit est la raison de l'opération traduisante; on a là un cas de « finalité interne », comme disaient naguère traditionnellement les philosophes : la traduction n'obéit pas alors à la finalité externe d'une stratégie pédagogique d'ensemble dont elle ne serait que l'un des moyens. Il s'agit de produire ce qu'on appelle justement « une traduction », c'est-à-dire un texte-cible destiné à la publication et à la lecture (voire, dans le cas du théâtre, à être joué, etc.), dont la fonction explicite et exclusive est de nous dispenser de la lecture du texte-source original. Cette traduction doit satisfaire à un certain nombre d'exigences qui ne sont pas les critères pédagogiques. La « traduction proprement dite » vise à la production d'une performance pour elle-même (*performance-cible*); la « traduction pédagogique » est seulement un test de performance censé fonctionner comme test de compétence (compétence-cible et compétence-source) et s'intègre à un ensemble, pédagogique, plus vaste.

Il y a entre les deux une différence de *nature*. La *traduction pédagogique*, ou thème/version, comporte un certain nombre de traits restrictifs qui lui sont propres (scotomisations, occultations...), constitutifs d'une *structure spécifique*, que nous allons nous efforcer d'analyser ici (23).

---

(23) Cf. aussi notamment K.-R. Bausch (1977) ainsi que, d'une façon générale, l'ensemble du numéro spécial de la revue *Die Neueren Sprachen*, dirigé par F.-R. Weller et consacré aux problèmes de la « traduction pédagogique », où cet article prend place (et cf. *inf.* p. 266).

Bien sûr, le fait que le thème et la version soient ainsi essentiellement finalisés par l'institution pédagogique au sein de laquelle ils prennent place n'exclut nullement la possibilité de mettre en œuvre une *pédagogie de la traduction* où la relation soit inversée : la pratique traduisante et la production d' « une traduction » finalisant une institution pédagogique qui lui est subordonnée et non le contraire (24).

Il est courant aussi de distinguer l'*interprétariat* (25) de la traduction (*lato sensu*), qui subsume la traduction à la fois comme exercice pédagogique (subsumant à son tour le thème et la version) et la « traduction proprement dite » (ou *stricto sensu*)... On pourra définir l'interprétariat comme une « traduction » orale, consécutive ou simultanée : d'où le sens encore plus élargi d'une « traduction » subsumant à la fois le travail de l'interprète et la traduction (« *lato* » *sensu*), qui opère sur des textes écrits. A ce niveau très général, la *traduction* fonctionne comme archi-lexème neutralisant l'opposition *traduction : interprétariat.* Cette dernière extrapolation s'autorise de ce que, si les deux opérations sont bien différentes, elles renvoient à un fond de démarches analogues, au demeurant sous-jacentes parfois à

---

(24) C'est le cas avec des établissements comme l'E.S.I.T. (Ecole Supérieure d'Interprètes et de Traducteurs) à Paris, l'Ecole de Traduction et d'Interprétation de Genève, les Instituts spécialisés que comportent plusieurs Universités ouest-allemandes, comme Sarrebruck et Heidelberg, etc. (Sur l'E.S.I.T., cf. D. Moskowitz, 1972.)

(25) Cf. D. Seleskovitch (1968). On préfère maintenant parler d'*interprétation*. C'est un anglicisme, plus « moderne »; c'est aussi un changement plus ou moins publicitaire ou « promotionnel » d'étiquette (comme on en constate périodiquement maintenant dans tous les milieux professionnels) : « interprétariat » rime avec « secrétariat »... Tout se passe comme si au surplus on se plaisait à jouer de l'ambiguïté, rappelant ainsi la dimension *herméneutique* immanente à tout acte qui fait passer un message (texte) d'une langue à l'autre (cf. *inf.,* p. 231 sq., ainsi que p. 47, et d'ailleurs G. Steiner, 1978, p. 37 sq., etc.). A vrai dire, cela correspond aussi à une hiérarchie réelle : l'*interprétation* désigne maintenant l'activité professionnelle de très haut niveau qu'assume l'interprète de conférences, alors que l'*interprétariat* renvoie à des tâches subalternes (et en général préliminaires) de « contact ».

certains exercices de traduction pédagogique (cf. *inf.*, p. 45 sqq.).
Mais ce dénominateur commun est minimal.

Plus généralement, à travers et au-delà de ces détails
terminologiques, qui sont comme des variantes sémantiques sur
la base d'un signifiant constant, il convient de faire éclater
l'apparente unité de ce concept, qui est trompeuse. Sous un
même vocable, la « traduction » ne désigne pas une opération
simple et unique, dont les diverses modalités et réalisations
seraient homogènes; il s'agit en fait de tout un *domaine*
extrêmement diversifié et polyvalent. Le vieux mythe du
babélisme est un fantasme qui se résout dans la réalité en une
multiplicité de procédures hétérogènes — chacune des pratiques
traduisantes étant assignable à différents paramètres. Il n'est pas
étonnant que, parallèlement, une théorie de la traduction se
dissolve en une « rhapsodie » de *problèmes* : il n'y a pas « la
traduction », mais de nombreux *aspects* ou *modes de traduire,*
des traductions.

2.2. Le couple thème-version

Les exercices de traduction interviennent dans l'institution
pédagogique essentiellement sous ces deux formes bien connues
que sont le *thème* et la *version*. Dans le thème, c'est en langue-
cible étrangère qu'on traduit un texte français; dans la version,
la langue-source est la langue étrangère enseignée et c'est en
français qu'on traduit. Ces deux traductions font figure d'opérations rigoureusement symétriques, mais de sens contraires.
Par rapport au français langue maternelle, le thème est centri-
fuge, la version est centripète.

Nous ne ferons pas ici l'étude lexicologique de ce couple
morpho-sémantique, bizarrement dépareillé au niveau des signifiants (alors qu'on a là en allemand, par exemple, deux termes
en opposition analogique manifeste : *Hinübersetzung* et *Herüber-
setzung*). L'étymologie y aurait sa place; la diachronie lexicale
aiderait à remonter la filiation historique de cette double
pratique de la traduction pédagogique. Là encore, le poids de
l'enseignement du grec et du latin a pesé lourd, de même que la
tradition gréco-latine elle-même : ainsi pratiquait-on à Alexan-

drie, à l'époque hellénistique, une paraphrase des poèmes homériques, à la fois inter- et intra-linguistique dans la situation de diglossie qu'avait déjà instaurée l'évolution diachronique de la langue grecque — ce qui fait de l'exercice traduction-commentaire l'un des plus anciens de la tradition pédagogique occidentale.

Compte tenu de la différence de compétences chez l'élève et des niveaux de compétence exigés respectivement par le décodage et par l'encodage, on attendra dans le cas de la version des performances plus satisfaisantes que pour le thème. On estime en général que *le thème est plus difficile que la version;* et, dit-on, le « fort en thème » est un bourreau de travail.

Ce n'est en fait que très partiellement vrai car cela dépend du niveau d'attente, pédagogique et docimologique, propre à chacun de ces exercices ou épreuves; et, très généralement, les modèles de performance attendus leur sont respectivement spécifiques. Entre aussi en ligne de compte la place occupée par l'exercice dans la stratégie d'ensemble de l'enseignement considéré : un thème d'application sera plus facile qu'une version dite « de concours ». Plus qu'une différence dans le degré de difficulté, il y a entre thème et version une différence de nature qui tient à leurs modes de fonctionnement propres.

Si, pour ce qui est des langues anciennes, thème et version servent surtout de base à la fixation des structures, il est assigné à ces deux exercices écrits des finalités très différentes par les Instructions officielles concernant les langues vivantes. De même, on remarquera que l'agrégation de lettres modernes comporte deux versions, celle de grammaire deux thèmes.

Le fort en thème est rarement le meilleur en version, il lui arrive beaucoup plus souvent d'être « bon en maths ». Il n'est pas bon en « français » — entendons : ce n'est pas un littéraire. La version garde son aspect littéraire : il faut produire une paraphrase française d'un texte littéraire étranger. En thème, le plus important est la vérification et l'*application* de règles grammaticales; le thème a une fonction docimologique marquée. Le fort en thème est en prise directe sur le discours du maître.

Par ailleurs, en dehors même de ce conditionnement pédagogique, et maintenant d'un point de vue strictement linguistique, thème et version correspondent à des modèles de compétence spécifique (cf. *inf.*, p. 56 sqq.).

S'il est vrai que la traduction se pratique dans les deux sens, le thème et la version ne sont qu'apparemment symétriques et correspondent à deux opérations essentiellement différentes. On pourra voir même dans la dissimilitude des deux signifiants pour ces deux signifiés apparentés (« réciproques ») l'indice de cette *asymétrie du thème et de la version*.

2.3. Les exercices à base de traduction

Il y a souvent, comme l'ont noté E. Benveniste, R. Jakobson ou G. Mounin, des opérations de traduction implicites sous-jacentes à certaines démarches du linguiste. On trouvera aussi des « modifications » ou variantes de la traduction au principe de très nombreux exercices pédagogiques.

C'est ainsi qu'il est possible de définir toute une série de procédures allant du thème d'application aux *exercices structuraux* proprement dits (cf. M. Reffet, 1971). Citons les « exercices d'extraction » définis par Jean David concernant le lexique (J. David, 1968), la retraduction de mémoire, qui est elle-même une variante du *test de compréhension*, etc.

Ce dernier pose, au reste, des problèmes nombreux et délicats. Le titre de « test » lui convient assez mal dans la mesure où ce sont des aptitudes et des connaissances de nature tout à fait différentes qui sont là mises en jeu et indistinctement contrôlées. Il est possible d'y voir une épreuve de version-thème où les deux opérations successives (ou parfois « simultanées ») de réception et de rédaction mettent en œuvre non seulement la double compétence bi-linguistique mais aussi la « culture », la formation fondamentale du sujet et soulèvent surtout la délicate question de la mise en mémoire. Cet exercice complexe nécessite l'apprentissage des « techniques » d'expression et de prise de notes (26).

De même l'*essay* ou l'*Aufsatz*..., la « rédaction » ou « expression spontanée » en langue étrangère (« langue-cible ») est assimilable à un thème d'application sans texte de base ; ici le texte de base est remplacé par l'intertextualité de lectures supposées.

La *re-traduction* ou traduction « en retour » (en allemand *Rückübersetzung*) est sous ses différentes modalités un bon exercice qui permet de faire faire aux élèves (étudiants) l'expérience de la subjectivité de toute traduction et tend vers une meilleure objectivation tant de la langue étrangère que de la langue maternelle. Elle pourra être au principe d'un jeu des « petits papiers » d'un type nouveau, consistant à faire traduire, puis re-traduire, puis re-re-traduire, etc., un texte par toute une suite d'élèves, chacun d'eux n'ayant connaissance que de l'état du texte qu'il a lui-même à traduire et ignorant les étapes antérieures. A la fin de l'exercice, on comparera avec l'ensemble des élèves le texte initial d'entrée et le texte terminal de sortie.

Ce pourra être aussi l'occasion d'un autre exercice : la *critique de traductions*. C'est un exercice assez couramment pratiqué dans les Universités allemandes (*Übersetzungskritik*) (27). Il

(26) Notons à ce propos qu'on enseigne aux apprentis traducteurs-interprètes les techniques de prise de notes (cf. J.-F. Rozan, 1970). Par ailleurs, selon nous, un enseignement des *techniques d'expression* pourra se présenter comme une pratique de la traduction intralinguistique modifiée selon différentes variantes, analogues à celles dont on fait ici même un inventaire sommaire ; on évitera ainsi d'avoir à présupposer chez tous les individus d'une population enseignée la connaissance d'une même langue-source étrangère à un niveau de compétence homogène (cf. *inf.*, p. 63). La traduction pose, plus généralement, le problème de la paraphrase dans l'institution pédagogique.

(27) Cf. K. Reiß (1971). Il est possible de « compliquer » ce modèle pédagogique et l'exercice peut donner lieu à un enseignement « interdisciplinaire » comme les séminaires d'été que nous avons co-dirigés à l'Université de Heidelberg avec le professeur Fritz Paepcke (directeur de la Section de Français de l'Institut de Linguistique appliquée et de l'ancien *Dolmetscher-Institut*), où le romaniste

peut s'agir non seulement de faire la comparaison critique d'une traduction avec le texte original, mais encore de comparer plusieurs traductions (publiées ou non) d'un même texte.

On pourra associer intimement l'explication de texte et la traduction qui fera dès lors figure d'*exécution* du poème, de la scène de théâtre... au même titre que leur lecture à haute voix. Pour finir, mais sans épuiser le catalogue des exercices à base de traduction ou « modifications » de la traduction pédagogique, on pourra pratiquer ce que nous appelons la *contraduction :* combinant la contraction de texte et la version, on résumera en français un texte de langue étrangère. Cet exercice est à recommander dans le sens de la version plus que dans celui du thème, pour les raisons mêmes que permet de dégager et d'analyser un *examen critique du thème.*

3. Critique du thème

3.1. Contre le thème

Le thème est en lui-même un exercice *artificiel.* S'il est déjà exorbitant d'espérer que l'enseignement d'une langue étrangère parvienne à faire des élèves de réels « bilingues » au terme de leurs études, il est proprement contradictoire de supposer qu'ils le soient déjà avant la fin de ces mêmes études, c'est-à-dire qu'ils aient atteint au cours même du processus pédagogique l'état

---

allemand et le germaniste français, tous deux linguistes spécialisés dans les problèmes de traduction, étaient mieux à même de promouvoir dans les deux sens une « interlinguistique appliquée » intégrant concrètement à la théorie de la traduction des perspectives comme la linguistique contrastive et la « linguistique du texte » (*Textlinguistik*), ainsi que les aperçus sociolinguistiques rendus nécessaires par les différenciations intralinguistiques propres à chaque langue ainsi mise en contact (sans négliger totalement la diachronie), et aux différents niveaux qui sont mis en jeu par plusieurs « couches » de traduction. Le contact linguistique franco-allemand est sans doute, il est vrai, privilégié à cet égard ; pour une comparaison des deux systèmes grammaticaux concernés, cf. la somme linguistique « contrastive » de J.-M. Zemb (1978).

terminal où ce processus a pour fonction et pour fin de les conduire (*terminal behaviour*). Le thème est donc au mieux une espérance démesurée et de plus une exigence absurde. La compétence de l'élève dans la langue qu'on continue d'appeler à juste titre « étrangère » est trop insuffisante pour que la performance obtenue ne soit pas artificielle et sans commune mesure avec celle des locuteurs natifs.

D'une part, l'encodage d'un texte français en langue-cible étrangère facilitera les interférences en provenance de la structure forte du français-source. Beaucoup plus encore que la version, le thème prête le flanc aux critiques adressées par la pédagogie des langues aux différents exercices de traduction dont il réalise à cet égard l'exemple le plus dangereux.

D'autre part, la rédaction d'un texte fautif en langue étrangère risque d'imprimer dans la mémoire de l'élève ses propres fautes. C'est un vieux principe de la pratique pédagogique que d'éviter cela comme on évite de faire figurer dans les livres scolaires des tournures erronées, quand bien même ce serait dans le but bien clair et explicite de les faire rectifier par les élèves ou de leur demander de choisir entre la bonne tournure et la mauvaise (28).

Enfin, le thème matérialise les risques maximaux d'un inconvénient général qui tient à tout effort d'expression linguistique

---

(28) Peut-être y aurait-il lieu, il est vrai, de relativiser un peu ce vieux principe toujours répété. Il n'a pas d'ailleurs une ancienneté absolue. Si, par exemple, la méthode de langue française pour l'enseignement primaire de F. Brunot procédait d'une pédagogie de l'imprégnation et bannissait corrélativement tout ce qui pourrait ressembler à des fautes, il y avait dans la grammaire Augé des phrases à corriger. Peut-être peut-on développer une résistance organisée à la faute qui fonctionnerait comme un stimulus perceptif déclenchant la réponse abréactive du rejet linguistique. Il se produit, semble-t-il, des processus de cet ordre au niveau de la conscience linguistique que les sujets ont de leur langue maternelle (c'est le concept de *control* thématisé par certains linguistes anglo-saxons). Ainsi seraient contrebalancés les inconvénients d'une mémorisation par automatisme au niveau d'un « subconscient » linguistique. Les deux hypothèses peuvent au demeurant faire l'objet d'un test de vérification expérimentale et statistique.

et spécialement en langue étrangère : le locuteur a tendance à mémoriser les performances fautives de son propre idiolecte, particulièrement aberrant dans le cas d'une langue étrangère. Chacun est à soi-même, en effet, la personne qu'il entend le plus ; et la perception auditive (extéroceptive) prend alors en outre une dimension proprioceptive : elle s'accompagne de praxies articulatoires (et graphiques).

Les Instructions officielles se montrent conscientes du danger.

« Il y a lieu, à cet égard, d'attirer l'attention sur l'inconvénient que présente l'utilisation prématurée ou inconsidérée des exercices de thème, particulièrement dans les classes d'initiation : le thème *ne saurait être à ce niveau un moyen d'acquisition ;* ce ne peut être qu'*un moyen de contrôle* parmi bien d'autres que la méthode active met à la disposition du professeur. Pratiqué de façon intensive dans les classes de début, *le thème risque d'avoir une action nocive* sur la solidité des réflexes ; l'effort d'esprit qu'il requiert n'est pas de même nature que celui, essentiel pour les débutants, qui consiste à monter et à entretenir les mécanismes de base nécessaires à l'expression orale spontanée. Le thème ne peut devenir un exercice fructueux dans les classes d'initiation que si elles sont bien entraînées à la parole et possèdent déjà des réflexes sûrs. Il est rappelé à cette occasion qu'il ne peut être question dans les classes du second degré que de *thème grammatical* ou de *thème d'imitation.* » (IPN, p. 82 — c'est nous qui soulignons.)

Le thème est tenu en lisière : il est « essentiellement destiné à contrôler et affermir les connaissances grammaticales » (IPN, pp. 23 et 24), c'est « un thème d'imitation à caractère grammatical » (IPN, p. 44). S'il est introduit dès la Quatrième, avant la version, c'est à doses homéopathiques, « de temps à autre et avec prudence » (IPN, p. 21), et parce qu'il y fait figure de pur et simple petit *exercice de grammaire :* il n'y est nullement pris au sérieux en tant qu'opération de « traduction ». De même, les écoles d'interprétariat et de traduction pratiquent peu le thème et essentiellement à titre d'exercice préparant à la traduction dans le sens de la version (29).

(29) Du moins cela a-t-il été vrai jusqu'à présent ; mais peut-être certains impératifs de rentabilité sont-ils en passe d'imposer une révision déchirante de cet *a priori* pédagogique de bon sens (cf. *sup.,*

3.2. L'évanescence du thème

3.2.0. *Le thème n'existe pas :* ce paradoxe apparent n'est pas une simple provocation rhétorique. Il n'y a pas de thème en soi; et si l'on est tenté de voir dans le thème une opération *sui generis,* contraire mais symétrique de la version, c'est qu'on a scotomisé et occulté la stratégie pédagogique d'ensemble où il s'intègre, dont il n'est qu'un moment et qui en l'instituant le constitue dans sa nature même. Les opérations de traduction à partir du français-source (langue maternelle), qu'on a rangées ensemble ou « subsumées » sous la catégorie pédagogique du thème, sont hétérogènes. Artificiel, le thème est aussi *disparate* et hétéroclite.

3.2.1. Il y a d'abord le *thème grammatical.* C'est le thème proprement dit — comme en témoignent par exemple les Instructions officielles. Il n'est qu'un exercice de fixation des structures. Le thème est une façon de tendre des *pièges* aux élèves (cf. *inf.,* p. 73 sqq.) — comme si à l'occasion du thème, à la faveur de cette nuit qu'est pour l'élève la langue-cible étrangère, le correcteur se postait en embuscade aux endroits où menacent les interférences...

A ce niveau, encore élémentaire mais fondamental, le thème *est* grammatical : sa nature est essentiellement la grammaire et rien qu'elle. La fonction *docimologique* l'emporte ici sur la fonction pédagogique et, sur le plan linguistique, le thème aboutit à la reconstruction de la langue-cible enseignée sur la base de certaines scotomisations qui en viennent à définir une norme pédagogique, et une norme linguistique *sui generis* (cf. *inf.,* p. 78 sqq.). Ce thème n'est pas une traduction mais un exercice

---

p. 12 sq.). D'ailleurs, les traducteurs ont généralement une langue-cible qui est *leur* langue (« langue maternelle » ou langue A) et plusieurs langues-source. Certains de ces professionnels de talent vont jusqu'à mettre quelque coquetterie à l'à-peu-près de leurs langues-source, les prononçant mal ou même faisant quelques fautes (au niveau des désinences en allemand par exemple...).

de grammaire : c'est l'équivalent d'un *exercice à trous* mis au point à partir des pièges qui définissent l'essence même du thème grammatical et l'artefact linguistique qu'il a pour objet-cible.

3.2.2. Il convient sans doute de distinguer du thème proprement « grammatical » le *thème d'imitation* ou *thème d'application* (30). Alors que le premier est une grille qui permet de contrôler la co-présence paradigmatique des éléments d'une compétence-cible de nature grammaticale enseignée à l'élève, le thème d'imitation vise au *réemploi* immédiat des éléments linguistiques qui sont présents dans les syntagmes d'un *texte de base* proposé aux élèves et qui fait figure de réalisation de la compétence-cible.

Il peut être centré sur le *vocabulaire* (3.2.2.1.). Il aura pour fonction de réactiver les connaissances lexicales des élèves grâce à la manipulation précédée d'un rappel des unités et syntagmes (lexies). C'est le fameux passage du « vocabulaire passif » au « vocabulaire actif » (cf. *inf.,* p. 55 sqq.). Le thème d'imitation peut aussi être centré sur la morpho-syntaxe, dont le texte de base aide à maîtriser les difficultés en les rendant disponibles pour une procédure de réemploi. Ce sera alors le thème d'imitation *grammatical* (3.2.2.2.).

Dans ce cas, le thème — même si on ne peut en toute rigueur le compter au nombre des « moyens d'acquisition » — a une

(30) Les deux expressions sont synonymes, il en est ainsi dans les Instructions officielles elles-mêmes. A « thème d'application » nous préférerons « thème d'imitation » qui renvoie plus directement à la problématique du dialogue essentiel à tout apprentissage d'une langue seconde, corrélatif de ce que nous appelons l'*effet de rebond* qui est au principe du « réemploi ». C'est ainsi que deux « hétérophones », chacun maîtrisant mal la langue de l'autre, pourront adopter le double principe suivant : *a*) à l'écrit, dans l'échange épistolaire par exemple, chacun pourra utiliser sa propre langue; mais *b*) à l'oral, il vaudra mieux se décider pour l'une des deux langues (quitte à en changer plusieurs fois au cours de la conversation) si l'on ne veut pas faire jouer les inhibitions interlinguistiques d'une « traduction interne » contre laquelle nous ont mis en garde les méthodes modernes (cf. *sup.,* p. 24 sqq. — voir aussi notre étude sur la traduction et la dynamique des groupes bilingues, à paraître).

réelle fonction pédagogique d'enseignement, qui n'est pas sacrifiée sur l'autel docimologique de la notation comme c'est le cas dans le thème grammatical proprement dit. Le « thème grammatical » procède de façon déductive à une *application* de la théorie grammaticale (règles) à la « pratique de la langue » (phrases). Le thème *d'imitation* fait précéder cette « application » par une démarche inductive qui dégage les structures grammaticales et/ou les unités lexicales du texte de base.

Cet exercice de fixation permet de n'avoir pas à présupposer les élèves « bilingues » et il évite qu'on doive corriger leurs performances strictement en fonction de la grammaire enseignée. Il est pédagogiquement et linguistiquement assez justifié pour qu'on puisse être tenté de définir le thème traditionnel ou thème littéraire de façon privative par rapport à lui, comme un thème d'imitation sans texte de base — où, de même que dans l'*essay* et l'*Aufsatz*, le texte de base est remplacé par les lectures supposées faites en classe ou chez lui par l'élève (cf. *sup.*, p. 46).

Mais il est clair que le thème d'imitation n'est que le moment d'une structure pédagogique d'ensemble qui en définit les limites et le distingue de la traduction proprement dite. Cette *irresponsabilité pédagogique* est la rançon de son utilité. S'il est vrai que le thème d'imitation n'est pas un genre littéraire et que la référence au texte de base autorise en général à s'éviter le problème que pose le *choix du texte* à traduire puisque ce dernier est forgé pour les besoins de la cause (31), ce n'est là

(31) La réécriture de ce texte en français-source sur la base du texte préexistant en langue étrangère (texte-« origine ») se fait selon des règles précises qui définissent l'*écart paraphrastique* entre le texte de base ou texte-origine et le texte-cible (objectif pédagogique) par les transformations attendues en fonction d'une analyse métalinguistique préalable de la langue-cible, distribuée selon les exigences d'une grille pédagogique. Cette retraduction (préalable et préparatoire), qu'on pourra appeler une *version en creux*, correspond à des exigences spécifiques qui l'opposent à la version et à la traduction proprement dites. C'est un autre aspect de la problématique générale : « traduction et paraphrase dans l'institution pédagogique ». (Sur les problèmes posés par le découpage du texte-extrait à traduire, cf. *inf.*, pp. 65 sqq. et 68 sq.)

qu'une commodité pédagogique qui n'évacue nullement les problèmes liés à la coupure dans le discours (texte long) qui constitue l'*extrait*.

Le thème d'imitation (32) représente un *court-circuit* pédagogique de la traduction. Le premier réflexe du traducteur est, avant de traduire, de se documenter (cf. D. Moskowitz, 1972, p. 114). Mis devant le texte déterminé d'une traduction à faire, il entreprend un certain nombre de lectures sur le sujet qui sont bien plus utiles que le dictionnaire bilingue, la plupart du temps en défaut, et qui définissent une *intertextualité* fournie et diversifiée. Cette dernière ne présente qu'une très lointaine analogie avec l'extrait qui sert de texte de base au thème d'imitation : ce cycle long a fait l'objet d'une *réduction pédagogique*, aggravée par le renversement de perspective qui est propre au thème — la langue seconde (voire tierce), dont le sujet a la moindre compétence, y étant devenue la langue-cible par un paradoxe qui tient à l'artefact docimo-pédagogique.

3.2.3. Ce n'est qu'à un niveau élevé que le thème tend à être véritablement une traduction. Mais alors il change de nature et mérite bien plutôt d'être appelé une *version à l'envers*. C'est là l'idéal du thème, son accomplissement mais en même temps son dépassement (*aufheben!*)

A ce niveau suprême, le traducteur est censé posséder la langue-cible au même degré que la langue-source, c'est « un bilingue ». Cet idéal pédagogique est incarné, au niveau institutionnel, par l'agrégé de langue vivante. Pour lui, le thème n'est plus un exercice à trous accumulant les pièges mais un *exercice de style* de la même nature que l' « exercice de français » par quoi sera définie la version.

Ce thème à part entière ou *thème littéraire* est devenu un problème d'expression et — dans la mesure où, malgré tout, la compétence-cible n'a peut-être pas toujours tout à fait la même « sûreté » qu'en français-source — ce sera une recette pédago-

---

(32) ... ou une éventuelle « version d'imitation » qui serait un excellent exercice de français, une « technique d'expression », peut-être devenue nécessaire (cf. *sup.*, p. 46 et *inf.*, p. 59 sqq.).

gique précieuse que de prôner par exemple *les vertus du premier jet,* qui mobilise dans une intention de communication le maximum des ressources expressives.

Certes, on parvient à la longue à développer dans une langue seconde des « *îlots* de compétence » comparables en sûreté comme en finesse à la compétence en langue maternelle. Mais, à vrai dire, il est permis de se demander si, *globalement* et à ce niveau, un tel idéal n'est pas plutôt un fantasme — cédant à ces fascinations qu'ont toujours exercées les polyglottes et au charme des réminiscences mythiques de la tour de Babel...

Il semble bien que ce soit une prétention démesurée et que le programme de ce *bilinguisme intégral* soit irréalisable (cf. *sup.,* p. 34 sqq.). La compétence. fût-ce de l'agrégé en langue vivante, n'est en réalité bien sûr nullement égale à celle du locuteur natif (cf. *inf.,* p. 78 sqq.); on peut même douter qu'aucun sujet y parvienne jamais quels que soient ses dons, sa biographie ou sa situation particulière. En dehors même de l'institution pédagogique, le bilinguisme « symétrique » (ou, si l'on veut, « équilinguisme ») n'est qu'un cas limite et, fatalement, l'une des deux structures linguistiques sera prépondérante selon les périodes de la vie ou les sous-systèmes sémio-culturels spécifiques verbalisés, etc.

3.3. L'utilité du thème

L'asymétrie thème-version est l'asymétrie même de tout bilinguisme, qui interdit qu'en toute rigueur le thème soit possible. Ce qu'on appelle ainsi est en réalité soit un *exercice de grammaire,* soit la *paraphrase* pédagogique d'un texte de base ou recodage d'un support textuel en quelque sorte pré-traduit, soit enfin cette « *version* à l'envers » qu'ambitionne d'être le thème littéraire mais dont il n'est que l'imitation (comme d'une Idée platonicienne...) autant qu'elle déjoue la vanité de son effort. C'est en ce sens et *comme tel* que « le thème n'existe pas ».

Mais, si les promesses maximalistes du thème sont intenables, il y a des procédures d'encodage en langue-cible sur la base de messages rédigés en français-source, à la fois utiles et nécessaires. Hors de l'institution pédagogique, le *point de vue du besoin* réhabilite en partie le « thème », exigeant par exemple que soient « transcodés » telle lettre commerciale, tel prospectus technique, etc. (cf. *sup.*, p. 12). Dans la pratique pédagogique, même si le point de vue de la réussite le condamne, il est difficile de se passer du thème.

D'une part, les réalités pratiques extra-pédagogiques exigent que le pédagogue tienne compte de ce point de vue du besoin. D'autre part, on ne saurait simultanément écrire contre le thème au niveau de la théorie linguistique et, au niveau de la pratique pédagogique, en faire faire à ses étudiants! Bien plus, il y a lieu de concevoir le thème comme un exercice de simulation, comme un « jeu de l'interprète », qui rejoint finalement les situations effectives d'utilisation d'une langue étrangère. Cette situation de simulation développe l'agilité et, surtout, elle est de nature à promouvoir chez l'apprenant, au niveau de son vécu, une attitude mentale positive d'*appropriation* vis-à-vis de la langue « étrangère ». Or il y a là, avec l'auto-évaluation positive de ses performances linguistiques-cible par le sujet (*Selbstbewußtsein*), un élément de renforcement essentiel à l'apprentissage et la maîtrise de ladite langue (L2).

En somme, le thème devra nécessairement être utilisé, mais dans le cadre de limites déterminées, en en définissant à chaque fois les finalités sans ambiguïté, conformément aux différentes fonctions qu'il peut remplir et qui viennent d'être analysées. Il faut notamment souligner l'intérêt pédagogique d'une *dialectique du thème et de la version* qui permettra à la fois d'objectiver et de dissimiler les deux langues, ce sans quoi aucun progrès linguistique n'est possible. On s'attachera ainsi à faire que la version tienne les promesses qui ne peuvent être tenues par le thème.

4. Version et traduction

4.1. La double compétence

Comme le thème, la version est un cas particulier de traduction : c'est une opération pédagogique. Mais, si le cadre institutionnel de l'enseignement grève le thème de lourdes hypothèques en même temps qu'il en est constitutif, faisant de lui un artefact directement produit par l'institution pédagogique et qui doit être d'emblée dissocié du reste, on pourra dans un premier temps traiter conjointement de la version et de la traduction (33). L'institution pédagogique ne change pas dans ce cas la nature de la traduction aussi radicalement.

La version est un exercice pratiqué en classe de langue : elle teste et exerce la compétence des élèves en langue-source étrangère. La « traduction minimale » est le degré zéro de la version, vérifiant si le texte de la leçon, expliqué en classe, est bien compris — elle peut d'ailleurs faire place à une version à part entière dès lors que cet exercice se fait par écrit et à la maison (34).

La version trouve disponibles et matérialisées dans un texte les performances en langue étrangère qu'il s'agit pour le thème de produire. Dans cette perspective, la langue-source qui est langue étrangère et langue thématique n'est conçue que comme un moyen de communication, comme un simple *code.* Les textes à traduire apparaissent comme des messages chiffrés qu'il s'agit seulement de décoder. Au terme de cette opération, l'élève est censé en possession du contenu informatif pur du message, de sa signification en soi, qu'il verbalise en français, langue maternelle assimilée à une *langue-zéro,* dépourvue d'opacité linguistique et conçue comme le milieu objectif (translinguistique) et transparent de l'information pure, comparable à la « langue-pivot » des machines à traduire. Présenter les choses ainsi, c'est à vrai dire s'arrêter provisoirement à une fiction simplificatrice qui, pour plus de commodité dans l'ordre de l'exposition, tend à assimiler, dans un premier temps, la traduction à un « transcodage » (cf. *sup., p.* 15 sq.).

Dans cette perspective, il semble que les « fautes » qui sont

(33) Comme le remarque justement B. Lortholary (1975, p. 6), « version et traduction ne diffèrent que par leurs défauts » ; et, finalement, « une version vraiment bonne n'est rien d'autre qu'un morceau de bonne traduction » (p. 7).

(34) (IPN, p. 40) Cf. *sup.,* p. 27 sqq., et sur l'interférence docimo-pédagogique notamment cf. *inf.,* p. 70.

faites en version soient essentiellement des erreurs de décodage. Ce sont des « contresens » (CS), ou des « faux sens » (FS), voire des « non-sens » (NS) — les uns et les autres faisant figure de degrés différents dans le *contre-sens*. L'élève ne savait pas assez bien l'anglais, l'allemand..., il n'a pas été en mesure de *comprendre* le texte; il devra donc élever son niveau en langue vivante (cf. *inf.*, p. 61 sqq.). La préoccupation d'une bonne compréhension du texte-source est constante et explicite dans les Instructions officielles concernant les langues vivantes.

Mais le fait que la langue étrangère soit ici langue-source et non pas langue-cible fait que le modèle de compétence dont il s'agit est spécifique et tout à fait différent de celui qu'exige le thème. Il convient de distinguer une *grammaire de production,* correspondant à l'encodage que représente un thème, et une *grammaire de réception* permettant le décodage d'un texte de version. En fait, l'institution pédagogique ne thématise pas cette différence et traite les deux ensemble : la grammaire de production étant censée être plus « puissante » (cf. *inf.*, p. 149) et englober la grammaire de réception, c'est donc elle qui est enseignée d'après le principe « qui peut le plus peut le moins ». C'est ainsi qu'il est usuel de dire que la version ne demande que des connaissances « passives » là où le thème exige des connaissances « actives » (essentiellement en matière de vocabulaire, mais aussi en grammaire). On s'en tient à la problématique psycholinguistique de la mémorisation et du rappel des unités lexicales, plus ou moins « mobilisables », elle-même réduite à l'idée que « le thème est plus difficile que la version » (cf. *sup.*, p. 43 sqq.).

Pour fournir une interprétation sémantique valable des phrases difficiles de langue-source étrangère, on devra dissimiler (cf. *inf.*, p. 190) le fonctionnement réel spécifique de chacun des lexiques : les aires de variations contextuelles ne sont pas toujours isomorphes d'un système à l'autre; la composante sémantique est susceptible de jouer à chaque fois de façon différente au niveau des contraintes syntaxiques; les concepts sans cesse utilisés de « niveaux de style », de connotation, etc., présupposent une stylistique de l'écart alors qu'on ne saurait se référer à aucune norme interlinguistique... (35). Sur le plan syntaxique, la théorie linguistique et psycholinguistique des grammaires de réception reste très peu avancée (36).

A un niveau élémentaire, on notera par exemple que la compétence-source — de réception, puisque c'est de version qu'il est question ici — est *passive* non seulement au sens où, s'agissant d'une langue étrangère (L2), les éléments lexicaux ou syntaxiques peuvent être moins directement mobilisables, mais aussi dans la mesure où l'initiative de l'encodage échappe au récepteur, ce qui est un facteur de difficulté supplémentaire pour lui car il ne lui suffit plus de rentabiliser au maximum sa propre compétence (minimale), il lui faut décoder des performances qui présupposent une compétence plus vaste et dont l'extension est *a priori* inconnue. A l'inverse de ce qui se passe pour le thème, les difficultés ne sont pas ici pré-programmées en fonction d'une grille de progression pédagogique (et docimologique).

En version, comme se plaît à le répéter Fritz Paepcke, *la nuance n'est pas un luxe, elle n'est qu'un aspect de la précision.* C'est ce dont témoigne *a contrario* l'exemple des mauvais traducteurs — de ces « traditeurs » que fustige Joachim du Bellay dans un français qui permet de reprendre le jeu de mots connu de l'italien (cf. *inf.*, p. 91 sq.). Apparemment contraire mais très exactement complémentaire est le cas, fréquent dans la tradition universitaire, de l' « honnête homme » se permettant, à partir d'une compétence-source lacunaire et d'une prétendue « culture », de corriger des traductions qu'il n'a pas faites et n'est absolument pas capable d'entreprendre...

Le concept de double compétence indique qu'il convient certainement de distinguer entre grammaire de production et

(35) Une *théorie de la dénotation* (cf. G. Frege, 1971) contribuerait à lever nombre d'ambiguïtés liées au concept, à nos yeux plus didactique que proprement scientifique, de « connotation » (cf. *inf.*, p. 184 sq. et *passim*). Cette dernière est communément thématisée dans les termes d'une prétendue synonymie sémantique qui serait seulement modalisée par des connotations stylistiques (cf. *inf.*, p. 117 sqq.).

(36) On trouvera quelques indications notamment chez Carol Chomsky, cf. M.-C. Goldblum (1972).

grammaire de réception en pédagogie des langues (37). Mais on parlera aussi de double compétence à propos de la version dans la mesure où l'accent ne doit pas être mis exclusivement sur le décodage des performances-source : ceci ne se justifierait à la rigueur qu'au niveau le plus élémentaire ou au contraire en ce qui concerne le traducteur professionnel. Dans l'enseignement secondaire — on l'a dit et répété — *la version est un exercice de français.* Les Instructions officielles demandent au professeur de « se concentrer uniquement sur la justesse de l'expression française » (IPN, p. 40 — cf. *sup.*, pp. 28 et 29). C'est aussi la compétence-cible qui fait problème ; et l'assimilation du français à une langue-zéro est une simplification excessive, tout comme l'est celle de la traduction à un pur et simple transcodage : il faut donc aller plus loin.

4.2. La dimension culturelle

S'il est vrai que le thème aussi suppose une interprétation sémantique exacte du texte en langue maternelle, cela fait figure par rapport à une pédagogie des langues vivantes étrangères de minimum d'emblée exigible (*input*). Certes, on se plaît souvent à imputer les fautes en thème à des erreurs portant sur le texte français. Mais c'est là un passage à la limite exagéré, à moins bien sûr que le français-source ne comporte ce qu'il faudra bien appeler des archaïsmes, des obscurités... Il s'agit en fait d'un problème *d'expression* (d'encodage et non de décodage) : les mêmes raisons, linguistiques et métalinguistiques, qui font que la version est « un exercice de français » font aussi que le thème n'en est pas vraiment un.

En version, l'apprentissage du français est thématique. A la différence du thème, où l'encodage se présente comme une reconstruction analytique sur la base d'unités de traduction

---

(37) C'est le parti que nous avons pris depuis, en élaborant notre cours dit d'*Allemand-zéro,* qui est avant tout la grammaire de réception d'une interlangue fonctionnelle de l'allemand et fabriquée pour des francophones de haut niveau socio-culturel, cf. J.-R. Ladmiral (1975*b*).

minimales, on procédera en version de façon synthétique, en traduisant des unités de traduction globales qui se situent au niveau de la phrase. La *langue maternelle* est alors beaucoup plus qu'un instrument de communication véhiculant des informations; c'est le milieu synthétique et global qui est au principe de la formation fondamentale de l'individu et par lequel passent ses différents apprentissages (38).

Ce qui est en cause n'est donc pas une compétence d'ordre strictement linguistique. Il y a la mise en jeu de toute une dimension psychopédagogique fondamentaliste qui se manifeste ici dans l'institution pédagogique à travers des formulations idéologiques. C'est ainsi qu'on verra dans la version beaucoup plus que dans le thème un exercice d' « intelligence » ou de « sensibilité » littéraire. D'ailleurs, l'expression de « fort en thème » est connotée de façon péjorative; elle implique une limitation besogneuse des horizons; et le fait de n'être « pas littéraire » prend le sens d'un jugement négatif sur la personnalité. Plus précisément, la version met en jeu les facultés d'*expression* de l'élève et son aptitude à *comprendre* les textes. De même que les tests de vocabulaire fonctionnent comme des tests d'intelligence, de même la version est un test qui porte sur l'ensemble de la personnalité. C'est dire que cette procédure docimo-pédagogique reproduit tout un ensemble de clivages socio-culturels.

La dimension culturelle intervient sous trois aspects dans la version. En tant qu'elle est un exercice de français-cible, la version atteste d'une part si le candidat est *cultivé*, s'il a en même temps une formation fondamentale et une « culture personnelle ». Elle manifeste d'autre part les scotomisations et occultations qui définissent la norme linguistique et *culturelle* d'un français-cible « académique » (cf. *inf.*, pp. 67 et 81 sq.).

Au-delà de ces deux premiers facteurs socio-culturels qui, interviennent au niveau « subjectif » de langue maternelle, il

(38) On parlera justement de langue *véhiculaire* au sens explicitement restrictif d'une langue apprise pour les besoins de la seule communication et qui ne fait pas l'objet d'une appropriation par le sujet.

faut souligner l'importance « objective » ou thématique de ce qu'on pourra appeler la composante *civilisationnelle* qui — consciemment, et sous la forme d'éventuels déficits informatifs — intervient beaucoup plus au niveau de la *compétence-source* que de la langue maternelle. Si l'on est en mesure de traduire angl. *Civil War,* dans un contexte américain, par fr. « guerre de Sécession » au lieu de *guerre civile* (cf. J.-P. Vinay, 1968*a*, p. 693), si l'on est en mesure d'éviter que all. *Geheimrat* ne devienne en français « conseiller secret », ce n'est pas en fonction d'une compétence exclusivement linguistique mais en utilisant certaines connaissances de la civilisation-source qui font partie de ce que nous appelons la compétence *périlinguistique.*

C'est aussi à ce besoin que s'efforce de répondre l'existence, dans l'institution pédagogique, d'un enseignement de civilisation à côté des enseignements de linguistique et de littérature (cf. *sup., p.* 38). Mais, à vrai dire, la *périlangue* ne comporte pas seulement des éléments proprement civilisationnels et il faudrait faire une place particulière à certaines compétences spécifiques qui définissent des *langues de spécialité,* sociolectes ou « technolectes » (39) liés à des pratiques sociales déterminées. C'est ainsi que dans certaines universités, de préférence en dehors du département de langues, on trouvera des enseignements d'*anglais psychologique*, d'*allemand philosophique* (40), etc.

4.3. Typologie des fautes en version

L'analyse de la version comme exercice de français amène finalement à considérer les fautes en version moins comme des erreurs sur le texte-source, imputables à une méconnaissance de la langue étrangère, que comme des incompréhensions beaucoup plus globales. Dans cette perspective, la faute cardinale est en fait le *non-sens* (NS) : c'est d'ailleurs la faute la plus lourdement pénalisée. Quant au faux sens, on voit souvent en lui un

(39) Cf. M. Wandruszka (1972), p. 103 et *passim* — nous préférerions quant à nous parler de « praxolectes », à côté des sociolectes et des dialectes.

(40) Cf. J.-R. Ladmiral (1975*c*), ainsi que l'ensemble du numéro de revue concerné.

contresens au petit pied. En réalité, il s'agit d'autre chose; et, si l'on continue de considérer le contresens comme la simple conséquence d'un défaut de compétence en langue-source étrangère, on devra voir dans le faux sens moins une erreur minimale sur le texte étranger — le contresens étant seulement plus grave — qu'une incapacité ponctuelle à s'exprimer en français de façon assez nuancée et précise.

D'une façon plus systématique, on pourra distinguer deux grands types de fautes : d'une part la triade non-sens/contresens/faux sens, où les fautes sont des erreurs d'interprétation portant sur la *signification* même du texte (cf. *sup.*, p. 57), et d'autre part un nuage de fautes plus minimes qui sont des *fautes de français,* portant sur la structuration terminale du signifiant-cible.

On pourrait appeler la première une triade sémantique ou « herméneutique », marquant par là combien, plus que la seule compétence linguistique ou même « bi-linguistique », c'est dans les trois cas la personnalité intellectuelle, dans son ensemble qui est en jeu. Le faux sens ressortit à un problème d'*expression* en français langue-cible maternelle (L1); le contresens à la compréhension du texte-source, donc à un problème de compétence en langue étrangère (L2), mais avec des composantes civilisationnelles ou périlinguistiques et dans une perspective interlinguistique; le non-sens marque que l'*intelligence* (avec ses composantes socio-culturelles) de l'élève s'est trouvée en défaut. C'est la faute la plus grave; et l'on parle d' « élève intelligent » au sens d'une valorisation globale et avec une connotation élitaire.

A vrai dire, il faut relativiser un peu cette classification. Il est difficile de tracer la limite entre ces trois unités docimologiques qui ont leur origine dans une pratique tout à fait empirique. Souvent, elles ne représentent en fait que des réactions de véhémence croissante (FS-CS-NS) aux distorsions qu'on enregistre dans la « version » de l'élève par rapport au texte proposé — en général « morceau choisi » d'un « chef-d'œuvre » littéraire.

La version est un exercice de français, c'est peut-être encore plus net en ce qui concerne le deuxième groupe de fautes. Ce sont des « fautes de français », qui sanctionnent des écarts par rapport à la norme du français écrit, souvent « soutenu » ou « littéraire » (cf. *inf.,* p. 67). Cette norme n'est pas seulement linguistique (cf. *inf.,* p. 81 sq.), elle est aussi culturelle ; et la compétence-cible comporte aussi des composantes périlinguistiques, socio-culturellement déterminées.

Les écarts sanctionnés sont des écarts (morpho-)syntaxiques ou fautes de grammaire, des écarts par rapport à la norme graphique et des fautes ou maladresses de nature stylistique. Les annotations correspondant à ce deuxième groupe de fautes sont du type : *mal dit* (« m.d. ») ou *maladroit* ou *gauche,* (faute de) *français* (« fr. ») (faute d')*orthographe* (« o. » ou « or. »)... voire même *charabia !* — sans compter les diverses exclamations modulées (« oh ! » ou « ??? »...) et les appréciations « humoristiques ». Ces erreurs relevées par le professeur de langue sont ici les mêmes que celles sanctionnées par le professeur de français. Elles sont beaucoup moins pénalisées dans la notation. A côté du non-sens, du contresens ou même du faux sens, ce sont des fautes vénielles.

Sauf rigueur docimologique « aberrante », il n'est guère usuel de sanctionner en version les fautes de grammaire et les fautes d'orthographe du français-cible (L1) comme ce qu'en thème on appelle respectivement des « solécismes » et des « barbarismes », lesquels écarts par rapport à la norme-cible étrangère (L2) sont lourdement pénalisés. On notera peut-être aussi en s'en étonnant que les barbarismes sont des fautes plus graves que les solécismes alors que la faute d'orthographe est moins grave que la faute de grammaire (cf. *inf.,* p. 70 sq.).

La compréhension « herméneutique » du signifié textuel, l' « intelligence du texte », importe plus que les écarts par rapport à la norme des signifiants de phrases, grammaticaux, orthographiques ou stylistiques. La version est un exercice de français au sens large d'un exercice de compréhension et d'expression dans le milieu linguistique de la langue maternelle. C'est pourquoi nous estimons qu'elle constitue un exercice méritant de figurer parmi ce qu'il est convenu d'appeler les « techniques d'expression » (cf. *sup.*, p. 46). Par ailleurs, la langue étrangère reste objet thématique de l'apprentissage et c'est encore une raison pour laquelle la professeur de langue sanctionne moins les « fautes de français » que les erreurs sur « le sens » (NS, CS, FS).

5. Le texte à traduire

5.1. Le texte-consigne

Une version ou un thème se présente matériellement d'abord comme des textes-source *à traduire*. L'embrayeur pédagogique a fait l'objet d'un effacement, mais la consigne n'a pas besoin d'être formulée explicitement : elle n'en est que d'autant plus « naturellement » impérative. La consigne est double : (1.) Traduisez ce texte! (2.) Traduisez-le comme il faut! Cette seconde consigne se subdivise à son tour en deux consignes qui lui sont subordonnées : (2a) c'est-à-dire *comme* le texte original! et aussi (2b) conformément aux exigences de la langue-cible! Dans la version, l'accent est mis sur (2a), surtout en matière stylistique; dans le thème, sur (2b), grammaire et vocabulaire.

Mais il y a en fait plus de deux paramètres à prendre en considération dès qu'il s'agit de traduction proprement dite. A la différence de la version (et *a fortiori* du thème), la traduction proprement dite ne se définit pas par rapport à ces «impératifs catégoriques » de nature pédagogique mais par rapport à des nécessités *hypothétiques* du type « si... alors... » : (1.) dans le but de dispenser d'une lecture de l'original, c'est-à-dire *si* on ne sait pas la langue-source, *alors* on pourra lire tel texte-cible; (2.) compte tenu (a) qu'il y a dans toute opération de traduction déperdition de sens (« entropie »), comme dans tout acte de communication, et (b) selon le public auquel est adressé le message, et/ou (c) la finalité visée par le traducteur, il sera plus acceptable de laisser perdre sélectivement tel aspect plutôt que tel autre, etc.

Il n'y a pas de traduction en soi et la traduction proprement dite est une opération déterminée par les conditions de production qui définissent le traducteur et spécifiée en fonction de divers paramètres touchant la nature du texte à traduire (message), le ou les types d'allocutaires (récepteur). La distance (inter-)linguistique, chronologique et/ou culturelle entre ce message-source et le nouveau public-cible qu'est censée lui faire couvrir la traduction représente quelques-uns de ces paramètres, que G. Mounin (1955, p. 109 sqq.) thématise dans les termes d'une opposition métaphorique entre « verres colorés » et « verres transparents ».

5.2. Le texte-extrait

Si la version et la traduction proprement dite ont en commun la langue-cible maternelle, la version se distingue par un certain nombre de scotomisations spécifiques qui la constituent en tant qu'exercice pédagogique.

Alors que le texte-source soumis à la traduction est un *discours* au sens d'un texte long ayant ses propres critères de clôture (ouvrage, article, conférence, roman ou pièce de théâtre...), un texte de version est découpé par l'institution pédagogique qu'incarne le professeur (ou l'auteur de Manuels). On rejoint ici la problématique générale des *extraits* ou *Morceaux choisis*, qui représentent une constante de l'institution scolaire, elle-même commandée par des conditions d'ordre matériel. Or les « ciseaux du pédagogue » mettent en jeu beaucoup plus qu'une délimitation quantitative de la tâche à remplir. De la traduction à la version, il y a une différence de nature qualitative, du fait que certains problèmes fondamentaux de la traduction sont du même coup totalement occultés par cette première scotomisation manifeste. La clôture pédagogique du texte réagit sur la démarche et la structure de la traduction comme activité traduisante et comme produit.

Ainsi la version renonce d'emblée complètement à la mise au point systématique d'une terminologie. Le caractère de texte proprement *extrait* de son contexte évacue moins le problème qu'il n'empêche d'y répondre de façon satisfaisante et rend problématique le statut même de l'unité lexicale. D'une part, il est inutile de constituer l'équivalent d'un fichier terminologique puisque les termes ont une récurrence excessivement faible.

D'autre part, il est impossible de le faire, pour la même raison, car on est incapable de parvenir à une définition contextuelle du terme grâce aux seules ressources du texte (discours); le mot est donc renvoyé au recours univoque, mais ambigu, du *dictionnaire* bilingue. Il faut à vrai dire reconnaître que, même pour le traducteur (« traductionnel »), il n'est guère tout à fait possible de reconstituer totalement la sémantique du lexique à partir des contextes du discours-texte à traduire; mais il est très souvent en mesure de suppléer grâce à eux aux insuffisances du dictionnaire bilingue et même spécialisé.

En revanche, il arrive que les élèves soient soumis à la règle absurde, qui n'est qu'une caricature du phénomène terminologique, selon laquelle à chaque mot étranger doit correspondre un mot français spécifique : si l'Auteur — dit-on — a employé deux mots différents, en allemand (-source) par exemple, c'est qu'il a ses raisons et il convient en français (-cible) de respecter ses décisions lexicales. Il sera facile de développer, de façon rhétorique (« littéraire ») mais non scientifique (non linguistique), le thème qu'il n'y a pas de synonymes à la rigueur; mais il sera moins facile de traduire par deux mots différents le doublet all. *Objekt/Gegenstand*... (41).

Inversement, il sera dit regrettable sinon inacceptable de faire éclater l'unité d'une notion correspondant à un seul signifiant-source revenant plusieurs fois dans le texte en en donnant plusieurs traductions différentes (signifiants et signifiés). Une pratique de la traduction effective montre l'absurdité de cette consigne. Il n'est même pas toujours possible de traduire par un terme-cible constant une unité de langue-source ayant dans le discours traduit une valeur indéniablement terminologique... (42).

S'il n'y a pas en toute rigueur théorique d'authentique synonymie lexico-sémantique au niveau de la langue, il se trouve défini dans la pratique une *synonymie contextuelle-situationnelle* au sein de la parole-cible d'une traduction. La règle, pédago-

(41) Cf. notre Note du traducteur in J. Habermas (1973), p. XLII.
(42) C'est ainsi que dans notre traduction de J. Habermas (1973), il ne nous a pas été possible d'éviter de faire éclater le terme allemand-source *Öffentlichkeit*. Sur ces problèmes, cf. *inf.*, p. 220 sqq.

gique ou « idéologique », de concordance bi-univoque peut d'ailleurs faire place à la consigne contraire interdisant toute « répétition », cette recette rhétorique se trouvant par là assimilée à un phénomène de langue!...

Des consignes de ce type procèdent d'une attitude non linguistique. Conditionnées par la tradition pédagogique, elles sont de nature idéologique et ressortissent à une métaphysique substantialiste du langage : comme si la possibilité d'un *transcodage* des signifiants-source aux signifiants-cible était garantie par la permanence quasi ontologique d'on ne sait quels atomes de signifié!

Le texte-extrait ne scotomise pas seulement la dimension lexico-terminologique de tout discours, il occulte en outre tout ce qui fait « le *style* d'un Auteur » — ce qui est particulièrement grave parce que contradictoire dans le cadre d'un système encore massivement marqué par une tradition exclusivement littéraire (43).

On peut imaginer que l'œuvre d'un auteur reconstituée à partir de ces extraits traduits (corrigés des versions) donnerait un maximum exemplaire de ces *disparates stylistiques* dont G. Mounin (1955, p. 154 et *passim*) soulignait à juste titre qu'elles représentent le péché capital d'une traduction. Concurremment, les modulations orchestrées au sein du style d'un même auteur seront neutralisées au profit de cet « archi-style » proprement *académique* que définit la norme, linguistique et culturelle, du français-cible au sein de l'institution pédagogique (44).

---

(43) La notion de *langue de spécialité* fait figure de déviation par rapport au modèle linéaire de progression linguistique qui est celui de l'enseignement sacrifiant sur l'autel de la prétendue universalité d'une « langue littéraire » tout ce qui est langue fonctionnelle. — Mais ces dernières années, il est vrai, les progrès du technicisme au sein de l'institution pédagogique font que les « fronts pédagogiques » ne sont plus les mêmes et que la critique des enseignements littéraires n'est plus une bataille progressiste.

(44) Sur le français « tel qu'on l'enseigne », cf. *inf.*, p. 81 sq. et sur le « conservatisme linguistique » du traducteur, p. 225.

5.3. Le choix du texte

Dans la pratique, le choix du texte amène à limiter *en partie* les inconvénients qui viennent d'être analysés. On évitera tout texte posant des problèmes terminologiques — mais on n'évitera pas pour cela les mots rares et les anglicistes savent qu'ils doivent bien connaître le vocabulaire de la marine à voile...

Le texte ne devra pour être compris dans tous ses détails exiger aucune familiarité avec le contexte de discours au sein duquel il s'insère, qu'il s'agisse d'une argumentation rationnelle ou qu'il s'agisse d'une intrigue romanesque, dramatique... Les noms propres seront systématiquement pourchassés des extraits à traduire. Mais il ne sera pas question en principe de retoucher les textes. Le nom propre sera toléré s'il ne présuppose ni n'apporte rien et fonctionne comme un indéfini référentiel, ou si au contraire il doit faire partie de la périlangue littéraire ou civilisationnelle. Enfin on pourra en dernier recours se résoudre à la note explicative, qui existe aussi pour certains mots rares.

Cette *neutralisation systématique du contexte* cessera bien sûr d'être nécessaire ou même souhaitable dès lors que la périlangue textuelle présupposée correspondra à une intertextualité implicite d'informations littéraires ou civilisationnelles qu' « il n'est pas permis d'ignorer », puisqu'aussi bien l'enseignement de langue est aussi « un enseignement de culture » (IPN, p. 43).

L'extrait à traduire se présentera comme une « belle page » supportant la clôture pédagogique. La possibilité de donner un titre au texte permettra de suppléer au manque éventuel occasionné par l'absence de contexte. Les descriptions de paysages, de personnages, etc., par lesquelles commencent certains chapitres de romans par exemple fournissent nombre de ces fragments d'éternité linguistique et textuelle.

Le texte devra présenter des difficultés linguistiques assez nombreuses pour qu'il puisse rester d'une longueur standard, assez variées pour être docimologiquement pertinentes et d'un niveau homogène qui les indique pour telle ou telle classe. C'est précisément l'inconvénient du thème littéraire que, le texte-source étant lui-même une belle page, les pièges ou questions de grammaire n'y soient pas assez systématiquement programmés ni les réponses à donner pré-déterminées avec assez de précision.

Il est bien clair que tous ces garde-fous donnent à la traduction pédagogique — version et *a fortiori* thème — un statut à part qui l'oppose à la traduction proprement dite.

6. L'interférence docimo-pédagogique

6.1. La double finalité

La fonction principale du professeur de langue, celle qui est explicitement donnée comme telle, est l'enseignement : c'est sa fonction « pédagogique ». Il s'agit pour lui de produire, développer et maintenir chez ses élèves un certain modèle de compétence en langue étrangère. Cela représente une stratégie d'ensemble qui commande la mise en œuvre de diverses approches, méthodes ou techniques, où les procédures pédagogiques sont corrélatives de certaines opérations de nature *docimologique,* exerçant une double fonction de contrôle.

Il s'agit d'une part d'établir un diagnostic (rétrospectif) quant à l'impact des procédures pédagogiques utilisées tel que l'attestent les performances réalisées. D'autre part, ce moment docimologique permet de formuler un pronostic général sur un ajustement possible de ces procédures pédagogiques, sur une programmation relative de la progression, sur les aptitudes supposées de l'élève, son orientation ainsi que sur l'éventuelle nécessité d'une réorientation.

Cela va jusqu'à la menace explicite de rejet scolaire. Les Instructions officielles prônent « l'observation en vue de l'orientation », « la tenue à jour d'une fiche concernant chaque élève » (IPN, p. 52), mettent à l'ordre du jour la question de savoir si tel élève est « un sujet pour l'enseignement long » (IPN, p. 51) et établissent un dégradé classificatoire entre « les visuels », « les imaginatifs », « les auditifs », « les méditatifs » et « les perroquets », « les indolents », « les simulateurs »... (*ibid.*).

Ce processus complexe de *feed-back* docimo-pédagogique

implique en même temps la référence à un certain « niveau exigible », c'est-à-dire à une programmation minimale — et de fait empirique — de l'enseignement, étalonnant les différents niveaux de compétence linguistique exigés du zéro à l'objectif pédagogique choisi. Dans l'enseignement des langues étrangères, vivantes ou mortes, la « traduction pédagogique » a en fait la double fonction d'une *procédure docimo-pédagogique.*

Faute que la distinction soit faite, il s'ensuit certaines interférences. Ces deux finalités peuvent entrer en conflit. Il arrive aussi qu'on assiste à un phénomène de *substitution de motifs :* l'échéance à venir de l'épreuve de version risquant de finaliser la « traduction minimale » et d'aboutir par anticipation à une réintroduction massive de la traduction au sein de la méthode directe par exemple (cf. *sup.,* p. 29). La hiérarchie tendra à s'inverser et c'est l'ensemble de la stratégie pédagogique qui sera envahi par un contenu docimologique.

6.2. Les fautes en thème

A fortiori l'interférence docimo-pédagogique joue-t-elle un rôle important dans le cas du thème, où la perspective d'une notation, la constitution d'un barème, la rédaction d'un « corrigé » (cf. *inf.,* p. 74 sqq.)... pèsent d'un poids déterminant. Le thème fait l'objet d'une « correction » qui aboutit à lui conférer la nature d'une épreuve docimologique beaucoup plus que d'un exercice pédagogique.

Alors que la perspective « pédagogique » *stricto sensu* ou *psycho-pédagogique* intentionne une facilitation des comportements verbaux en langue-cible étrangère, dans le thème l'exigence docimologique entre en conflit avec cette finalité et tend à l'emporter sur elle. Au lieu que soit valorisée la (re-)*production* des syntagmes-cible, on se contente de pénaliser les écarts enregistrés par rapport à la norme qui fait fonction d'idéal pédagogique.

Cette docimologie négative du thème définit deux sortes de fautes : les *barbarismes*, qui sont des écarts par rapport à la norme morphophonologique et graphique, et les *solécismes,* qui sont des écarts par rapport à la norme morpho-syntaxique. Dans cette perspective, et puisque les performances-cible sont en langue étrangère, il n'y aurait plus de « fautes d'orthographe » mais seulement des barbarismes.

A vrai dire, les professeurs de langues (vivantes) ont de plus en plus tendance à abandonner ces catégories docimologiques, héritées du thème latin et du thème grec : beaucoup parleront plus volontiers de « fautes d'orthographe » et de « fautes de grammaire » que de solécismes et de barbarismes. Ce choix terminologique n'est pas neutre; il indique ici une docimologie moins négative; c'est si vrai que certains professeurs de langues font le choix inverse... : le thème tend alors à devenir une « épreuve de barrage ».

De même, la référence exclusive et nécessaire aux formes attestées définit une conception répétitive de la norme et aboutit à une surestimation des phraséologies, locutions et expressions « idiomatiques », proverbes, etc. L'absence de la compétence-cible, aggravée de cette répression docimologique, conduit à concevoir la production d'un texte-cible comme un collage plus ou moins hétéroclite de performances fragmentaires colligées au hasard des lectures, ou des thèmes précédents... Le thème a finalement la *fonction inhibitrice* d'une *surobjectivation* de la langue-cible, la crainte des interférences tendant à réprimer toute productivité linguistique spontanée. La langue-cible ne peut plus être objet d'appropriation par le sujet en vue de la communication, elle n'est plus que le principe de performances scolaires qui sont mesurées au mystérieux modèle de performance-cible dont le maître est seul détenteur.

6.3. Une pédagogie négative

Ce poids de la docimologie définit une pédagogie négative des langues étrangères. Il y a à cela d'abord des raisons qui tiennent à ce qu'on pourrait appeler la *pesanteur docimologique* elle-même. Il est plus facile de pénaliser des erreurs qui se présentent comme des écarts manifestes par rapport à la norme enseignée et d'en faire ensuite la somme algébrique. Cela peut aller jusqu'à la caricature : on corrige « à la grille » (45). De même qu'un professeur de mathématiques peut ne prendre en considération pour sa notation que les résultats des problèmes (et non les démonstrations), de même le correcteur d'un thème (voire d'une version) a la possibilité de définir en fonction des pièges présentés par le texte un certain nombre de « fenêtres » docimologiques qui permettront une correction accélérée des copies...

Outre ce précieux avantage..., la docimologie négative paraît donner certaines garanties d'objectivité et d'équité. Il y a à la fois une justice et une justesse de la notation, une fois définis la norme de référence et le barème quantifiant la pénalisation respective des différents écarts par rapport à elle, puisque par ailleurs le texte-source est le même pour tous les élèves d'une classe. Les textes à traduire aux concours et examens sont eux-mêmes homogènes sur une échelle encore plus large. Cela n'est pas sans importance dans le cadre d'un système de compétition individuelle très personnalisé sur la base d'une idéologie « jacobine » de l'égalité des chances intellectuelles et valorisant les comportements verbaux de la classe dominante prescrits et enseignés au sein de l'institution pédagogique. Comparable à certaines modalités de rejet scolaire, la docimologie négative conditionne une *pédagogie sélective*.

C'est aussi une *pédagogie répressive* comme le montre le cas du thème. Le modèle de compétence proposé comme objectif pédagogique par l'enseignement français est élevé : c'est celui du bilingue coordonné ; et il ne semble pas que ce maximalisme aille dans le sens de l'efficacité. On devrait, comme le propose J. Sumpf, réhabiliter le « baragouin » et insister sur son efficacité au plan de la communication linguistique.

Le thème peut avoir un effet d'inhibition psycholinguistique ; de même le français-cible des versions est fortement marqué

(45) Les exercices à trous utilisés en enseignement programmé s'inscrivent dans un contexte pédagogique différent : ils ont pour fonction explicite (et exclusive) de vérifier l'acquisition des automatismes de base et fonctionnent comme des tests grammaticaux (cf. *sup.*, p. 50 sq.).

de *purisme,* conformément à toute une tradition qu'on pourra continuer d'appeler « jacobine » mais qui peut tout aussi bien se réclamer de l'Académie française, des grammairiens, etc. Cette pédagogie remplit aussi une fonction sociologique de répression des déviants par rapport à la norme proposée comme idéal linguistique et culturel (46).

A cet égard, l'absence de compétence-cible dans le cas du thème est d'une importance déterminante et fonde une structure générale d' « irresponsabilité » pédagogique.

7. Traduction et discours pédagogique

7.1. La performance magistrale

Le thème et la version sont des opérations interlinguistiques dont le résultat, ou le produit, peut être défini comme *discours pédagogique* (47). Comme tels, ils intentionnent de combler un écart entre deux savoirs appartenant au même univers du discours et entretenant entre eux la relation *linéaire* d'une progression allant du non-savoir de l'élève (unilingue francophone) au savoir du professeur (bilingue qui « sait » et enseigne l'anglais, l'allemand...). L'enseignant incarne le modèle de

----

(46) Là aussi, il y aurait lieu de nuancer, voire de réviser cette analyse critique, un peu trop « soixante-huitarde », dans la mesure où depuis quelques années on assiste, sur le « front pédagogique », à un démantèlement accéléré de l'Education Nationale qu'avait léguée au pays la IIIe République — et, sur le front politique, à une inflation d'offensives critiques excessives, injustes et irresponsables à l'encontre du « jacobinisme » français!

(47) Sur la distinction établie entre le *discours scientifique,* heuristique, partiel et polémique, d'une part, et le *discours didactique,* rétrospectif, totalisant et universaliste, d'autre part : voir J.-R. Ladmiral (1971), p. 168 sqq. et les travaux de Jean Dubois et Joseph Sumpf dont, d'une façon générale, nous nous inspirons très largement, cf. J. Dubois (1970) ainsi que J. et Cl. Dubois (1971), p. 49 sqq. et *passim,* J. Dubois et J. Sumpf (1970), et J. Dubois (1972). Que ce nous soit aussi l'occasion, de rendre ici hommage à Jean Dubois, aux réflexions critiques duquel la présente étude doit beaucoup.

compétence au même titre que le locuteur natif : « angliciste » et « anglophone », « germaniste » et « germanophone », etc. sont devenus synonymes par les vertus de l'institution. On notera que le langage courant enregistre souvent la même confusion : « je ne suis pas germaniste » étant une autre façon de dire « je ne sais pas l'allemand », au même titre que « je ne connais pas ˙ la langue de Goethe ˙ »...

Les performances (plus ou moins) fautives des élèves sont les essais et les erreurs (*trials and errors*) jalonnant l'itinéraire qui doit les mener au niveau de la compétence du professeur, considérée comme idéale. Ces performances sont mesurées au *modèle de performance* réalisé par l'enseignant. Le professeur propose un *corrigé* qui est « performance magistrale » au double sens de la chaîne parlée produite par l'enseignant et de l'exploit inégalable : les deux sont confondus.

La traduction pédagogique est donc à un double titre un « énoncé sur un autre énoncé ». A un niveau formel d'évidence élémentaire, elle est d'abord un énoncé-cible produit par l'élève sur la base du texte original ou énoncé-source. Mais elle est aussi essentiellement référée par l'institution pédagogique au texte (explicite ou implicite) du corrigé qui est un *énoncé-* « *cible* » au sens d'un objectif pédagogique et d'un idéal de mesure docimologique en fonction de quoi les écarts sont définis comme fautes.

L'identité du corrigé et du modèle de performance produit par le locuteur natif est garanti par la personne institutionnalisée de l'enseignant, qui est *compétent* (aux deux sens du mot, c'est-à-dire qu'il est qualifié et qu'il détient la « compétence » d'un locuteur natif). C'est bien le même énoncé-cible et *il n'y en a qu'un*. L'unité se double d'unicité et la confiscation docimo-pédagogique de la performance interlinguistique débouche sur le dogmatisme didactique d'une échelle hiérarchique de valorisation : telle traduction est « meilleure » ou « moins bonne » que telle autre — quand elle n'est pas tout simplement juste (« bonne ») ou fausse... Ce n'est que rarement et à un niveau élevé, « supérieur », que telle *autre* traduction « est possible ». Dans cet univers linéaire, pédagogique et non linguistique (non scientifique), le vase clos de l'irresponsabilité désamorce le critère de la communication en interposant et en imposant la médiation de l'enseignant.

Dans le cas du thème par exemple, la langue-cible étrangère est connue « de seconde main » : c'est une langue déjà analysée, identifiée à sa propre grammaire et confondue avec elle. Cette « langue grammaticale » (langue-grammaire) fonctionne comme le texte pédagogique implicite d'un système de questions-réponses. Pour autant qu'il n'est pas une « version à l'envers », le thème est en effet un tissu de questions-pièges qui sont autant de questions de grammaire et de pièges idiomatiques.

7.2. Le concept de « quasi-perfection »

La conception linéaire et hiérarchisée répartissant les performances des élèves le long d'une échelle qui s'élève graduellement vers l'*optimum* référentiel du corrigé magistral constitue la version comme traduction pédagogique dont l' « irresponsabilité » se définit par une *double dépendance*. Contre un laxisme excessif qu'entraînerait une perspective authentiquement « traductionnelle », la consigne sera de ne s'écarter du texte que si ce n'est pas possible autrement, si « on » n'a pas pu trouver mieux — entendons : si le « correcteur », au sens de l'auteur du corrigé, a été lui-même contraint de prendre quelques libertés avec le texte original, s'il a dû « dissimiler ». La fidélité au texte renvoie à l'imitation du « *modèle* de performance » magistral (48).

Ainsi se trouve défini indirectement ce que nous appelons une stratégie de la *quasi-perfection* comme l'effort asymptotique d'une amélioration supposée toujours possible de l' « état » auquel est parvenue une traduction, qui se trouve de ce fait sans cesse remise sur le métier. Ce processus des re-lectures succes-

(48) L'institution pédagogique reproduisant la « structure pulsionnelle » dominante, cette double soumission renvoie à la problématique *traduction et psychanalyse*, sur laquelle il y aura lieu de revenir (voir notamment Appendice I, cf. *inf.*, p. 249 sqq.).

sives est une recette pédagogique bien venue, et le procédé correspond effectivement à la pratique traduisante.

Mais il est vrai que cette démarche d' « optimisation » du produit de la traduction, pédagogique, a lieu selon un axe *unidimensionnel* défini par la double instance du texte original et du corrigé. Dès lors, par opposition aux « versions » fournies par les élèves, qui sont fautives ou « trop loin du texte », la référence au corrigé finit par l'*identifier* au texte original. La scotomisation pédagogique qui occulte la subjectivité, le pluralisme et ce que nous avons appelé la structure « hypothétique » de toute traduction proprement dite ou « traductionnelle » (cf. *sup.*, p. 64 sq.) fait du corrigé une hypostase de l'original : d'où l'idée « pédagogique » que *tout est traduisible.* C'est en effet le corrigé lui-même, auréolé d'objectivité, qu'on essaie de lire *en creux* et à l'arrière-plan latent du texte original manifeste.

Provisoirement efficace dans le cadre de la pratique pédagogique, cette surobjectivation du modèle de performance magistrale est contraire au principe d'une théorie scientifique de la traduction. C'est elle notamment qui a confronté Georges Mounin à la *problématique de l'objection préjudicielle* (cf. *inf.*, p. 85 sqq.). Posant, de façon indéterminée et générale, la question « la traduction est-elle possible? », il s'est condamné à une attitude apologétique, plus *didactique* que scientifique, et il s'est enfermé dans le champ *idéologique* d'un débat académique ou « littéraire » où l'une et l'autre des thèses antinomiques en présence sont également soutenables et tout aussi peu convaincantes; et c'est encore plus vrai de ses *Problèmes théoriques de la traduction* (G. Mounin, 1963) que de ses *Belles infidèles* (G. Mounin, 1955).

La chose est d'autant plus remarquable que le champ clos de cette problématique est assigné d'entrée de jeu et que la clé du dilemme est en quelque sorte donnée dès les premières lignes des *Belles Infidèles :* « Toutes les objections contre la traduction se résument en une seule — *elle n'est pas l'original...* » (G. Mounin, 1955, p. 7). La lecture « récursive » de ses travaux ultérieurs amène à ne pas tant voir dans cette phrase un truisme que bien plutôt l'index d'un chemin qu'il n'a pas pris : celui d'une analyse et d'une *désambiguïsation* du concept de traduction pour articuler scientifiquement le domaine de l'activité traduisante et définir avec précision les *problèmes pratiques de la traduction* qui puissent être posés par rapport à la théorie linguistique.

7.3. Les présupposés didactiques

La structure propre de la traduction pédagogique ne saurait donc pas fonder une théorie scientifique de la traduction ; elle se fonde elle-même sur ce qu'on pourrait appeler une *épistémologie « didactique »*.

En tant que *discours pédagogique,* le corrigé d'un thème ou d'une version n'est pas signé. La subjectivité du traducteur enseignant est mise entre parenthèses. Cet anonymat n'est pas innocent ; ce n'est pas l'anonymat par défaut imposé aux traducteurs professionnels, c'est un anonymat qu'on pourrait dire « par excès ». Si le sujet réel de l'énonciation est effacé et confondu avec son énoncé (corrigé), c'est pour deux raisons.

Le traducteur-correcteur s'identifie à *l'Auteur* du texte-source, qui fait figure de sujet fictif (et valorisé) du texte-cible, c'est-à-dire de son corrigé. La traduction appartient elle-même au discours didactique (ou pédagogique) car elle tend à accréditer la fiction que le texte-cible est le même que le texte-source. Mais cette ambition épistémologiquement démesurée s'exprime avec la modestie d'un anonymat « par excès » qui est synonyme de discrétion : si l'on occulte tout le travail de traduction, si l'on ne nous montre pas les coulisses de l'exploit, ce n'est pas pour en faire parade. L'auteur du corrigé n'est que le *révélateur* d'une possibilité qu'il y avait — et qu'il y a toujours... (!) — de réussir telle traduction. Comme l'auteur littéraire cité sans références dans le dictionnaire de langue (et un peu comme l'Auteur du texte-extrait à traduire) ou *a fortiori* comme le lexicographe lui-même, il garde l'anonymat de celui qui manifeste la langue et la possibilité de traduire.

C'est aussi, corrélativement, l'universalité plus translinguistique qu'interlinguistique du « traduisible » qui est ainsi posée. A la limite, il n'y a plus d'opacité linguistique. Le pluralisme des langues tend à s'effacer au profit du *langage* comme faculté humaine universelle, qui fonde cette pan-traduisibilité. *La langue* est assimilable à une logique très finement différenciée qui peut « tout dire » dès lors qu'on la maîtrise.

Mais on est contraint d'introduire un correctif (plus complémentaire que contradictoire) : c'est toute la problématique des *idiotismes*, des « exceptions » que regroupent les phraséologies et cataloguent imparfaitement les dictionnaires. Ils font figure de bizarreries de la langue qui ressortissent à l'à-peu-près stylistique (ou « idiomatique ») et sont justiciables d'ajustements qui sont de simples « coups de pouce » de la pratique linguistique.

C'est non seulement la subjectivité individuelle (psychologique et empirique) du « pédagogue » mais aussi, pour parler en termes néo-humboldtiens, la Subjectivité collective (transcendantale et anthropologique) des langues elles-mêmes qui a fait l'objet d'un effacement, pour que paraisse dans toute sa gloire sur fond d'universalité et d'éternité la subjectivité personnelle de l'auteur. A tel point que le maximalisme pédagogique et l'exclusivisme littéraire entrent en contradiction : si « tout est traduisible », en même temps un chef-d'œuvre est intraduisible et il faut le lire « dans le texte » (non pas seulement pour en apprendre la langue mais pour en goûter toute la « saveur »). Il n'y a là qu'une modification de l'*antinomie* fondamentale, qui est au principe de l' « objection préjudicielle » (cf. *inf.*, p. 89 sq.).

7.4. La langue enseignée comme sociolecte pédagogique

Loin de se confondre avec la compétence du locuteur natif, celle du professeur de langue vivante étrangère en diffère par un certain nombre d'écarts, lacunes et interférences... qui définissent son idiolecte, à son tour justiciable d'une pédagogie (recyclage ou éducation permanente). Cette identité prétendue entre les deux est une fiction à partir de laquelle peut s'instituer la traduction comme discours pédagogique, permettant une progression linéaire des élèves.

Mais il y a plus : l'idiolecte « magistral » n'est pas seulement un sous-système de la langue étrangère qu'on intentionne d'enseigner. C'est un sous-système d'un *sociolecte docimo-pédagogique* qui est lui-même un sous-système de cette même langue étrangère. Il s'agit d'une sorte de « dialecte social » ou plus précisément micro-sociologique, correspondant à la compétence institutionnelle et supposée du jury en langue-cible. Ce sociolecte d'une micro-collectivité de locuteurs enseignants non natifs comporte un certain nombre de traits spécifiques et se définit notamment par tout un ensemble de scotomisations plus ou moins explicites. Les épreuves de thème mesurent les performances-cible des candidats à une compétence idéale et fictive, « sociolectale ».

C'est ainsi qu'à propos de l'allemand tel qu'on l'enseigne, par exemple, on a pu parler — avec une intention évidemment polémique — d'un *Agregationsdeutsch*, qui est comme un « dialecte pédagogique » de l'allemand (49). Les locuteurs enseignants, en tant qu'ils sont bilingues non natifs et professionnels, présentent une résistance organisée aux interférences et leur préoccupation de dissimilation interlinguistique donne lieu à des phénomènes d'hypercorrection.

Cela peut aller jusqu'à des scotomisations massives de la compétence-cible — touchant par exemple toute une partie quantitativement importante du lexique, comme l'ostracisme explicite dont l'institution docimo-pédagogique frappe l'immense majorité des *Fremdwörter*, qui n'ont pas droit de cité en allemand tel qu'on l'enseigne (50). Sauf évidemment quand « on » ne peut pas les remplacer par des mots « bien allemands » : il n'est, par exemple, pas possible de germaniser

(49) Cet *Agregationsdeutsch*, pédagogique, s'oppose en cela radicalement à un autre sociolecte comme le *basic english*, où l'on peut voir un « dialecte scientifique » de l'anglais. On devra aussi en distinguer les entreprises comme celle du *français fondamental*. (Quant à notre *Allemand-zéro*, sa fonction le rapproche plutôt du *basic english*, cf. J.-R. Ladmiral, 1975 *b*.)

(50) Les *Fremdwörter* sont les mots allemands d'origine étrangère. Les nazis les avaient systématiquement extirpés de l'allemand ou du moins ils en avaient entrepris l'impossible tentative.

l' « allemand » *Natur* et il n'est quand même pas demandé de remplacer *Philosophie* par *Weltweisheit*...

On retrouve ici d'une part l'équivalent de l'anonymat didactique qui est au principe de cette « quasi-perfection » définissant une stratégie pédagogique de la version, mais l'effacement porte maintenant sur la subjectivité collective d'un jury idéal hypostasié et non plus sur celle d'un auteur de corrigé. D'autre part, ces mots bien allemands réinjectés par l'institution dans la langue ne sont pas sans donner parfois une impression d'étrangeté aux locuteurs natifs; et l'éviction des *Fremdwörter* signifie une scotomisation importante de la compétence en langue allemande puisque, d'un point de vue quantitatif, la majorité des noms, substantifs mais aussi adjectifs, voire des verbes, a un doublet d'origine étrangère (française dans la plupart des cas) qui peut prendre la qualité d'une opposition sémantique nuancée au signifié-noyau du signifiant « bien allemand » (51).

La compétence en langue étrangère (langue-cible ou langue-source) se définit aussi par une scotomisation plus fondamentale qui occulte la dimension diachronique de la langue. Mais le sociolecte pédagogique dont il s'agit ne correspond pas à un état de langue synchronique : ce n'est pas la langue contemporaine qui est enseignée, ni non plus celle d'un quelconque « siècle d'or » qui pourrait varier selon la langue envisagée; ainsi quand, pour la latin, on parle de « latinité d'or » pour une langue qu'on serait censé pouvoir induire à partir du corpus exclusif des œuvres de Cicéron-César... (et cf. *inf.*, p. 156). C'est une langue composite, fiction linguistique qui se serait parlée de façon continue et constante pendant plusieurs siècles. Les performances-source de la version et la compétence-cible du thème renvoient à toute une tradition littéraire qui peut en allemand remonter à Goethe et au-delà, et en anglais jusqu'à Shakespeare par exemple... C'est donc un *état de langue achronique* où est occultée la dimension diachronique du changement linguistique, sémantique et même grammatical — sans parler de la

(51) C'est le cas notamment de *Gegenstand* et *Objekt* (cf. *sup.*, p. 66), de *Trieb* et *Instinkt* (cf. *inf.*, p. 253 sq.), etc.

réalité *phonétique* de cette fiction achronique! Cette langue littéraire est en outre expurgée de toute spécification fonctionnelle et de tout ce qui ressemble à une langue de spécialité.

C'est ainsi que la compétence en « allemand pédagogique » interdit qu'on traduise par *Arroganz, Distanz, prägnant...* les mots français « mépris », « détachement », « précis »... (52); cette scotomisation joue au niveau de la production (compétence-cible), mais il faut bien que ces mots fassent partie de sa compétence-source pour que l'élève soit en mesure de les comprendre quand il les rencontrera dans les textes (réception). Inversement, il subsiste au niveau de la compétence-source l'équivalent de « buttes-témoins » lexicales ou syntaxiques (voire des formes dialectales isolées, des îlots de régionalismes). On enseignera encore *Flinte* au lieu de *Gewehr*, ou plutôt concuremment. A la limite, même, l'élève devra savoir que l'allemand *Scherbe* signifie l' « éclat » mais aussi le « vase » tout entier, car on trouve une occurrence du mot avec ce sens dans le *Faust...*

On ferait la même analyse pour les autres langues étrangères enseignées, car il s'agit là de la « pesanteur » propre à l'institution (docimo-)pédagogique. Et le français-cible des versions se définit lui-même par un ensemble des scotomisations et d'occultations. Le franglais « plate-forme électorale » sera censuré par certains correcteurs de versions anglaises, par exemple (53). On rejoint ici la problématique du français tel qu'on l'enseigne (cf. J. Dubois, 1972).

S'agissant d'une langue étrangère, le problème se pose en effet de la référence à une « *norme* ». Mais la *norme linguistique,* au sens d'un E. Coseríu, qui se définit par un certain nombre d'écarts (ou ajustements) l'opposant de façon essentiel-

---

(52) Il y a lieu sans doute de nuancer ce point : il semble admis maintenant, par exemple, que le français-cible *coffre-fort* doive bien être traduit en allemand-cible par *Safe* et non par *Geldschrank..*

(53) Ce type de scotomisation didactique de l'interlangue (*interlanguage*) enseignée varie selon la langue concernée : d'où des hypercorrections spécifiques (comme ici pour l'anglais ou, plus haut, pour l'allemand), déterminant ce qui pourrait s'appeler différents modes de « contre-dépendance interlinguistique »

lement restrictive au « système » est remplacée par une *norme pédagogique* qui semble vouloir faire l'économie du *Sprachgefühl* (sentiment linguistique ou sens de la langue). La linguistique descriptive de l'usage a fait place à une grammaire et une phraséologie normatives de la *langue littéraire,* au double sens d'un niveau de style et d'une tradition « littéraires ». C'est aussi une langue *écrite* et, si elle est présentée comme universelle et anonyme, c'est qu'ont été occultées ses conditions de production socio-culturelles ainsi que le performatif pédagogique qui l'institue objet d'enseignement et non plus moyen de communication (54).

8. Conclusion

Cette interférence de la norme linguistique et de la norme pédagogique joue essentiellement dans le cadre du thème; dans le cadre de la version, les scotomisations du français-cible font seulement figure d'approximations pédagogiques maximalistes que l'élève est susceptible d'aménager en fonction d'une compétence dont il dispose déjà pour l'essentiel. Par rapport à la langue étrangère enseignée, les interférences se produiront essentiellement au niveau du thème qui aboutit de plus à une surobjectivation inhibitrice de la compétence-cible, alors que la version développera une compétence-source nuancée mais passive (réception). Du point de vue du besoin, on ne pourra se passer du thème qui sera le succédané provisoirement nécessaire de l'expression spontanée devant laquelle il devra tendre à s'effacer. La version ne sera pas toujours une bonne école de traduction, mais assurément un excellent apprentissage des techniques d'expression par la traduction intralinguistique ou

(54) La tradition de l'enseignement du latin (et du grec) a pesé très lourd. C'est net en ce qui concerne le *thème.* Le thème latin peut être pratiqué sans arrière-pensées puisqu'il n'y a plus de locuteurs natifs, et que la « norme » ne risque pas de censurer le système, qui n'est qu'une « reconstruction » inductive à partir d'un corpus limité et aléatoire (voire incertain quant à la littéralité même des textes ainsi ré-établis)...

paraphrase que présuppose le choix d'un état terminal de la traduction comme « version quasi parfaite » du texte original. En un mot, il conviendra de *réhabiliter la traduction* et d'en renouveler la pédagogie.

3

LA PROBLÉMATIQUE
DE L'OBJECTION PRÉJUDICIELLE

1. Le problème

1.1. La philosophie de l'objection

Singulièrement, quand il s'agit de traduction, la réflexion commence d'abord par s'interroger sur la possibilité même de cette pratique qu'elle prend pour objet; bien plus, la tendance lourdement prédominante est de conclure à l'impossibilité théorique de traduire! C'est là un paradoxe bien étrange et, semble-t-il, tout à fait propre à la traduction. Imagine-t-on une autre activité humaine comparable par son importance, son étendue, sa pérennité, voir nier son existence en droit, au mépris des réalités quotidiennement constatables en fait? Démontrera-t-on, par exemple, qu'il nous est impossible de marcher?

A vrai dire, il s'est bien trouvé, à ce que l'on rapporte, certains philosophes anciens pour nier le mouvement (et, par là, le fait qu'on pût marcher). On connaît le paradoxe d'Achille et de la tortue : dans l'instant où, d'un bond, Achille atteint le point où se trouvait la tortue, celle-ci vient de se transporter un peu plus loin, et Achille doit faire un nouveau bond pour la rattraper, mais encore une fois elle aura avancé, et ainsi de suite à l'infini. Voilà pourquoi Achille, « immobile à grands pas », ne rattrapera jamais le plus lent des animaux.

Tel est l'un des quatre *arguments* de Zénon d'Elée contre la possibilité du mouvement : sophisme intellectuellement scandaleux ou, plutôt, un peu risible. En fait, ce paradoxe n'est pas une absurdité pure et simple, c'est un raisonnement par l'absurde qui prend son sens dans le cadre d'une controverse philosophique sur le mouvement, elle-même subordonnée à une discussion métaphysique plus fondamentale où l'éléatisme prend parti pour l'Etre contre le Devenir, pour la pensée contre les sens. Sur cette dispute d'écoles philosophiques, il n'y a pas lieu ici de s'étendre plus longtemps; elle prend seulement pour nous valeur d'indice, à plusieurs titres.

D'abord, à bien y regarder, l'argument de Zénon ne fait que rendre plus éclatante encore la même contradiction entre théorie et pratique, entre les possibilités du discours et les réalités du monde, entre la pensée et l'action, à laquelle on se trouve confronté à propos de la traduction — tout en donnant à cette contradiction, à cette « absurdité », des lettres de noblesse littéraires et métaphysiques par la référence à la tradition philosophique de l'Antiquité. Dans l'un et l'autre cas, l'esprit semble éprouver un malin plaisir à se prendre au piège de son propre discours. Le théoricien s'enferme dans une prison de purs concepts et il se coupe de la pratique dont il entend traiter. S'agissant ici d'une réflexion sur les problèmes de la traduction, on a affaire en l'occurrence à ce que nous appelons la problématique de *l'objection préjudicielle* (cf. *sup.,* p. 76).

« Avant » même de pratiquer la traduction, on préjuge de sa possibilité, en tranchant par la négative, comme le faisait Zénon pour le mouvement. Il y a beaucoup de similitude entre les deux problèmes. L'objection préjudicielle est une sorte d'éléatisme tendant à démontrer l'impossibilité du mouvement traduisant. Dans les deux cas, la contradiction est fondamentale : comment (et pourquoi!) prouver que quelque chose est impossible? Ne faut-il pas avoir alors défini ce quelque chose, en s'appuyant sur les réalités auxquelles il renvoie? Or, qui peut le plus peut le moins, et ce qui est de l'ordre du réel a sa place dans l'empire des possibles, *a fortiori.* Comment parler sérieusement de la traduction — fût-ce pour dire qu'elle est impraticable — sans l'avoir, précisément, pratiquée?

Il faut avoir sans doute des raisons bien importantes pour

qu'en posant que la traduction est impossible, on ose ainsi braver la logique et le bon sens. Tant en ce qui concerne l'objection préjudicielle à la traduction que l'argument de Zénon contre le mouvement, c'est là l'indice qu'ils sont l'écho d'autre chose : de tels raisonnements renvoient en fait à des problématiques autres et plus générales, qui n'apparaissent pas directement comme telles mais qui commandent l'argumentation mise en œuvre. Ainsi, les paradoxes de Zénon ne sont pas intelligibles en eux-mêmes, ils ne sont que des conséquences dérivées, des corollaires découlant de la philosophie de l'Etre professée par les Eléates. De même, la problématique de l'objection préjudicielle ne renvoie pas seulement, ni même sans doute principalement, aux difficultés de la traduction, qui sont réelles ; elle n'est que le contre-coup d'une attitude intellectuelle d'ensemble, elle a sa place assignée dans le cadre d'un champ idéologique qui lui donne son sens et l'explique.

1.2. La traduction impossible ?

Au reste, l'objection préjudicielle ne date pas d'hier. C'est un très vieux débat, en effet, de savoir si la traduction est possible. Il y a là toute une tradition intellectuelle, et celui qu'on s'accorde généralement pour considérer comme le spécialiste français reconnu en matière de théorie de la traduction, Georges Mounin, s'est fait l'écho de ce débat traditionnel. Dans son premier livre de « traductologue », joliment intitulé *Les belles infidèles* (G. Mounin, 1955), il accumule témoignages et citations dont il a fait une ample moisson tout au long de l'histoire littéraire.

Ce petit volume est épuisé depuis fort longtemps et il est bien regrettable qu'il ne soit pas réédité. Son écriture littéraire ne doit pas faire illusion : on y trouve l'essentiel des thèmes fondamentaux que G. Mounin développera ensuite dans ses travaux ultérieurs. Pour notre part, nous sommes enclin à y voir en fait son meilleur livre et à le préférer à ses *Problèmes théoriques de la traduction* (G. Mounin, 1963) ; c'est en tout cas un petit livre extrêmement suggestif, par lequel doit commencer toute bibliographie sur la traduction. Le fait qu'il soit épuisé nous a amené à multiplier les citations et à tenter au maximum d'en restituer la substance. Ainsi la critique que nous faisons ici des arguments qu'il expose devient-elle parfois prétexte à les exposer, pour compenser en quelque sorte l'absence du livre.

La présente étude se développe donc *à partir de* Georges Mounin, à la fois dans la mesure où il paraît juste de « partir » de ses travaux, c'est-à-dire de commencer par eux, mais aussi d'aller au-delà... D'entrée de jeu, et en quelque sorte « tout simplement », il pose la question qui va présider à toute son argumentation et dominer l'ensemble du livre : *La traduction est-elle possible ?* (c'est le titre de son premier chapitre).

D'emblée, le problème se pose dans les termes d'un divorce entre ceux qu'il appelle les « théoriciens de l'impossibilité » et la réalité effective d'une pratique traduisante séculaire. Cette contradiction fondamentale, déjà notée, qui met en œuvre une dialectique boiteuse du possible (ou, plutôt, de l'impossible) et du réel correspond en fait à une forme de division du travail, critiquable comme telle. Ce ne sont pas les mêmes personnages qui théorisent (l'impossibilité) et qui traduisent; il y a ceux qui parlent et ceux qui font. Ce clivage est particulièrement net en traduction. La plèbe, voire le prolétariat des traducteurs « sur le terrain » est maintenu à l'écart de la contemplation théorique. Cette dernière est l'apanage d'une aristocratie de linguistes qui philosophent sur la traduction, dont ils n'ont pas la pratique (1) — soit pour expliquer ce qu'il faut faire, soit justement pour démontrer au contraire qu'on ne peut rien faire de bien bon...!

Il existe toute une « longue tradition qui veut que traduire soit impossible » (G. Mounin, 1955, p. 8). Il se produit toujours de nouvelles moutures d'une seule et même théorie de l'« intra-ductibilité », plus ou moins modifiée au fil des siècles, et le

---

(1) Personnellement, l'auteur de ces lignes a pris le parti — et le « pari » — de récuser cette dichotomie inepte et d'être à la fois théoricien *et* praticien de la traduction (cf. *sup.*, pp. 7 sqq., 18 et *inf.*, p. 216 sqq.). Nous récusons de même le clivage, tout aussi élitaire, qui met l'aristocratie des préfaciers et commentateurs au-dessus des traducteurs qu'ils parasitent et voudraient voir cantonnés dans le rôle de domestiques muets et anonymes..

moindre paradoxe n'est pas que l'existence depuis toujours de traducteurs qui traduisent reste « à peu près sans influence contre cette théorie » (*ibid.*, p. 7). Et pourtant, avant toute théorie, il a bien fallu de tout temps qu'on traduisît. La traduction est une activité humaine universelle, dans le temps comme dans l'espace ; elle a été nécessaire à toutes les époques et le mythe de la Tour de Babel donne aussi la mesure de son ancienneté (cf. *sup.*, p. 11 sq.). Disons, pour filer en quelque sorte la métaphore des « belles infidèles » proposée par G. Mounin, que le métier de traducteur est bel et bien l'un des plus vieux métiers du monde...

1.3. La traduction contradictoire...

Cette ancienneté même est significative ; c'est elle qui fait problème. Comment se fait-il qu'autant de bons esprits, dont certains ont été eux-mêmes traducteurs à l'occasion (même s'ils semblent l'oublier en se faisant théoriciens), aient comme délibérément ignoré les évidences d'une pratique qui remonte à la nuit des temps ? Comment se fait-il que se répètent les avatars d'une théorie de l'impossibilité *à côté* d'une pratique qui ne cesse de lui infliger démenti sur démenti ? Qu'est-ce que cela veut dire ? Le fait qu'en matière de traduction théorie et pratique aient deux histoires parallèles, en contradiction l'une avec l'autre, mérite d'être expliqué.

Il y a là ce qu'on appellera une *antinomie*, comme disent les philosophes, c'est-à-dire qu'il est possible de faire la démonstration tout aussi bien de la thèse que de l'antithèse. La traduction est impossible, et/ou : Tout est traduisible (cf. *sup.*, p. 76 sqq.).

Ce problème de l'intraduisibilité — faut-il vraiment parler d' « intraductibilité » (G. Mounin, 1955, p. 7 et *passim*) ? — est même une antinomie fondamentale de la traduction qui se répercute, au niveau de la pratique traduisante, dans les termes opposés d'une alternative, elle-même « antinomique » : faut-il traduire près du texte ou loin du texte ? Traduction littérale *ou* traduction littéraire (dite « libre ») ; la fidélité *ou* l'élégance ; la lettre *ou* l'esprit... Là encore, ce sont les deux pôles d'une même alternative, indéfiniment rebaptisés, qui scandent l'histoire de la traduction (cf. *sup.*, p. 14 sqq.). Ces différentes oppositions sont autant de modifications de la même antinomie fondamentale; elles sont elles-mêmes proprement anti*nomiques* dans la mesure où, en toute rigueur, il ne peut être question de choisir entre les deux termes : il *faut* satisfaire là simultanément à deux exigences apparemment contradictoires, et qui sont en fait les deux faces d'une seule et même, double, exigence. Il faut à la fois la fidélité *et* l'élégance, l'esprit *et* la lettre...

La théorie de la traduction, ou « traductologie », est pleine de ces couples d'opposés qui répercutent ou « reproduisent » une structure fondamentalement antinomique. Au-delà de la division du travail qu'on vient de mentionner, entre une aristocratie d'esthètes et un prolétariat de traducteurs, il s'agit en l'occurrence plus fondamentalement de la tension contradictoire qui définit le rapport entre *théorie et pratique* (cf. *inf.*, p. 114).

Si l'on en reste à ce niveau d'abstraction, qui est celui d'un *topos* traditionnel de la philosophie, on pourra dire qu'entre ces deux pôles opposés il existe une relation *dialectique*. Tout le monde en conviendra. Mais concrètement, de quoi s'agit-il?

2. Une triple argumentation contre la traduction

2.0. Du Bellay en Mounin

Sur le fait massivement évident que la traduction est possible pratiquement, puisqu'on ne cesse de traduire, point n'est besoin d'épiloguer. Ce terme-là de l'opposition ne fait pas problème, c'est sur l'autre terme qu'il y a lieu de s'interroger : une fois constatée la possibilité de la pratique, à quoi revient cette théorie de l'impossibilité que, parallèlement, on ne cesse de faire? Quels sont ces arguments théoriques si forts qu'ils conduisent à braver les évidences de la pratique et à en renier les enseignements?

On s'étonne un peu de voir qu'un spécialiste comme G. Mounin en revienne lui-même à cette sorte de *degré zéro* de la réflexion sur la traduction et qu'il prenne tellement au sérieux ce problème de l'impossibilité théorique de traduire. Comme on l'a vu, il commence ou « recommence », après tant d'autres, par poser cette sempiternelle question. Il vient ainsi, dans un premier temps au moins, alimenter la problématique de l'objection préjudicielle.

Citant abondamment Joachim du Bellay, dans le premier chapitre des *Belles infidèles,* G. Mounin (1955, pp. 8-17 et *passim*) distingue trois types d'arguments contre la traduction : polémiques, historiques et proprement théoriques. Dans la *Défense et illustration de la langue française,* dont il est signataire, du Bellay consacre en effet trois chapitres aux problèmes que pose plus ou moins directement la traduction : correspondant à peu près aux trois types d'arguments mentionnés, ce sont respectivement les chapitres VI, IV et V du premier livre. On remarquera la référence à la tradition littéraire bien ancienne de la Pléiade, qui se situe à l'origine même de notre langue et témoigne, encore une fois, de l'ancienneté du débat auquel fait écho G. Mounin (cf. *inf.,* p. 104).

2.1. Des arguments polémiques

Ce sont d'abord des « arguments polémiques contre la traduction » qui sont invoqués. Lesdits arguments reviennent à se plaindre des mauvaises traductions et des mauvais traducteurs. C'est le fameux *traduttore traditore;* et la langue qui est encore celle de du Bellay permet de faire en français aussi le jeu de mot connu de l'italien : « Que dirais-je d'aucuns, vraiment mieux dignes d'être appelés traditeurs que traducteurs? ».

Sur le sujet, certains bons esprits sont intarissables. Dans les sphères universitaires, particulièrement, on se plaint volontiers de la mauvaise qualité des traductions. On détecte des contresens et on y va de sa petite retouche personnelle, présentée bien sûr comme essentielle à l'intelligence du texte. Il suffit de penser à la révolution terminologique qui a traversé (bouleversé?) les milieux psychanalytiques parisiens, il n'y a pas si longtemps, et au terme de laquelle il ne peut plus être question de traduire le

Trieb freudien autrement que par *pulsion* — alors que des décennies d'ignorantisme s'étaient contentées de parler d'*instinct*... (cf. *inf.*, p. 253).

On se plaît à « corriger » tel ou tel détail d'une traduction présenté comme défectueux, et qu'on a tendance à monter en épingle, non sans faire étalage de pédantisme, plutôt que de culture. Bien plus, ceux qui se permettent là de venir « mettre leur grain de sel », pour ainsi dire, sont généralement tout à fait incapables de faire la traduction qu'ils se payent le ridicule de critiquer, voire d' « éreinter ». Quant à leurs « suggestions pour améliorer la traduction », souvent elles ne sont pas d'un intérêt évident, pour le moins, quand ce ne sont pas de véritables erreurs... Ainsi, on dérangera l'économie délicate de la traduction accomplie, on y introduira ses bévues personnelles procédant d'une surestimation du poids sémantique du concept étranger à traduire, d'un scrupule étymologisant hors de propos, etc. Ce ne sont le plus souvent que des manies d'intellectuels, des tics de « pédagos » (2).

Cela dit, inversement, il est difficile de nier que toutes les traductions ne sont pas excellentes — tant s'en faut ! — et particulièrement en ce qui concerne les textes difficiles de la psychanalyse, de la philosophie ou des sciences humaines en général. Un grand philosophe, obscur et profond, comme Hegel ou Heidegger, par exemple, pose à son traducteur des problèmes d'interprétation presque insolubles, et l'on comprend dès lors qu'il soit proposé plusieurs traductions différentes et que ces dernières deviennent un enjeu de controverses dans la discussion philosophique, comme autant de versions différentes d'un même texte originel ressortissant chacune à une interprétation spécifique. Au vrai, il s'agit alors moins de contresens proprement dits que de points de vue divergents, d'interprétations contestées (cf. *inf.*, p. 230 sqq., etc.).

---

(2) Cf. *sup.*, p. 58 (et *inf.*, p. 227 sq.). On notera que depuis peu les pages littéraires de la Presse (même de bon niveau) sont gagnées par cette mode irresponsable de critiquer des traductions même excellentes.

Mais d'une façon générale, et sans aller jusque-là, il est vrai aussi que les « arguments polémiques contre la traduction » trouvent aisément à se nourrir d'exemples. Il est malheureusement trop facile de collectionner les « perles » de traduction. On peut même réunir les éléments d'un sottisier — comme cela se fait dans une grande maison parisienne éditant une collection de romans policiers (romans « noirs ») bien connue, dont la plupart des titres sont « traduits de l'américain » — comme on dit maintenant (3)...

Tout cela n'est pas nouveau et ne tire pas à conséquence. On a toujours connu ces impatiences devant de mauvaises traductions. Mais il n'y a là rien qui rende plus convaincante l'objection préjudicielle ; au contraire, il est même possible d'y voir un contre-argument. Si l'on croit devoir fustiger les mauvais traducteurs, c'est qu'il y en a de bons, *ergo* la traduction est possible.

Les défauts de traduction sont imputés à un déficit chez le traducteur. Quand on polémique contre les mauvais traducteurs, le reproche principal et de beaucoup le plus fréquent qu'on leur fait, c'est d'ignorer leur langue-source ou langue de départ (LD), la langue à partir de laquelle ils traduisent. Ainsi à propos des traductions de la *Bible* en français par exemple, Henri Meschonnic, dont ce n'est pourtant pas là le propos, a des formules violentes comme : « Si vous ne savez pas l'hébreu, traduisez autre chose » (1973, p. 417). Il serait trop facile de multiplier les exemples. Contentons-nous pour finir de citer le billet savoureux sur « le général Staff » paru récemment dans le journal *Le Monde*, sous la plume de Pierre Vidal-Naquet (1974, p. 16) :

« C'est un général peu connu dans l'histoire. Il fait pourtant des apparitions assez fréquentes dans certains ouvrages historiques.

» Ainsi, dans le livre récemment traduit de l'américain d'Adam B. Ulam, *les Bolcheviks*. Ouvrons l'index : le général Staff y figure, avec

(3) On trouve même des livres « traduits du brésilien ». A quand les livres traduits de l'australien ou du néo-zélandais, de l'égyptien, du marocain ou du syrien, de l'autrichien ou même de l'est-allemand et — pourquoi pas ! — du canadien, du suisse ou du belge ?...

renvoi aux pages 317, 352, 363, entre Maria Spiridova (*sic* pour Spiridonova), qui fut leader du parti socialiste révolutionnaire de gauche, et Joseph Staline. A la page 317, nous apprenons qu'en Galicie autrichienne les socialistes polonais préparaient le combat contre la Russie « de connivence avec le général Staff ». Aucun doute possible, il s'agit d'un général autrichien. A la page 352, on lit que « depuis le début de la guerre, le gouvernement impérial allemand et le général Staff étaient conscients du parti qu'ils pouvaient tirer du mouvement révolutionnaire russe ». C'est donc un général allemand. Enfin, page 363, on nous explique qu'il était difficile, en 1917, au gouvernement provisoire et au général Staff de signer une paix séparée. Voici notre général devenu russe.

» Étrange général qui ne possède pas de prénom et dont les déplacements dans l'espace sont remarquables. Il a tout de même cette particularité de n'apparaître que dans des ouvrages traduits de l'anglais ou de l'américain. Mais sans doute aura-t-on déjà reconnu sa véritable identité : l'état major général (*general Staff*). »

Certes, « la traduction n'est pas une chose facile », comme l'auteur à la bonne grâce de le reconnaître. « Mais — conclurons-nous avec lui — il faudrait quand même tuer le général Staff! »

2.2. Des arguments historiques

Cet exemple, « historique » (s'agissant d'une bévue trouvée dans la traduction d'un livre d'histoire, et... faisant date en quelque sorte, puisqu'elle a retenu l'attention du chroniqueur), pourra servir de transition et permettre de passer des arguments polémiques aux arguments historiques qu'invoque G. Mounin contre la traduction. Au reste, le passage est insensible des premiers aux seconds, au point qu'on a un peu l'impression qu'ils sont distingués les uns des autres en vertu d'un souci dont la rhétorique n'est pas absente... De même, en bon littéraire, G. Mounin continue d'invoquer l'ombre de du Bellay.

Si les arguments polémiques contre la traduction ont été de toutes les époques, en réalité ce « sont déjà souvent des arguments liés à des circonstances historiques déterminées » (G. Mounin, 1955, p. 10). Quand Montesquieu anéantit le traducteur, d'une phrase sans réplique — « si vous traduisez toujours, on ne vous traduira jamais »! — il s'agit « en fait d'un argument daté » (p. 12) : c'est parce que, comme du Bellay près de deux siècles plus tôt, il veut qu'on se consacre à une œuvre de création contemporaine, au lieu de s'en tenir à la seule traduction (voire à l'imitation) des chefs-d'œuvre d'une Antiquité jugée indépassable. Chez Montesquieu, c'est une prise de position en continuité avec la Querelle des Anciens et des Modernes, pour les seconds et contre les premiers. Chez le poète de la Pléiade qu'est du Bellay, dix ans après l'édit de Villers-Cotterêts (1539) instituant le français comme langue d'État, c'est un pari pour notre langue, il s'agit de défendre les droits de la langue française et de l'illustrer par une littérature nationale originale — « contre le latin et contre son produit de remplacement, la traduction » (p. 15). Or G. Mounin citait là Montesquieu (p. 11 sqq.) au titre des arguments polémiques et, ici, du Bellay (p. 13 sqq.) au titre des arguments historiques.

Plus généralement, il rend compte de la diatribe de du Bellay contre la traduction (et les mauvais traducteurs) en la resituant dans le cadre des circonstances historiques de la Renaissance. On assistait alors en effet à un gonflement subit de la demande en matière de traductions particulièrement en ce qui concerne la traduction des textes grecs. Pratiquement, le grec (ancien) était alors une langue complètement « oubliée »; d'où une floraison de traducteurs improvisés et incompétents. C'est ainsi qu'apparaît le personnage du « pédant calabrais », locuteur de l'un des isolats linguistiques résiduels du *Mezzogiorno* italien où s'est maintenu un patois issu du grec — rappelons que la « Grande Grèce » avait été le nom donné à l'ensemble des colonies helléniques installées, au Ve siècle avant Jésus-Christ, dans la partie sud-orientale de la péninsule. Là encore (p. 10 sq.), l'argument polémique contre la traduction renvoie à des circonstances historiques déterminées.

2.3. Des arguments théoriques

Il y a donc, selon G. Mounin, un ensemble d'arguments historiques « tres solides » contre la traduction; mais si, avec du

Bellay, on s'en tenait là, on n'aurait que des raisons « particulières à une période historique très limitée » (p. 14 sq.) pour argumenter contre la traduction. Or il en existe d'autres, autrement sérieuses, des raisons *théoriques*. Toujours à l'ombre de du Bellay, G. Mounin présente en quelque sorte une troisième « corbeille » d'arguments. Quels sont ces « arguments théoriques contre la traduction »?

Paraphrasant le poète, l'auteur des *Belles infidèles* précise qu'échappent à la traduction « les vrais moyens du style, de l'éloquence et de la poésie » — l' « élocution » comme dit aussi du Bellay — car « ces moyens sont intraduisibles » (p. 15). Le mot est lâché : il y a de l'intraduisible dans le langage, ou plutôt : dans les langues, dans « chacune langue ». Il y a un résidu d'intraduisibilité dont aucun traducteur, bon ou mauvais, ne pourra triompher. Pire, il ne s'agit pas d'une frange intraduisible qui resterait secondaire ou minoritaire : c'est l'essentiel, pour un poète, qui ne pourra pas être traduit, à savoir toute la dimension poétique du langage précisément.

Du coup, l'objection préjudicielle voit son champ d'application se restreindre, mais en même temps elle trouve là un socle théorique qui vient renforcer singulièrement son assiette. La question « La traduction est-elle possible? » fait place à la question « Peut-on traduire la poésie? » — l'une et l'autre sousentendant que la réponse est négative.

La poésie sera intraduisible, donc. Il faudra se faire une raison. L'objection préjudicielle nous amènera à faire la part du feu

... si l'on peut dire — cette métaphore aux relents d'autodafé a quelque chose d'un sacrilège pour l'homme de plume un peu superstitieux. Au reste, nous sommes resté là au cœur de notre sujet : « du moment qu'on est traduit, on n'est pas brûlé » disait Voltaire, c'est-à-dire qu'il subsistera en fait toujours au moins un exemplaire de la traduction sinon du texte original, car on aura ainsi multiplié ses chances d'échapper à la destruction, qu'il s'agisse de la destruction par le feu des livres mis à l'index pour des raisons religieuses, politiques ou « raciales », qu'il s'agisse des « livres qui ne se vendent pas » et que l'éditeur décide de mettre au pilon, ou qu'il s'agisse simplement de la « critique rongeuse des souris », d'un manuscrit perdu, etc. C'est bien, en l'occurrence, ce qui a failli arriver à l'innocent *Neveu de Rameau* de Diderot, qu'on n'a longtemps connu qu'à travers la traduction allemande de Goethe (4)!

Mais il est des textes de nature différente, dont il est tout à fait possible et légitime d'entreprendre la traduction. Ainsi, selon du Bellay auquel G. Mounin ne manque pas une occasion de donner la parole, « toutes les Sciences » se peuvent fidèlement traduire en français. On pourra donc lire toute la littérature scientifique dans des traductions, sans problème — disons : toute la littérature scientifique et technique. Heureusement qu'on le peut, d'ailleurs, parce qu'il le faut bien ; il n'est bien évidemment pas raisonnable d'imaginer que chacun apprenne toutes les langues où il se publie des choses intéressantes. Cela fait déjà beaucoup de textes « traduisibles », au sens de textes qui sont *à traduire.*

Cela en fait même tellement qu'il y en a un très grand nombre qui attendent (et attendront encore longtemps) d'être traduits, au point que l'argument se met à jouer dans l'autre sens : actuellement, on le sait, il n'est pas possible à un chercheur, à un technicien, à un quelconque utilisateur de la science, d'attendre que soient traduits tous les livres et *a fortiori* les articles de recherche scientifique dont il voudrait prendre connaissance. Il y a là un goulot d'étranglement de la traduction (5), qui pousse certains à publier leurs travaux directement en anglais, considéré comme langue universelle. Il est clair qu'à terme, cette solution condamne la traduction, qu'elle la fait disparaître et met les

(4) C'est le problème des « rétro-traductions » (*Rückübersetzungen*) qui trouve ici une belle illustration, autre que pédagogique (cf. *sup.*, p. 46, etc.).

(5) C'est notamment pour maîtriser ce type de problème qu'ont été entreprises les recherches sur la T.A. (traduction automatique). Les « machines à traduire » ne sont à vrai dire pas pour demain ; et la fonction essentielle qui leur est assignée sera la documentation automatique ce seront « des machines à explorer l'imprimé, des machines à prospecter les déserts de la bibliographie, des machines à survoler l'océan d'encre où se noie tout chercheur » (G. Mounin. 1976, p. 267)

traducteurs au chômage, et ce n'est pas là le seul aspect pernicieux d'un tel « incendie linguistique » (cf. *sup.*, p. 39 sq.). D'où un retournement de l'argument : à force d'être traduisibles, d'être nombreux à traduire et même innombrables, les textes scientifiques ne pourraient plus être traduits effectivement ; ils deviendraient ainsi, de fait, intraduisibles... par excès (de traduisibilité).

Mais invoquer, comme nous sommes en train de le faire, les problèmes contemporains de mise à jour d'une documentation scientifique multilingue à l'occasion d'une citation de du Bellay, voilà bien ce qu'on appelle un anachronisme. N'est-ce pas l'indice que « toutes les Sciences » de du Bellay ne sont pas nos *sciences ?* Quoi qu'il en soit, à l'issue d'une telle présentation des arguments de du Bellay, que nous venons de donner en ne faisant que prolonger les pages qu'y consacre G. Mounin, on obtient une belle opposition entre *science et poésie,* presque une antithèse, dont les termes ne seront pas pris au pied de la lettre mais en un sens élargi et devront être précisés.

3. Métacritique

3.1. Les trois arguments confondus

Remarquons que c'était au titre des arguments dits « historiques » contre la traduction que, déjà, G. Mounin cite du Bellay parlant d'une spécificité du discours de ce qu'il appelle « les Sciences » : on a donc là encore un glissement, anticipant sur les arguments dits « théoriques » qui sont exposés ensuite.

Et en effet, c'est bien à une échéance historique — disons même : à une échéance politique — que se confronte du Bellay en opposant au langage de la poésie le discours des sciences. Le poète, on l'a vu, était en même temps militant d'une cause linguistique, attaché à défendre et illustrer la langue française. Ces arguments historiques ont donc un caractère « polémique ». Or en politique, en politique linguistique comme ailleurs, un combat n'est jamais simple, les camps respectifs ne sont jamais définis de façon claire et statique comme entre deux équipes de football; d'où la dialectique d'une argumentation sur deux fronts.

C'est ainsi que, dans ces textes que G. Mounin cite comme arguments contre la traduction, on assiste à un renversement d'alliances : « après avoir utilisé la traduction comme alliée contre le latin, du Bellay se retourne contre elle pour défendre la littérature française » (p. 14). Dans un premier temps, il s'était fait l'avocat de la traduction car, reconnaît-il, « toutes les Sciences » se peuvent fidèlement traduire en français; et c'est seulement dans un second temps qu'il condamne « ce tant louable labeur de traduire », dès lors qu'il s'agit des poètes.

Quoi qu'il en soit du contenu de l'argumentation elle-même, voilà encore une interférence entre les différents types d'arguments distingués par G. Mounin, cette fois-ci entre les arguments « théoriques » et les arguments « historiques » : elle vient s'ajouter aux autres, déjà notées plus haut à plusieurs reprises. D'une façon générale, il y a un glissement incessant, presque insensible, d'un type d'arguments à l'autre qui amène finalement à penser que la classification proposée par G. Mounin est artificielle, car les arguments invoqués n'y entrent que difficilement. On a un peu l'impression que ces différents types d'arguments sont distingués les uns des autres en vertu d'un souci essentiellement rhétorique — pour que soit sauvegardé le fameux « plan en trois parties » classique de toute dissertation française. Là encore, G. Mounin se montre bon littéraire...

Son goût pour les triades s'atteste encore à l'occasion de l'opposition métaphorique qu'il nous propose entre « verres transparents » et « verres colorés » — selon que le texte-cible est plus ou moins loin du texte-source, selon que la traduction francise pour nous le texte original ou qu'elle vise à nous dépayser (G. Mounin, 1955, p. 109 sqq.). En effet, il pense devoir alors distribuer cette opposition selon trois axes possibles de distance entre texte-source et texte-cible : il opère une distinction ternaire, selon que cette distance renvoie à des colorations propres aux langues en présence, ou à une coloration historique du siècle dont nous vient le texte à traduire, ou enfin à la couleur locale qui tient aux différences existant entre civilisations (cf. aussi *inf.*, p. 142 sqq.).

Dès lors qu'on entreprend de faire le bilan de ces divers

arguments contre la traduction, la première chose à souligner, c'est donc que la triade de G. Mounin est certes plaisante pour l'esprit, élégamment exposée et surtout nourrie d'exemples nombreux, intéressants et bien choisis, mais qu'elle est boiteuse; la seconde, qui est directement corrélative de la première, c'est que le statut des dits arguments *historiques* est tout à fait problématique.

Il est en effet excessivement difficile de les distinguer des autres. On les a vu, pour ainsi dire, envahir de substance historique le chapitre (le sous-chapitre) des « arguments polémiques contre la traduction ». Il s'avère qu'ils investissent aussi les « arguments théoriques » eux-mêmes : non seulement, on vient de le voir, l'opposition entre sciences et poésie remonte à une argumentation historiquement datée chez du Bellay, qui anticipe donc sur les arguments théoriques exposés ensuite; mais encore, c'est dans l'histoire de la traduction que G. Mounin puise les arguments théoriques contre la traduction qu'il invoque, pour sa part, à la suite du poète. Si l'on en croit G. Mounin, après du Bellay, tous n'ont fait que « rétrécir l'art de traduire à leurs petits soucis d'époque » (p. 17). Chacun a fait le « procès historique d'une langue traductrice donnée » (p. 19). Chaque traducteur s'excuse et — vraie ou fausse modestie — souligne combien il est encore loin d'avoir rendu les véritables beautés de l'original en le traduisant en français, dans cette langue qui s'y prête si peu...

3.2. Traduction et histoire

3.2.1. Fondamentalement, c'est le principe même de ces arguments dits historiques, par opposition aux autres, qui doit être mis en cause. Certes, les problèmes, quels qu'ils soient, se posent toujours en termes historiques, dans les termes d'une époque historique déterminée, à savoir dans les termes de l'époque où ils se posent : c'est évident, c'est un truisme. Mais cela ne veut pas dire que ces problèmes soient *essentiellement* historiques, qu'ils soient les problèmes d'une époque. Ils peuvent se re-poser à différentes époques, dans des termes plus ou moins variés, sans changer de nature.

Quand par exemple G. Mounin invoque la diatribe de du Bellay contre les mauvais traducteurs, à titre d'argument polémique contre la traduction, il s'avère très vite que cette diatribe contre les « traditeurs » est en fait « dictée par des circonstances historiques très identifiables » (p. 11). Mais, à vrai dire, cette « demande accrue de traductions » en raison d'un « afflux de lecteurs nouveaux » (p. 10), et en raison aussi de la multiplication des langues et des cultures dont on traduit les œuvres, voilà encore une situation très exactement contemporaine ; les mêmes causes produisant les mêmes effets, elle contribue aussi de nos jours à susciter « une invasion de mauvais traducteurs » — en venant s'ajouter aux raisons principales, qui sont d'ordre économique et tiennent au statut défavorisé du traducteur dans notre société. Autrement dit : l'argument polémique en question est historiquement daté, c'est un argument « historique » ; mais il tend à être en fait de tous les temps, il est en fin de compte *trans*historique.

De même, s'agissant d'arguments théoriques contre la traduction, G. Mounin multiplie les exemples tirés d'époques historiques différentes. Il n'en reste pas moins que c'est toujours la même idée d'une idiosyncrasie des langues, censées incommensurables les unes aux autres, qu'on retrouve à l'arrière-plan. Limités au français, langue dans laquelle est traduite telle ou telle œuvre d'une littérature étrangère, les exemples cités sont tous datés : d'où, apparemment, une historicisation du problème. En fait, quand Madame Dacier invoque la *bienséance* requise en français pour édulcorer les grossièretés et vulgarités d'Homère, quand Rivarol fait subir un sort analogue à Dante (6), quand Montaigne souligne le danger qu'il y a à

(6) « Lorsqu'on est pauvre et délicat, il convient d'être sobre », cette formule à la française que G. Mounin (1955, p. 22) a trouvée chez Rivarol illustre en même temps ce que nous appelons le « conservatisme linguistique » du traducteur (cf. *inf.*, p. 225). D'une façon générale, c'est là qu'il y aurait lieu de thématiser le concept de « langue-culture » proposé par H. Meschonnic (1973, p. 308 et *passim*) et celui de *périlangue*, ici littéraire, que nous lui préférons (cf. *inf.*, p. 178 sq.).

traduire un chef-d'œuvre de l'Antiquité dans « un idiome plus faible », comme l'est notre langue, notre « vulgaire » — dans tous ces cas, on peut bien dire comme G. Mounin que c'est le « procès historique d'une langue traductrice donnée » qui est fait, mais ce procès est le même à travers les différentes époques où l'on est allé chercher les pièces qui permettent de l'instruire (7). Aussi ne mérite-t-il d'être appelé « historique » qu'au regard des circonstances successives au sein desquelles il s'exemplifie : l'histoire n'en modifie pas les données profondes.

En dernière analyse, c'est le *back-ground* culturel du fonctionnement linguistique qui est en jeu ; et le français représente à cet égard un exemple sans doute privilégié, avec toutes ses restrictions sociales à l'usage de la langue, tous ces « usages » qui ont scandé son histoire... littéraire. Mais au-delà d'une langue particulière et de son histoire propre, *Les belles infidèles* ne font là que nous donner quelques variantes datées sur le thème de l'éternelle problématique de l'objection préjudicielle — comme le dit encore, ailleurs, G. Mounin lui-même : « richesse merveilleuse de toutes les langues de départ, pauvreté incurable de toutes les langues d'arrivée » (G. Mounin, 1972, p. 376). Une telle galerie de confidences-aveux de traducteurs, glanées au long de l'histoire littéraire, voilà qui ne suffit pas à alimenter une argumentation proprement théorique contre la traduction, quand bien même on y ajoute une énumération des comparaisons plus ou moins suggestives qui ont été faites entre l'original et sa traduction (8). Mais on n'en tire pas non plus pour autant d'argument réellement historique.

(7) L'entreprise théorique d'un H. Meschonnic est plus radicale, qui thématise la traduction comme « aventure historique d'un sujet » (1973, p. 307) ; pour lui, « l'intraduisible est social et historique, non métaphysique » (*ibid.*, p. 309). Pour une illustration concrète et pratique des problèmes posés par la dimension historique de l'activité traduisante, cf. *inf.*, p. 238.

(8) Tout en marquant nettement que comparaison n'est pas raison, on retiendra la belle image reprise de Benedetto Croce. A l'en croire, fournir une traduction, c'est « donner à un amoureux une autre femme en échange de celle qu'il aime : une femme équivalente, ou,

Les arguments « polémiques » aussi bien que les arguments « historiques » sont « de toutes les époques, avec des motivations historiques assez diverses », comme le reconnaît G. Mounin (1955, p. 9), ce qui revient à dire que leur historicisation ne touche pas l'essentiel. Si l'argument a quelque valeur, s'il a un sens pour nous, c'est qu'il a une solidité propre, à laquelle vient seulement s'ajouter un *remplissement* historique, d'occasion, qui lui apporte le contenu concret des exemples dont il se nourrit. Sinon, à ce compte-là, tout argument serait un argument historique.

3.2.2. Et si c'est d'abord au sein des arguments polémiques et théoriques, en analysant leur dimension historique, que jusqu'à présent nous sommes allé critiquer le principe même des arguments historiques contre la traduction, c'est parce que ces derniers sont évanescents. Non seulement, ils semblent rejoindre les autres types d'arguments et ce n'est en fait qu'une apparence superficielle, comme il vient d'être montré en détail. Mais surtout, en eux-mêmes, ils se réduisent à la plus simple expression : dans le texte des *Belles infidèles,* il leur revient tout juste deux pages (pp. 13-15) — alors que ce n'est pas moins de cinq pages qu'occupent les arguments polémiques, dont la logique paraît bien simple à exposer, voire même simpliste, puisqu'il s'agit seulement d'une critique des mauvais traducteurs; quant aux arguments théoriques, G. Mounin leur consacre beaucoup plus de dix pages.

Bien plus, dans ces deux pages, au cœur même desdits arguments historiques, on ne trouve guère la matière d'une véritable argumentation « contre la traduction ». Il n'y a là rien qui étaye l'objection préjudicielle faite à la possibilité même de traduire, dont on se rappellera qu'elle est la problématique dont procède le livre de G. Mounin en posant d'emblée la question « La traduction est-elle possible? ». A vrai dire, la possibilité, l'existence, voire seulement la qualité ou la fidélité des traduc-

---

l'un dans l'autre, semblable; mais l'amoureux est amoureux de celle-ci justement, et non pas de ses équivalents » (cit. in G. Mounin, 1955, p. 25).

tions ne sont pas en cause. Au lieu d'une argumentation, c'est d'une profession de foi militante qu'il s'agit; et c'est proprement politique qu'elle mérite de s'appeler, plutôt qu' « historique ».

G. Mounin fait écho à un combat idéologique, dont l'échéance se répète d'une époque à l'autre mais aussi d'une communauté linguistique et culturelle à l'autre; il indique une prise de position volontariste et polémique, l'une des positions en présence, celle qui refuse les traductions car elles seraient censées faire obstacle au développement d'une littérature originale. On a tôt fait de retourner l' « argument », et c'est presque ce que fait G. Mounin quand il évoque quelques pages plus loin le pétrarquisme, dont il est vrai qu'il est à l'origine même de notre littérature nationale, « et nommément le pétrarquisme de Joachim du Bellay, l'un des meilleurs » (9). La traduction aide une langue à vivre, voire même à naître, comme le montre l'exemple de la *Bible* de Luther pour l'allemand; la traduction est maintenant l'une des conditions pour la survie des langues. Au niveau de ses richesses stylistiques, les traductions ouvrent même à la langue des tonalités nouvelles, exotiques, dont une littérature originale pourra faire dès lors son profit (10). Tout cela est sans doute, il est vrai, bien plus évident de nos jours qu'au temps de du Bellay : c'est en ce sens, en ce sens seulement, qu'il y a là quelque chose comme un élément d'argumentation historique.

Il reste que, d'une façon générale, le bilan des arguments historiques invoqués par *Les belles infidèles* est en fin de compte négatif, ou plutôt nul. C'est si vrai que quand G. Mounin entreprend à son tour d'argumenter contre du Bellay, contre ses

(9) G. Mounin (1955), p. 68 — on touche là à la question du continuum *traduction-adaptation-imitation* qui est un topos de la tradition rhétorique, et dont on notera que les poètes de la Pléiade, et en particulier J. du Bellay, en sont l'illustration à l'origine même de notre littérature nationale (cf. *sup.*, p. 15).

(10) Cela n'échappe pas à G. Mounin (1955, p. 142) qui évoque le « ton-traduction » et, par exemple, le cas d'Apollinaire introduisant dans la littérature française originale une tonalité qui rappelle les traductions (« verres colorés »).

arguments contre la traduction, ce n'est absolument pas leur limitation historique qu'il met en avant. Si la problématique de l'objection préjudicielle n'était qu'un débat d'historiens, si la traduction elle-même était analysée en tant que phénomène historique, il suffirait de montrer que les données d'alors se sont renouvelées et qu'actuellement les problèmes se posent en des termes différents.

En fait, là encore, en bon littéraire, G. Mounin cultive la rhétorique universitaire. Avant de nous montrer pourquoi et dans quelle mesure « la traduction est possible », « comment traduire » — ainsi s'intitulent les deux autres chapitres-parties de son livre — il fait un long détour par des positions contraires aux siennes, développant complaisamment toute une première partie contre la traduction, quitte à y ménager ce que Pascal appelle des « fausses fenêtres » dans l'ordonnance argumentative d'un traité. Les arguments historiques contre la traduction ne sont pas dépassés : il n'y a pas d'arguments historiques contre la traduction.

En dépit de ses propres dénégations, G. Mounin nous paraît encore trop prisonnier de la problématique de l'objection préjudicielle, qui est finalement une vieille histoire. Encore une vieille histoire, elle aussi, cette dichotomie qui fait un sort d'exception à la poésie et l'oppose aux sciences? L'histoire, en tout cas, est elle-même une dimension du problème, une fois posé dans les termes contemporains de la « science linguistique », lors même que les dits arguments historiques invoqués par les *Belles infidèles* ne... trompent plus personne.

4. Science et poésie

4.1. Une théorie dualiste

Dès lors que se trouverait ainsi récusée l'argumentation dite historique, et puisque les arguments polémiques, on l'a vu, se réduisent à peu de chose, c'est-à-dire à un pur et simple mouvement d'humeur contre les tâcherons et donc à une impatience qui laisse intact le principe de la traduction elle-même, il ne resterait que les « arguments théoriques contre la traduction » — encore le pluriel n'est-il pas de mise puisqu'aussi bien c'est d'un seul argument qu'il s'agit en définitive : une fois campée l'opposition entre *science* et *poésie,* on se contente de vouer les poètes aux mystères, aux prestiges, mais aussi aux tabous de l'intraduisible. Par contre, on admet que les sciences pourront subir le traitement qui les fera passer d'une langue à l'autre, elles seront soumises à la traduction.

A supposer qu'on souscrive à l'argumentation dont les *Belles infidèles* se font l'écho, l'alternative proposée nous fournit-elle le point de départ d'une *théorie* générale de la traduction? Il y a de l'intraduisible, et il y a du traduisible : d'un côté la poésie, de l'autre la science. Science et poésie. Et le reste?

En fait, il n'y a pas de reste! Car il faut entendre les deux termes de cette opposition en un sens élargi, de sorte qu'ils tendent à couvrir l'ensemble des formes de discours possibles. On aurait donc là deux types discursifs ou langagiers fondamentaux, qui à vrai dire restent à définir.

Il y a mise en place d'un dualisme, d'une dichotomie opposant la poésie, intraduisible, à ce qui n'est pas elle et reste traduisible, c'est-à-dire la prose, le discours non littéraire... Ainsi restreinte et non plus généralisée, devenue limite méthodologique et non plus tabou métaphysique d'une antinomie, l'objection préjudicielle implique une théorie linguistique *discontinuiste.* Elle opère une coupure entre deux modèles d'écriture spécifiques, entre deux types discursifs : on pourra parler à ce propos de *coupure littéraire,* par analogie avec la « coupure épistémologique » opposant science et idéologie, mise à l'honneur il y a quelques années par le marxisme althussérien.

Encore conviendrait-il de définir les termes de l'opposition. Comme nous en avons fait plus haut la remarque, il est proprement anachronique d'assimiler ce que sont pour nous les « sciences » et ce que du Bellay pouvait bien appeler ainsi... Quant à la « poésie », il faudra aussi déterminer ce qu'on entend par là.

4.2. Traduire les « sciences »

Et d'abord, de quelles « Sciences » s'agit-il? Il faut en l'occurrence dilater considérablement le concept. Pour répondre à la question, le traducteur de philosophie allemande qu'est aussi l'auteur de ces lignes est tenté de se retourner vers sa pratique traduisante et de passer par l'intermédiaire du terme allemand correspondant. Or le mot allemand *Wissenschaft*, qu'on traduit généralement par le français *science*, a en fait un sens beaucoup plus large, tellement plus large qu'on peut presque parler d'un sens différent (11). En français, il s'agit d'un concept bien précis qui désigne un savoir cumulatif et structuré, satisfaisant aux exigences de la méthode expérimentale et de la formalisation logico-mathématique; c'est une catégorie épistémologique. En allemand, est *Wissenschaft* tout savoir ayant une méthodologie propre et définie, et de fait tout savoir enraciné dans l'institution universitaire; c'est plutôt une catégorie historique ou socio-culturelle, voire une catégorie socio-professionnelle. A la limite même, chez certains auteurs encore contemporains comme Heidegger, la théologie est une *Wissenschaft*.

Allons encore un peu plus loin, dans le temps et non plus seulement dans l'espace; si l'on veut encore se servir de la traduction comme fil conducteur, c'est au latin *scientia* qu'il faut penser. D'ailleurs, en latin d'Eglise aussi, la théologie est Science, *scientia sacra*. En français, dans un français déjà un peu suranné il est vrai, on appelle (peut-être faudrait-il dire : on appelait) la logique, l'esthétique et même la morale des « sciences normatives ». C'est en ce sens ancien, et non au sens strict, en l'occurrence anachronique, de la recherche scientifique moderne (cf. *sup.*, p. 98), que du Bellay emploie le mot évidemment : « Science » est alors synonyme de tout *savoir* organisé, faisant par exemple l'objet d'un exposé argumentatif et d'un enseignement systématique. On aura noté au reste qu'il y a eu récemment un réélargissement de sens du mot, renouant en

---

(11) Sur ces questions de sémantique et d'épistémologie, cf. J.-R. Ladmiral (1971), p. 163 sq. et *passim* (et cf. *inf.*, p. 256).

quelque sorte avec le sémantisme ancien : on parle de « sciences économiques » et même, dernièrement, de « sciences juridiques », voire de « science de la littérature »... Gageons qu'en français aussi, la théorie de la traduction ou traductologie (dont traite le présent ouvrage) s'appellera bientôt une « science » comme en allemand (*Übersetzungswissenschaft*), et en anglais (*Science of Translation* (12))...

En ce sens élargi, la philosophie est « science » et donc traduisible. Plus généralement, c'est aussi le cas de tout discours informatif, de tout discours véhiculant du savoir, des connaissances, c'est-à-dire des informations et s'assignant comme finalité première (sinon toujours tout à fait exclusive) la transmission de ces informations — c'est le cas de tout ce qui n'est pas la poésie. C'est donc elle qu'il faudrait définir : puisque, en fin de compte, on aurait d'un côté la poésie et, de l'autre, le reste. Science et poésie, il est vrai que ces deux termes s'entendent en des sens élargis. Pour le concept de science, on l'a vu, cela peut aller jusqu'à recouvrir tout ce qui n'est pas la poésie; c'est donc elle, c'est la poésie qu'il faudrait définir. Dès lors, c'est à une stylistique, à une poétique de la traduction qu'il y a lieu de s'atteler.

4.3. Qu'est-ce que la littérature?

4.3.1. La question est donc : qu'entend-on ici par « poésie » et quels sont ces « poètes » auxquels du Bellay décourage les traducteurs de s'attaquer? Il ne s'agit pas en l'occurrence seulement de la poésie au sens étroit et formel des pièces écrites en vers. Et, si du Bellay pense d'abord aux auteurs qui se plient au mètre d'une versification, comme Homère, Virgile ou Pétrarque, on n'en devra pas moins entendre le mot en un sens plus large : « poète » est ici synonyme d'*écrivain*.

Toujours littéraire, c'est en se réfugiant derrière Joseph Bédier que G. Mounin (1955, p. 28) nous fournit cette paraphrase explicite de du Bellay : il s'agit « de ne traduire, poète ou

(12) C'est le titre du livre de E A Nida (1964) *Toward a Science of Translating.*

108

prosateur, aucun bon écrivain ». Là aussi, il n'est pas inutile d'emprunter le détour de la traduction elle-même, entre le français et l'allemand : le véritable équivalent, selon l'esprit, du français « écrivain » est en allemand le mot *Dichter*, précisément, même si à la lettre sa re-traduction (*Rückübersetzung*) donnerait plutôt le terme français de « poète ». Kafka est un *Dichter*, par exemple : c'est un très grand *écrivain*, voire un « poète »...

Est intraduisible la poésie au sens de la Littérature, avec ou sans majuscule, au sens de ce qu'on appelait jadis les « belles lettres » (et, encore une fois, nous montrerons ici le bout d'une oreille de traducteur en signalant qu'on parle en allemand de *Belletristik*). C'est de toute la littérature qu'il s'agit, dont la poésie n'est que la plus fine pointe, la mieux représentative, en quelque sorte le point d'incandescence littéraire, en même temps que la forme d'écriture vivante et historiquement à l'ordre du jour au temps de du Bellay — comme l'est peut-être de nos jours la chanson en langue française, et comme c'est encore le cas en Russie pour la poésie elle-même.

Il est bien difficile de donner une véritable définition, au sens propre d'une saisie de l'essence en compréhension; on se contentera que soit indiquée l'extension de tout un « essaim » de formes littéraires. Nous n'allons pas proposer ici une théorie de la littérature ou, pour parler comme H. Meschonnic (1973), une théorie de la « littérarité », une « épistémologie de l'écriture ».

Risquer une définition de la poésie, ce serait aussi se rallier nécessairement à une formule limitative, en prenant parti dans le cadre d'un débat plus ou moins « académique » où sont opposées des interprétations différentes engageant immanquablement des préalables philosophiques qui les dépassent. Ce serait faire un choix et privilégier tel ou tel aspect du phénomène poétique, tout en acceptant corrélativement certaines scotomisations négligeant telle ou telle plage de l'espace littéraire.

4.3.2. Ce serait nous engager dans un débat immense qui finirait par absorber notre propos : dans un débat séculaire, « éternel », dont nous ne saurions imaginer que nous puissions le trancher, voire seulement y apporter des lumières nouvelles. Et puis le traducteur qu'est aussi l'auteur de ces lignes s'est essentiellement consacré aux textes théoriques de la philosophie et des sciences humaines. Sans que lui échappe la dimension littéraire authentique que recèlent parfois ces textes, et sans qu'il échappe non plus lui-même aux difficultés qu'il y a alors à les traduire..., force lui est bien d'avouer qu'il recule un peu devant la poésie, sinon devant la Littérature.

Il y a presque de l'outrecuidance, un enthousiasme encore bien juvénile, à professer une véritable esthétique littéraire. Les écrivains ne donnent eux-mêmes si souvent l'impression de céder à cette tentation de l'esprit de système que parce qu'on se méprend sans doute sur leurs intentions : il ne s'agit pas tant de bâtir une esthétique littéraire universelle que de se forger une morale d'écriture à usage personnel.

Le traducteur, qui est aussi un praticien de l'écriture, plusieurs crans au-dessous si l'on veut, se pose des problèmes de praticien. Il voit la littérature par le petit bout de la lorgnette, à travers un miroir grossissant les détails qu'il lui faut vaincre tant bien que mal les uns après les autres.

L'écrivain peut s'imposer l'option d'une théorie esthétique, par excès, pour aller au bout de certaines virtualités qu'il sent en lui. Le traducteur est amené quant à lui à se l'interdire, par défaut, car il lui faut être disponible au discours de l'Autre, là même peut-être où il l'attend le moins. Ce n'est pas lui qui met en œuvre les effets d'une création originale, il lui appartient surtout de ne pas les manquer : il est donc obligé à une attention tous azimuts et, autant que faire se peut, sans *a priori* esthétique; il doit être prêt à toute éventualité, prêt à s'étonner de tout et à ne rien laisser perdre.

C'est pourquoi l'esthétique, minimaliste, que pourra se donner le traducteur sera une esthétique de l'écoute et de la réceptivité. Ce ne sera pas un monument théorique bien ordonné et hiérarchisé, mais une « rhapsodie » (comme disait Kant) de théorèmes disjoints que l'affrontement continu à la tourmente incessante d'une pratique toujours renouvelée empêche de s'organiser en un tout harmonieux.

Toutes ces raisons pour justifier notre timidité en matière d'esthétique littéraire, de « poétique » : c'est que cette abstinence théorique est un enseignement de la pratique! Le traducteur en nous vient démystifier le philosophe que nous sommes aussi par ailleurs. La prudence du praticien vient modérer les tentations que nous pourrions avoir en tant qu'universitaire, en tant qu'enseignant de philosophie et en tant que linguiste, de céder au pathos de la Théorie. Mais la pratique de la traduction ne se laisse pas si facilement perdre de vue. Avec ses difficultés accumulées et multiples, petites ou grandes, elle se rappelle à l'attention de celui qui voudrait l'escamoter en lui substituant la belle ordonnance des idées, les belles paroles d'une théorie. Sauf bien sûr à rester un théoricien sans pratique, en vertu de la division du travail dénoncée plus haut (cf. *sup.*, p. 88)!

4.3.3. Au reste, G. Mounin s'abstient lui-même, fort sagement, de nous proposer une théorie de la littérature, en quelque sorte *sa* poétique de la traduction. Dans *Les Belles infidèles,* il se montre très prudent et se contente d'exhiber quelques exemples de traduction réussie (dont, au demeurant, certains sont discutables). Cette timidité théorique se fait courageuse, pour ainsi dire, quand G. Mounin — dans un texte peu connu des lecteurs français parce qu'il l'a publié directement en italien (G. Mounin, 1965) et qu'il n'en existe pas de (re-)traduction en français — donne des éléments de ce qu'on pourrait appeler une *poétique négative*, à l'instar de la « théologie négative ».

La théologie négative, on le sait, procède de l'humilité impartie aux hommes face aux perfections divines, elle ne se risque pas à dire ce qu'est Dieu, elle ne fait que l'approcher indirectement et de loin à travers un discours de la négation ; en effet, Dieu n'est rien de ce que notre petitesse et notre finitude peuvent nous laisser penser de Lui. D'une façon un peu comparable — *mutatis mutandis* — G. Mounin s'en tient à nous dire ce que *n'est pas* la poésie.

Ce ne sont pas les mots eux-mêmes, sauf à réduire la poésie à un arsenal de brocante verbale puisant aux ressources faciles d'un vocabulaire « noble », ou mythologique, ou dit « poétique »... Encore moins s'agit-il pour le traducteur de rester fidèle à la forme grammaticale : à ce niveau-là, « l'exactitude aveugle et mécanique fait violence au texte » (G. Mounin, 1965, p. 127). Bien traduire un poème, ce n'est pas non plus respecter une « fidélité mécanique au style » (?) de l'original. Il ne s'agit même pas de fidélité *musicale!* G. Mounin ne craint pas — disons — de battre en brèche cette « tarte à la crème »..., de contester cette idée reçue, pourtant développée par tant d'autres et depuis si longtemps, et à laquelle s'attarde encore un poète et un homme de réflexion comme Valéry.

Après cette hécatombe démystificatoire répudiant ces fausses fidélités en matière de traduction poétique, G. Mounin en revient à l'un de ces bons truismes, à la vérité éternelle et indestructible, qui ont le seul mérite de pointer l'index dans la direction de la difficulté : « la fidélité dans la traduction d'un texte lyrique..., c'est la fidélité à la poésie de ce texte » (G. Mounin, 1965, p. 129). On ne peut pas mieux dire : la poésie est poésie! ou encore : elle n'est pas autre chose que ce qu'elle est... Certes, il est facile d'ironiser sur cette tautologie, que les ciseaux de la citation permettent de faire émerger du livre de G. Mounin; on en tirera la leçon qu'il revient au traducteur la tâche difficile d'*identifier* pratiquement, dans le travail de son écriture-cible, les moyens proprement « mis en œuvre » par la poésie du texte-source. Encore une fois, le traducteur ré-énonce un texte qui « n'est pas l'original » (G. Mounin, 1955, p. 7) mais, en cela, il s'avère « co-auteur » ou « réécrivain ».

5. Conclusions

5.0. La conclusion qui se dégage des pages qu'on vient de lire est ouverte, c'est-à-dire qu'elle n'en est pas une; et elle est multiple, c'est-à-dire qu'elle n'est pas une...

5.1. Tout d'abord, de l'ensemble des « arguments contre la traduction » mis en scène par G. Mounin, il n'en reste qu'un : l'argument « théorique », consistant à opposer « Sciences » et poésie. Il semblerait donc qu'on dût « seulement » définir une esthétique, une stylistique productive, une poétique pour la traduction. Mais, on vient de le voir, un tel programme est trop ambitieux pour le praticien — et même peut-être pour le théoricien — de la traduction. Nous allons nous contenter quant à nous de l'aborder latéralement, en traitant du problème des *connotations* (cf. *inf.*, p. 115 sqq.).

5.2. Mais il faut souligner que « les Sciences » de du Bellay dont il a été question recouvrent un domaine très large et que, même là, la traduction ne saurait se réduire à un simple transcodage, ne posant que des problèmes terminologiques. Il y aura lieu de développer une théorie de la traduction philosophique notamment; quant aux sciences humaines, concernées elles aussi en l'occurrence, elles ressortissent elles-mêmes à un modèle du « discours théorique » qui oppose à la traduction des obstacles spécifiques. C'est à ce double domaine que se réfère essentiellement notre pratique de traducteur et nous allons en dégager quelques exemples pour les discuter (cf. *inf.*, p. 216 sqq.). D'une façon générale, il n'est nullement acquis que le dualisme isolant la poésie du reste soit une théorie suffisante pour la traductologie.

5.3. Quant à l'objection préjudicielle elle-même — nous la comparions à un nouvel éléatisme, attaché à démontrer l'impossibilité du mouvement traduisant (cf. *sup.*, p. 85 sqq.), eh bien! il est possible d'y répondre comme Diogène, qui prouvait le mouvement en marchant... Et la réalité séculaire de la pratique traduisante serait déjà une réponse suffisante — mais ce qui est en jeu dans cette discussion, c'est la persistance d'un *académisme*, qu'on pourra appeler aussi « littéraire » ou « théologique », en mauvaise part et de façon polémique : c'est l'attitude qui consiste à déshistoriciser les problèmes théoriques pour les situer dans une éternité idéale qui se prête à d'inépuisables variations rhétoriques. Sous-jacent, il y a là le préjugé qu'on a affaire quelque chose qui est de l'ordre du « mystère » et dont l'élucidation ne saurait véritablement progresser. Ainsi pour G. Mounin, qui se montre en cela bon « littéraire » encore une fois, *tout est dans du Bellay* pour ainsi dire. Et il est à cet égard significatif que sa théorie de la traduction procède d'un truisme (la traduction n'est pas l'original) et débouche sur un autre truisme (la poésie est la poésie).

5.4. Enfin, si G. Mounin nous apparaît encore trop prisonnier de l'objection préjudicielle (13), c'est pour ne s'être pas confronté concrètement, c'est-à-dire pratiquement, au problème des rapports entre théorie et pratique : c'est ce à quoi nous nous sommes essayé (14).

(13) Il n'est que de feuilleter (par exemple) les *Problèmes...,* cf. G. Mounin (1963), pp. 8 sq., 143, 168, 170, 191, 223, 251, 269, voire pp. 93. 187, 241 — et surtout p. 271 sqq.!

(14) Cf. *inf.,* pp. 211 sqq., 162 et 116 sq., 189 sq., 184 sq., 193, 200. cf. *sup.,* p. 18...

4   TRADUCTION ET CONNOTATION

0. Préliminaires

Les linguistes (germanistes, francisants, anglicistes, etc.) enseignent ou ont enseigné la version (et le thème). Certains d'entre nous sont, par ailleurs, traducteurs (cf. *sup.*, p. 7 sq.). A ce double titre, comme pédagogues et éventuellement comme traducteurs, ils se trouvent confrontés aux problèmes de la connotation. Il est d'ailleurs significatif que, si l'on passe en revue les divers dictionnaires de linguistique actuellement parus en français, c'est dans le récent *Dictionnaire de didactique des langues* de Robert Galisson et Daniel Coste que l'on trouvera le meilleur article, et le plus détaillé, consacré au concept de connotation (R. Galisson & D. Coste, 1976, pp. 117-119).

Mais il faut tout de suite préciser qu'il y a là deux choses bien différentes. La pédagogie (ou didactique) des langues et la théorie de la traduction constituent les deux domaines principaux de ce qu'il est convenu d'appeler la Linguistique Appliquée ; mais ce sont deux domaines qu'il faut bien distinguer dans la mesure où la « traduction » telle qu'on l'enseigne, telle qu'on la pratique au sein de l'institution pédagogique (thème/version) obéit à des contraintes spécifiques qui en font un simple exercice, limité par tout un ensemble de scotomisations et donc relativement artificiel, n'ayant plus grand-chose à voir avec la production réelle d'une traduction proprement dite (cf. *sup.*, p. 23 sqq.).

Sans revenir sur cette séparation stricte qu'il convient d'établir entre théorie de la traduction et pédagogie des langues, on pourra remarquer qu'effectivement, mais *dans un second temps,* les conclusions dégagées concernant la traduction proprement dite « peuvent sans doute être généralisées à l'enseignement des langues », comme l'indiquent R. Galisson et D. Coste (1976, p. 118) en citant les analyses que, dans le chapitre X de ses *Problèmes théoriques de la traduction,* Georges Mounin (1963, p. 144 sqq.) consacre à notre problème de la traduction et de la connotation. (Nous sommes nous-même amené à nous référer plusieurs fois à nos travaux en pédagogie des langues, autant qu'à nos études concernant la traduction.)

Pour une analyse théorique et systématique du concept de connotation, nous renvoyons notamment à l'étude de Marie-Noëlle Gary-Prieur (1971), dont nous rejoignons souvent les analyses, sans toujours partager ses *a priori* idéologiques (1). Notre propos est au reste assez sensiblement différent du sien, puisque la connotation ne nous intéresse que dans la perspective de ce qu'Antoine Culioli appelle une « théorie de l'application » (2). S'il est vrai qu'il s'agit bien ici d'une étude de concept, celle-ci est d'emblée finalisée par les possibilités d'utilisation dans le cadre d'une théorie de la traduction.

Or, ce qu'il est permis d'attendre d'une théorie de la traduction, c'est précisément une aide à la *conceptualisation,* à la problématisation et à la formulation des difficultés que rencontre le traducteur dans son travail; cela ne peut pas être ce qu'on appelle parfois à tort des « techniques de traduction », qui puissent être déduites de façon linéaire à partir de la théorie

---

(1) Sans aucunement épuiser la littérature sur le sujet, on pourra citer les travaux de E. Coseriu, repris notamment in H. Geckeler (1978), ceux de G. Rössler, etc. Mentionnons aussi en ce qui concerne la traduction les remarques, pratiques et judicieuses, de notre collègue B. Lortholary (1975), p. 9 sqq.

(2) Sur le concept de « Linguistique Appliquée »; et sur l'idée d'une « théorie de l'application » en aval de la linguistique, cf. nos remarques critiques in J.-R. Ladmiral (1975*e*), pp. 321 et 522 sqq.

vraie ou « scientifique » — tel est du moins le point de vue dont procèdent nos analyses (3).

Quant à l'importance du concept de connotation lui-même en linguistique, il n'est pas douteux qu'elle est grande et justifie que nous ayons focalisé sur lui la présente étude ; nous n'en voulons pour preuve que le simple fait qu'une récente encyclopédie consacrée à la communication lui accorde l'un des onze items censés rendre compte de l'essentiel de la science linguistique, réduite à sa terminologie (A. Moles, 1971, p. 363 sq.). Précisons enfin que, comme dans l'ensemble du présent ouvrage, ici *a fortiori* bien entendu nous adoptons exclusivement la perspective de la traduction humaine, sans préjuger aucunement des termes dans lesquels notre problème se poserait à la traduction automatique (T.A.)...

1. Stylistique et traduction

1.1. Le concept de connotation

Quoi qu'il en soit de l'application où chacun d'entre nous situe sa pratique, traduction ou enseignement seul, nous avons tous recours à la dichotomie classique opposant deux aspects de la signification d'un mot, d'une expression ou tournure de phrase :

— l'aire sémantique, le découpage sémantique... ou, plus trivialement, « le sens » — disons plutôt : la *dénotation ;*

— le niveau de style, la valeur stylistique, le registre... ou, plus trivialement, « le style » — disons plutôt : la *connotation.*

Ainsi, pour prendre des exemples excessivement simples, on dit que les mots *cheval, canasson* et *coursier* (ou *employeur, patron* et *chef d'entreprise,* etc.) ont la même dénotation, le même dénoté, alors que chacun des trois est porteur d'une connotation différente. Encore une fois, il ne s'agit pas seulement de mots isolés, mais tout autant de lexies et de

(3) Cf. J.-R. Ladmiral (1975*d*), p. 5 sq. et *inf.,* p. 211 sqq...

syntagmes, voire de phrases complètes; et on distinguera les deux phrases « la voiture est abîmée » et « la bagnole est esquintée » comme connotant différemment un même dénoté C'est à dessein que nous reprenons ici l'exemple utilisé par Marie-Noëlle Gary-Prieur (1971, p. 97) dans son étude déjà citée.

Dans ce couple d'opposition conceptuelle qu'on vient d'illustrer de quelques exemples, c'est bien le second terme, c'est-à-dire la connotation, qui va en fait essentiellement nous occuper, dans la mesure où elle constitue le terme marqué. La dénotation est le terme non marqué et semble en effet ne pas faire problème. On s'accorde assez généralement sur le sens du mot *dénotation*, alors que cet accord « ne se retrouve pas lorsqu'il s'agit de *connotation* », comme le note G. Mounin (1963, p. 150).

D'un point de vue historique, le concept de connotation a été remis à l'honneur par la linguistique américaine, dans le sillage de Bloomfield, avant d'être repris ensuite et thématisé surtout par les linguistes européens (cf. G. Mounin, 1963, pp. 145, 147 et 153). Au-delà de l'héritage bloomfieldien, c'est donc essentiellement à l'apport de linguistes européens comme A. Martinet, G. Mounin, P. Guiraud, J. Lyons, L. Hjelmslev, voire R. Barthes... que nous serons conduit à faire référence (4). S'il est vrai que certaines études récentes, comme celle de M.-N. Gary-Prieur (1971, p. 107) ou la nôtre ici même (cf. *inf.*, pp. 172 sqq. et 184), aboutissent à remettre en cause la validité épistémologique d'une telle notion, il reste que pour de nombreux auteurs les problèmes de la connotation constituent en

(4) Nous avons laissé de côté des emplois plus particuliers et plus traditionnels du terme, tels qu'on les trouve chez un Beauzée (cf. J. Marouzeau, 1951, p. 58) ou chez un Bühler (cf. Th. Lewandowski, 1973, p. 345). Une étude centrée sur la notion elle-même (*Begriffsgeschichte*) devrait leur faire une place · ils s'inscrivent au demeurant sans difficulté dans la continuité historique d'une réflexion qui remonte à l'héritage de la pensée médiévale. Par ailleurs, il y a lieu aussi de faire un rapprochement avec un concept comme celui de *virtuème* tel que l'a défini B. Pottier (1974, p. 30 et *passim*). Mais la perspective d'une théorie de l'application aux problèmes de la traduction nous commandait ici de consentir à certains allègements.

linguistique « une des directions les plus neuves, où les recherches continuent » (G. Mounin, 1971, p. 183) et que « l'avenir est sans doute à une linguistique de la connotation » (R. Barthes, 1965, p. 164).

On peut aussi souligner que l'irruption de la connotation dans le champ de la discipline linguistique est en fait relativement « récente historiquement », comme le fait G. Mounin (1963, p. 166), mais il faut rappeler que le terme existait bien avant. Il est même en fait très ancien (cf. *inf.*, p. 129 sqq.) et ce n'est un concept récent que dans le champ de la discipline linguistique, par opposition à ses emplois antérieurs. Au reste, c'est une question d'échelle : l'acception linguistique remontant à Bloomfield (cf. *inf.*, p. 132 sq.), ce n'est qu'en un sens très relatif qu'on peut la dire *récente,* comme le remarque de façon cinglante M. Arrivé (1976, p. 117).

On trouve le mot déjà chez Littré, qui consacre à la notion trois entrées dans son dictionnaire — où *connotation* est défini comme l' « idée particulière que comporte un terme abstrait à côté du sens général », où *connoter* signifie « faire une connotation, c'est-à-dire indiquer, en même temps que l'idée principale, une idée secondaire qui s'y rattache », et où *connotatif* a aussi une adresse qui lui est propre. Enfin, s'il est vrai que la connotation a connu dans le lexique de notre langue bien des avatars historiques, à tout le moins « le vieux sens général du mot » (G. Mounin, 1963, p. 149) n'a-t-il jamais varié en ce qui concerne son antonyme, la dénotation.

Plus généralement, il s'agit dans la présente étude de confronter à l'effort de conceptualisation rigoureuse que représente la théorie linguistique la dichotomie traditionnelle opposant le sens et le style, qui s'est élaborée au contact de la pratique, et tout particulièrement de la pratique traduisante, avec tous les problèmes délicats que pose la traduction littéraire. C'est à cela que répond l'utilisation contemporaine du couple dénotation/ connotation, qui nous vient d'un lointain héritage médiéval et traverse notre culture avant d'avoir été repris par les linguistes tout récemment. Ainsi, la connotation est assez largement utilisée par les littéraires. Et il est à cet égard significatif qu'une étude comme celle de Marie-Noëlle Gary-Prieur (1971) sur « La notion de connotation(s) » soit parue dans la revue *Littérature*. Au reste, le concept de *registres* sociolinguistiques (voire psycholinguistiques) auquel la linguistique moderne accorde maintenant une grande importance, à l'occasion notamment des études en cours sur la langue parlée, rejoint la notion de « niveaux de langue » déjà classique dans le discours littéraire.

Si tant est qu'il existe des niveaux de style aux connotations variées, c'est qu'il apparaît possible d'exprimer la même idée de plusieurs manières différentes : *cheval, canasson* et *coursier* sont trois façons de dire « la même chose » et il en est de même pour les autres exemples que nous avons donnés. Le concept de connotation renvoie à l'idée de *synonymie*, c'est-à-dire à l'idée d'une identité de sens, modulée par des « valeurs stylistiques »; et on pourra identifier les connotations à ces *valeurs stylistiques* (cf. P. Guiraud, 1963, p. 47 sq.). Aussi est-ce dans le cadre d'une réflexion sur la synonymie qu'un John Lyons (1970, p. 343) traite de la connotation et, par exemple, il est question de « variantes qui ne diffèrent que par la connotation » chez L. Bloomfield (1970, p. 468).

Mais, en quelque sorte par extension, la notion de connotation trouve aussi à s'employer là où il n'y a pas à proprement parler un contexte paradigmatique de synonymes. En français, pour reprendre un exemple zoologique, un terme comme *chien* véhicule de très nombreuses connotations : fidélité et affection, si l'on veut, mais aussi et surtout bassesse, mépris où on le tient, etc.; à quoi l'on ajoutera des expressions comme « un temps de chien », « il n'est pas chien », « elles adorent ça, ces chiennes! »... Enfin, les auteurs expliquent en général qu'il y a neutralisation des connotations dans le langage scientifique, voire dans le langage courant (5).

---

(5) Nous reviendrons sur cette double affirmation très contestable pour en faire la critique (cf. *inf.*, p. 151 sqq.). Dira-t-on que la définition scientifique du *chat* que donne la plupart des dictionnaires est moins connotée que celle du dictionnaire qui en fera un « petit animal domestique qui mange des souris »?

1.2. Une théorie linguistique

Sans nous arrêter ici à discuter la question classique de savoir si, dans les langues, il existe des synonymes à la rigueur, examinons tout de suite la théorie d'un linguiste au fait des recherches menées en linguistique contemporaine, lui-même traducteur et bibliste, Charles R. Taber, collaborateur de Eugene A. Nida. Dans la contribution que nous lui avions demandée pour un numéro spécial de la revue *Langages* consacré aux problèmes de la traduction, Ch. Taber propose une analyse du processus de traduction en deux phases distinctes : d'abord *traduire le sens*, ensuite *traduire le style* (cf. *inf.*, p. 262). C'est le titre même de son article (6).

Reprenant l'opposition canonique en linguistique générative et transformationnelle entre structure profonde et structure de surface, il identifie d'emblée la première à « la structure sémantique » (Ch. Taber, 1972, p. 55); quant à la structure de surface — c'est-à-dire l'énoncé que nous lisons ou prononçons, et qu'il s'agit de traduire — elle n'est que le produit d'une série de transformations syntaxiques « extrêmement diverses et complexes » (p. 56) à partir de la structure sémantique profonde. Mais « dans la mesure où il y a plusieurs moyens formels (choix de structures, de tournures et de termes) possibles pour représenter une structure sémantique, un auteur exerce un choix entre ces moyens; c'est l'ensemble de ces choix qui constituent le style » (*ibid.*). On retrouve donc bien là, avec l'assise de la théorie linguistique contemporaine, les deux idées de synonymie sémantique et de variantes stylistiques.

Pour Ch. Taber, les structures sémantiques profondes de toutes les langues sont très voisines, peut-être même sont-elles universelles. Elles comportent essentiellement des Objets (O), des

---

(6) Ch. Taber (1972) : c'est ce texte que nous discuterons ici, parce qu'il est accessible en français; mais on se reportera aussi au livre de E. A. Nida et Ch. Taber (1969), qui fait suite à l'important ouvrage de E. A. Nida (1964).

Evénements (E) et des Abstractions (A). Et à ces catégories sémantiques correspondent en surface des catégories grammaticales propres à chaque langue considérée — respectivement en français (et *grosso modo* dans l'ensemble des langues indo-européennes) : les noms (cf. O), les verbes (cf. E), et les adjectifs ainsi que les adverbes (cf. A). Au vrai, cette concordance entre catégories sémantiques profondes et catégories grammaticales de surface n'est pas parfaite et il existe de nombreux chevauchements : un nom pouvant exprimer non seulement un Objet (O) mais aussi un Evénement (E), ou encore une Abstraction (A) et ainsi de suite (Ch. Taber, 1972, p. 57 sq.).

En schématisant, un locuteur français peut exprimer la même idée en disant tout aussi bien « *la pluie* ne cesse pas » ou « *il pleut* sans arrêt » — selon un exemple classique d'André Martinet (1968, p. 197). Notons au passage que, pour ce dernier, une telle « opposition verbo-nominale » ne correspond en rien à la structure de l'univers comme pourrait être tenté de le penser « l'observateur naïf » (p. 196), elle obéit seulement à des contraintes morpho-syntaxiques immanentes à la langue, au français en l'espèce. Dans la perspective de Ch. Taber, il y a là un choix à faire entre deux tournures, qui contribuera à définir le style de l'énoncé : ce sont deux options stylistiques, sémantiquement équivalentes.

En adoptant le modèle générativiste, qui oppose structures profondes et structures de surface, et en faisant une place aux chevauchements qui interviennent dans les transformations conduisant des catégories sémantiques aux catégories grammaticales, Ch. Taber s'attache à fournir les linéaments d'une théorie générale dont il semblerait bien qu'elle permette de dépasser le pur formalisme d'un structuralisme à la A. Martinet. Mais en l'état actuel de nos connaissances en psycholinguistique, il ne semble guère possible d'arbitrer ce débat de linguistique théorique — sauf à se risquer, comme le fait Ch. Taber, à ce qui reste pour nous une conjecturale plus encore qu'hypothétique *divination,* pour remonter aux dites structures sémantiques profondes. L' « analyse » (Ch. Taber, 1972, p. 57 et *passim*) qui, à l'en croire, permet de retrouver ces dernières nous renvoie à une sorte d'inconscient linguistique dont on se demande quelle thaumaturgie quasi ou pseudo-psychanalytique a bien pu lui en donner la clé. C'est pourquoi sur ce point nous préférons, quant à nous, suspendre notre jugement et nous n'avons pas voulu emboîter le pas à un générativisme, hier encore triomphant.

Au reste, les deux théories en présence ne sont peut-être pas aussi opposées qu'il y paraît d'abord. Quand A. Martinet écrit que, dans l'opposition entre *il pleut* et *la pluie,* « il ne s'agit même pas, nécessairement, de deux conceptions différentes de ce même phénomène, mais de deux formes linguistiques distinctes dont le choix est déterminé par le contexte » (1968, p. 197), la seule différence avec Ch. Taber est que la théorie de ce dernier revient à donner explicitement une valeur stylistique à cette opposition. C'est en deçà, « en amont » de cet ajustement contextuel qu'ils situent, l'un et l'autre, le sens de l'énoncé — A. Martinet le rejetant hors du domaine de la linguistique proprement dite car il n'est pas justiciable de purs « critères formels » et Ch. Taber lui assignant par contre un statut linguistique en structure profonde.

Or le point est d'importance au niveau du « théorème » stylistique qui découle de la sémantique générative mise en œuvre par Ch. Taber et, surtout, du corollaire que dès lors il y aurait lieu d'en dégager pour la théorie de la traduction. S'il faut admettre qu'il y a une pertinence stylistique de l'opposition entre les deux phrases qui nous servent ici d'exemple, on n'aura véritablement « traduit le style » que si l'on établit une concordance stricte : en allemand-cible par exemple, la stylistique générative de Ch. Taber voudrait qu'on traduisît nécessairement « il pleut sans arrêt » par *es regnet ununterbrochen* et « la pluie ne cesse pas » par *der Regen hört nicht auf.* L'inversion qui redistribuerait en chiasme ces deux équivalences se montrerait infidèle aux éventuelles beautés stylistiques d'un texte...

Mais qui ne voit que c'est, du même coup, supposer un *parallélisme stylistico-grammatical* entre les deux langues qu'a mises en contact la traduction — et qu'en sera-t-il dès lors qu'on n'aura plus affaire à deux langues aussi proches qu'ici, le français-source et l'allemand-cible? Quand bien même on admettrait par exemple qu'il y a dans toutes les langues, au moins potentiellement, une « tendance à distinguer entre des ' noms ' et des ' verbes ' », comme en vient à l'extrapoler A. Martinet (1968, p. 201), on n'en est pas pour autant fondé à croire l'opposition verbo-nominale strictement universelle et nécessaire, et encore moins à supposer qu'elle est exactement la même partout (*ibid.*, pp. 196 et 200 sqq.).

La traduction nous pose là, concrètement, deux problèmes. D'une part : dans l'esprit de certains, il y aurait de prétendus « axes paraphrastiques » qui permettraient de passer d'une langue à l'autre ; nous montrerons ailleurs que cette hypothèse ou, plutôt, cette supposition implicite est théoriquement injustifiable et surtout qu'elle ne correspond en rien à ce que nous montre l'expérience pratique de la traduction. D'autre part : c'est aussi le problème plus général de la *distance interlinguistique* qui se trouve posé (7).

Puisqu'en outre nous sommes donc, comme il a été dit plus haut, dans l'impossibilité de nous prononcer sur l'hypothèse générativiste de Ch. Taber concernant les structures profondes — en l'absence d'un fondement assuré de vérités psycholinguistiques (8) qui se trouveraient démontrées expérimentalement « en amont » d'une théorie de la traduction censée procéder à leur application — c'est « en aval » qu'il nous faudra chercher une solution provisoire, c'est-à-dire précisément du côté de la « théorie *de* la traduction », qui devient ainsi non seulement théorie *pour* la traduction mais encore théorie linguistique *à partir de* la traduction.

Dans notre exemple, la première phrase en français-source « il pleut sans arrêt » appelle en allemand-cible *es regnet unaufhörlich* tout autant, et peut-être même plus spontanément, que

(7) Dans le cadre d'une prochaine étude, nous reviendrons sur ce double problème que nous ne faisons ici qu'indiquer.

(8) Et sans doute même faudrait-il remonter, au-delà des phénomènes psycholinguistiques encore mal connus, au niveau plus opaque encore du substrat neurolinguistique, cf. J.-R. Ladmiral (1975*e*), p. 527 sqq.

notre première traduction par *es regnet ununterbrochen*. Le méconnaître, ce serait poser implicitement une équation interlinguistique du type : *ununterbrochen/unaufhörlich* en allemand-cible = *sans arrêt/sans cesse* en français-source. Or cela ne correspond en rien au sens de la langue (*Sprachgefühl*) d'un locuteur natif, pour qui les deux termes sont interchangeables en allemand. On pourra aussi chercher à calculer des « quatrièmes proportionnelles » — dirons-nous, pour filer la métaphore algébrique et appliquer à la traduction une expression que Ferdinand de Saussure (1972, p. 222) utilise dans sa description du fonctionnement diachronique de l'analogie — et l'on pourrait être tenté d'écrire : *hör auf!/laß ab! = der Regen hört nicht auf/...* mais **der Regen läßt nicht ab* est irrecevable en allemand. Dans la perspective interlinguistique de la traduction, il n'est même pas possible en toute rigueur de poser l'équation : *cesse!/arrête/ = hör auf!/laß ab!...* (9).

Dans tous ces cas, on a affaire à des artefacts projetant de façon substantialiste les paradigmes paraphrastiques d'une langue dans l'autre, dans un jeu d'interférence réciproque. Ces « traductionnismes » (cf. G. Mounin, 1955, p. 36) présupposent subrepticement qu'il existerait comme une concordance bi-univoque entre les unités linguistiques de deux systèmes différents. Cela revient à assimiler la traduction à un transcodage — c'est-à-dire tout simplement à ce qu'on appelle le « mot à mot », or il est bien évident que c'est là un cas limite, qui est l'exception et non la règle.

Dans la pratique, le choix entre tel ou tel équivalent-cible ressortit en fait assez largement aux aléas d'un pur et simple ajustement contextuel, comme l'indiquait A. Martinet. Les « variantes stylistiques » dont il a été question jusque-là s'avèrent être en réalité le plus souvent des *variantes libres*. De proche en proche, on est conduit à prendre en compte tout un contexte paradigmatique d'équivalences dont l'arbitrage empirique par le traducteur n'est pas théoriquement décidable. Autrement dit, on est renvoyé dans la pratique réelle de la

(9) ... fût-ce d'en permuter les termes!

traduction à la *contingence* immanente aux axes paraphrastiques propres à *une* langue, sans qu'il soit possible de risquer là une évaluation stylistique scientifiquement convaincante, et *a fortiori* bien sûr sans que l'exigence, toute fantasmatique, d'une concordance interlinguistique puisse être maintenue.

1.3. Stylistique et connotation

Au-delà de ce « principe des incertitudes stylistique(s) » que nous venons de dégager, il y a encore une autre difficulté, et qui tient cette fois-ci à ce qui semble être une contradiction à l'intérieur même de la théorie de Ch. Taber. Le jeu des connotations paraissait devoir être exclusivement rejeté au plan de la forme, en structure de surface. Mais il est d'emblée précisé que la structure sémantique profonde est identique « au contenu conceptuel et *affectif* du message du texte » (Ch. Taber, 1972, p. 56 : c'est nous qui soulignons); or, en linguistique anglo-saxonne, le contenu affectif (*emotive meaning*) est une autre façon, plus discrète, d'appeler la *connotation;* et quand il aborde la troisième étape de « l'analyse (qui permet) de retrouver cette structure sémantique » (p. 57), après « l'analyse de la nature sémantique profonde des unités » (en O, E et A) et « l'analyse du sens de la structure », Ch. Taber nous propose l'alternative d'une analyse componentielle ou d'une analyse en dénotations et connotations des termes (p. 60).

Dès lors, ce n'est plus seulement en surface mais aussi en structure profonde, au plan sémantique du contenu des unités lexicales, que se situe « le style » à traduire. « Les choix qui constituent le style se font à plusieurs niveaux » (p. 61) : au niveau superficiel de problématiques « variantes » (comme on vient de le voir) *et* au niveau profond des connotations proprement dites. Le style est donc un mixte :

« d'une part, il se relie directement à la structure sémantique, du fait que les choix qui constituent le style résultent de certaines options déjà prises dans la structure sémantique; d'autre part, il fait partie évidente de la structure superficielle, au point où on peut presque dire que le style est ce qui distingue le plus nettement entre la représentation et la structure sémantique nue (...) et le texte achevé » (*ibid.*).

La lourdeur tautologique de l'explication masque mal ici l'ambiguïté de la théorie stylistique proposée. Il est d'ailleurs déjà question de « la combinaison des traits non distinctifs et sémantiques que l'on appelle le *style* » chez L. Bloomfield (1970, p. 470), auquel fait écho ici ce qu'on pourrait appeler le « flou stylistique » de Ch. Taber.

Précisons que si nous discutons la thèse de Ch. Taber de façon aussi circonstanciée, ce n'est pas seulement en raison de son intérêt en tant que telle, c'est aussi parce qu'elle nous apparaît représentative de tout un courant dans ce que nous appellerons l'idéologie régnante autant en matière de théorie linguistique qu'en ce qui concerne les idées qu'on peut se faire, ici et là, sur cette pratique particulière de l'écriture qu'est la traduction.

Il n'était certes pas satisfaisant pour qui a l'expérience de la traduction littéraire de voir rabaisser le style au rang de l'à-peu-près d'un ajustement contextuel, voué à l'aveuglement d'un mécanisme de transformations syntaxiques quasi automatiques, en fin de compte plus ou moins inconscient; et il est certes rassurant que soit faite une place au « contenu affectif » des connotations en structure profonde. Mais il reste que Ch. Taber propose de « traduire le style » *dans un second temps* (cf. p. 61 sqq.), comme s'il ne s'agissait que d'une musique d'accompagnement, précisément... secondaire. La linguistique est convoquée là pour apporter sa caution théorique à une certaine pratique de la traduction conçue comme une opération pour ainsi dire à « double détente ».

C'est justement contre cette pratique répandue — et particulièrement répandue dans le domaine des traductions bibliques, qui est le domaine de E. Nida et Ch. Taber — qu'a vigoureusement réagi Henri Meschonnic, lui-même traducteur de la *Bible* (cf. H. Meschonnic, 1970), en faisant le procès de ce qu'il appelle « la *poétisation* (ou littérarisation) » : « première traduction ˙ mot à mot ˙ par un qui sait la langue de départ... puis rajout de la ˙ poésie ˙... » (H. Meschonnic, 1973, p. 315). Ce dualisme ne fait pas un texte, ni un texte fidèle, ni un texte vraiment poétique ou beau. La seule raison, la seule excuse n'est-elle pas en l'occurrence que l'hébreu-source de l'*Ancien Testament* est une langue si lointaine qu'elle reste en fait une langue inconnue? Mais alors la seule conclusion à en tirer est la phrase coupante de H. Meschonnic : « Si vous ne savez pas l'hébreu, traduisez autre chose » (p. 417)! C'est en écho à l'exemple franco-allemand précédemment discuté, et comme *a contrario*, un autre aspect du problème de la distance interlinguistique.

L'expérience de traduire est bien que la stylistique n'est pas à proprement parler secondaire (*sekundär*) mais qu'il y a une coïncidence où se rencontrent le sens et le style, la « forme » et le « fond », et que c'est l'unité indissociable des deux qu'il faudra traduire ensemble. Et c'est bien là, semble-t-il, ce à quoi tente de répondre la notion empirique de connotation. Mais il faudra la définir plus rigoureusement que n'a permis de le faire notre détour par une stylistique dont le statut nous est apparu problématique.

Il est bien évident qu'il ne peut être question de déterminer ici quel est le statut de la stylistique, mais seulement de dégager quelques « théorèmes » qui soient une aide pratique pour « traduire le style ». Remarquons seulement que le statut ambigu que la théorie générativiste de Ch. Taber est amenée à lui conférer, en situant le problème simultanément à deux niveaux, n'est pas sans analogie avec la distinction qu'établit Pierre Guiraud entre deux stylistiques : une stylistique 1 — du côté de Charles Bally — « la stylistique descriptive ou stylistique de l'expression », qui est à vrai dire une sémantique des moyens expressifs dont dispose la langue et, tout particulièrement, des connotations (P. Guiraud, 1963, p. 45 sqq.); et une stylistique 2 — du côté de Leo Spitzer — « la stylistique génétique ou stylistique de l'individu », qui serait plutôt une sémiotique littéraire des auteurs et des œuvres (*ibid.*, p. 67 sqq.).

Ce n'est jamais qu'à l'objet de la première que le traducteur se trouve explicitement confronté : il est sans cesse obligé de chercher au coup par coup le sens des ressources stylistiques de la langue que met en œuvre le texte qu'il lui faut traduire — en structure profonde, si l'on veut. Mais, en même temps, ces choix de traduction ponctuels que devra faire le traducteur sont orientés par sa culture et la familiarité qu'il aura nécessairement acquise auparavant, grâce à ses lectures préparatoires et comme par innutrition, avec l'auteur qu'il traduit pour retrouver le timbre spécifique de son style, cette idiosyncrasie personnelle qui fera l'objet de la deuxième stylistique; et il n'est pas impossible sans doute de voir dans cette harmonie stylistique une orchestration de variations personnelles, un air de parole, qui correspondrait à la convergence tendancielle et impressionniste, partiellement inaperçue d'abord, des choix que n'a cessé d'opérer l'auteur entre diverses variantes d'écriture...

Quoi qu'il en soit du statut de la stylistique, éclatée entre un pôle sémantique et un pôle sémiotique, cette ambiguïté même nous semble lui être constitutive; et c'est aussi dans les termes de cette polarité qu'il conviendra selon nous de proposer une conceptualisation théorique de la notion de connotation à partir de l'usage empirique qu'on en fait (cf. *inf.*, p. 196 sqq.). Mais, encore une fois, le dualisme de Ch. Taber, qui partage entre structure profonde et structure de surface la teneur du style à traduire, ne fait là que préfigurer cette « bi-polarisation » de la stylistique et des connotations, en vertu d'un rapprochement analogique qui appellerait des analyses plus précises.

En thématisant le flou stylistique d'une aura connotative qui viendrait, sous la plume du poète, nimber le sens des mots de la tribu, la théorie de la traduction n'a fait trop souvent que reproduire une telle ambiguïté — tout comme la notion de connotation dont elle se sert et qui appelle maintenant une clarification théorique plus systématique.

2. Connotations et subjectivités

2.1. Le sens logique

Paradoxalement, c'est d'un tout autre horizon que celui de la stylistique que nous est venue la notion de connotation : à savoir de la logique formelle. Les dictionnaires — dictionnaires spécialisés de linguistique ou autres — ne manquent d'ailleurs pas à le rappeler. Il est à cet égard significatif que ce soit à Louis Liard que Littré emprunte le seul exemple dont il illustre la définition des termes qui nous occupent.

En ce sens logique aussi, qu'on fait traditionnellement remonter à la *Logique* de John Stuart Mill, la connotation fait couple avec la dénotation à laquelle elle s'oppose. On sait qu'en logique formelle, il est convenu d'opposer la définition en extension et la définition en compréhension d'un concept, d'une classe ou d'un ensemble. Ainsi, pour les logiciens, la dénotation d'un terme n'est autre que l'extension d'un concept, c'est-à-dire l'ensemble des individus ou objets que désigne ce terme ou concept. La dénotation des logiciens rejoint donc ce que les linguistes (et, moins systématiquement, les logiciens eux-mêmes) appellent couramment le référent.

Quant à la connotation, elle est en logique formelle à peu près synonyme de ce qu'on appelle plus volontiers la *compréhension* ou encore l' « intension », avec un *s* (10), du concept : elle renvoie à la somme des propriétés ou caractères qui appartiennent aux individus ou objets « dénotés » constituant l'extension dudit concept. Là aussi, on peut faire un rapprochement avec la linguistique et remarquer que la connotation logique d'un concept tend à se confondre avec le signifié linguistique d'un terme. Par contre, si l'on s'en tient au terme de connotation lui-même, force est bien d'enregistrer qu'il y a discrépance, voire opposition entre son sens logique et son sens linguistique ; au point que le lien, ne fût-il que diachronique, entre les deux sens n'apparaît plus du tout.

Il n'entre pas dans notre propos de faire ici l'archéologie de ce sens logique de la connotation, qui remonte à toute une tradition médiévale de controverses théologiques et philosophiques concernant le statut de la signification et ses « modes » qui sont liées à l'essor du nominalisme, avec G. Durand de Saint-Pourçain, Guillaume d'Occam, etc. (11).

(10) Mais, tout dernièrement, l'école de Montagüe récrit le mot *intention,* avec un *t*...

(11) La connotation selon K. Bühler, dont nous ne traiterons pas ici, semble se ressouvenir de cet héritage médiéval.

Il n'est même pas envisageable de suivre ici les logiciens dans leurs subtilités plus récentes, dans les précisions qu'ils apportent et les distinctions qu'ils introduisent touchant les notions de connotation, compréhension, intension, de définition, etc. Ainsi font-ils notamment la différence entre compréhensions (ou connotations) totale, décisoire, implicite, subjective, éminente... On pourra se reporter pour cela aux articles correspondants du *Vocabulaire philosophique* d'André Lalande (1962, p. 172 sq., etc.) et à l'aperçu rapide qu'en a retenu G. Mounin dans le chapitre où il traite de la connotation comme problème théorique de la traduction (1963, pp. 144 sq. et aussi 148 sqq.). Nous nous contenterons de compléter l'analyse de ce dernier en indiquant que la connotation des linguistes, des littéraires et autres stylisticiens n'est jamais que la « connotation subjective » de logiciens comme Goblot, par exemple, celle-là même que J. St. Mill trouvait trop lâche et à laquelle il entendait substituer le contenu déterminé d'une définition (*a fixed connotation*) — la connotation subjective étant devenue la connotation tout court au terme d'un processus de troncation ou raccourcissement syntagmatique, bien connu en diachronie, et corrélatif du glissement sémantique correspondant.

Quoi qu'il en soit des généalogies et des reconstructions possibles entre les deux sens du terme, la référence au sens logique apparaît bien peu éclairante dans le contexte qui nous occupe et l'on pourra clore le débat en traçant ici la limite, c'est-à-dire en procédant à une coupure... méthodologique qui exclue le sens logique de notre propos. Au reste, on remarquera qu'en logique, le terme de connotation semble être tombé en désuétude et s'être effacé devant celui de compréhension, plus classiquement utilisé et aussi plus ancien, lequel tendrait au demeurant lui-même à céder la place devant son synonyme ancien d' « intension » qui connaît maintenant un regain de modernité. Il est significatif, toujours chez Littré, que soit encore indiquée l'origine logique (12) du terme, mais que

---

(12) ... et aussi grammaticale, et Littré cite alors Beauzée.

ce soit seulement notre sens linguistique (cf. « idée particulière », « idée secondaire... ») qui s'y trouve défini.

2.2. Le sens bloomfieldien

On fait généralement remonter le *sens linguistique* du terme de connotation au père fondateur (*founding father*) de la linguistique américaine, Leonard Bloomfield (cf. G. Mounin, 1963, p. 145 sqq. ou M.-N. Gary-Prieur, 1971, p. 97 sqq., etc.). C'est principalement dans le cadre du chapitre qu'il consacre à la signification que L. Bloomfield (1970, pp. 144-149) traite de la connotation. L'essentiel de son analyse réside en un classement sociolinguistique de ce qu'il appelle aussi de façon générique les « connotations sociales » (p. 468) : connotations sociales (*stricto sensu*), mais aussi locales, archaïsmes, formes techniques, savantes, étrangères ou semi-étrangères (cf. le *Fremdwort*), argots — à quoi il ajoute les tabous linguistiques et les connotations d' « intensité » comme les exclamations et interjections, ainsi que les onomatopées, le langage enfantin, les « petits noms » et autres hypocoristiques...

Ce catalogue sociolinguistique est complété, par-ci par-là, de quelques touches impressionnistes qui vont dans le sens de ce que nous appellerons une phénoménologie stylistique des effets connotatifs. Mais Bloomfield est trop résolument béhaviouriste et hostile à tout « mentalisme » psychologisant la linguistique pour s'engager véritablement sur ce dernier chemin.

Pourtant, c'est bien à une telle phénoménologie stylistique qu'est intéressé le traducteur et, à partir de là, à une théorie qui permettrait de conceptualiser et de mesurer plus rigoureusement les connotations qu'il ne peut le faire empiriquement dans sa pratique. Pour la même raison, le chapitre que E. Nida et Ch. Taber consacrent à la connotation (*Connotative Meaning*) dans leur livre sur la traduction (1969, p. 91 sqq.) nous laisse sur notre faim, comme on dit ; car ce n'est qu'un pur et simple démarquage de Bloomfield, reprenant ce que nous avons appelé son catalogue sociolinguistique et y ajoutant des remarques qui se contentent de souligner la difficulté subséquente de traduire les nuances connotatives qu'impliquent les niveaux de langue considérés.

De fait, à y regarder de près, Bloomfield lui-même ne nous apprend pas grand-chose quant à notre problème. Il définit les connotations comme des « valeurs supplémentaires » (L. Bloomfield, 1970, p. 144) : c'est là une formule clef qui s'avérera centrale dans les discussions ultérieures (cf. G. Mounin, 1963, pp. 148, 155 sq., 159 sq.), mais elle reste isolée et on conviendra qu'un tel raccourci ne nous fournit qu'une indication théorique bien énigmatique. S'il lui arrive de parler de « saveur connotative » (1970, p. 147 — dans le texte original · *connotative flavor*), Bloomfield n'en dit pas plus sur le *contenu* même de ces connotations, passant tout de suite à son énumération de registres sociolinguistiques.

Mais, par ailleurs, comment traduire ce qui est proprement *socio*-linguistique — de la langue d'une société à la langue d'une autre société? Ne touche-t-on pas à l'intraduisible avec ce renvoi au sociolinguistique (cf. *inf.*, p. 155 sq.), en dehors et en deçà des « effets par évocation » qui peuvent y être attachés? En outre, Bloomfield laisse dans l'ombre le point de savoir si la connotation est un phénomène *individuel* ou un fait social de *langue*. Il se contente de poser, d'énoncer le problème, quand il écrit par exemple : « En dernière analyse, chaque forme de discours a sa propre saveur connotative pour la communauté linguistique toute entière et celle-ci, en retour, est modifiée ou même repoussée, dans le cas de chaque locuteur, par la connotation que la forme a acquise pour lui à travers son expérience particulière » (L. Bloomfield, 1970, p. 147, cf. aussi p. 144). C'est donc à examiner ces différents problèmes que nous allons nous attacher maintenant.

2.3. Le contenu subjectif

S'agissant du sens linguistique, on pourra continuer à parler d'un sens « bloomfieldien » — mais avec des guillemets, compte tenu du caractère limité de ce que l'on doit à l'apport explicite de Bloomfield quant au problème qui nous occupe; et c'est chez d'autres linguistes qu'on devra chercher les éléments d'une définition linguistique positive de la connotation, tant il est vrai notamment que sa formule caractérisant les connotations comme des *valeurs supplémentaires* ne représente en fin de compte qu'une détermination négative. Au reste, on peut considérer comme des « postbloomfieldiens » les linguistes dont il s'agit, et dont G. Mounin souligne à maintes reprises qu'ils sont au départ tous anglo-saxons; Ch. Taber et E. Nida rentrant bien évidemment tout à fait dans ce cadre, comme on l'a vu (cf. aussi *sup.*, p. 118).

En dehors du couple synonymie/variantes, et contribuant sans doute à un premier remplissement au niveau de son contenu, le dénominateur commun aux différentes définitions proposées consiste à voir dans la connotation l'intervention d'un certain coefficient de *subjectivité* dans le langage et, plus précisément, d'une dimension affective. La formule la plus couramment retenue par les linguistes anglo-saxons revient à identifier connotation et *emotive* (ou *affective*) *meaning*, c'est notamment celle que retient le Manuel de J. Lyons (1970, p. 343 et *passim*).

Il est possible de moduler cette définition, et G. Mounin (1963, p. 147) fournit toute une liste, non exhaustive, des équivalents qu'il a trouvés dans la littérature linguistique anglo-saxonne. La connotation y est caractérisée par opposition à la dénotation (et réciproquement), comme signe évocatif (*vs.* référentiel) par Pollock, non cognitif c'est-à-dire imaginatif ou affectif (*vs.* informationnel) par Feigl, dynamique (*vs.* cognitif) par Stevenson, comme valeurs communicatives et suggestives par Reichenbach, etc. (13).

Au sein de la tradition saussurienne, le stylisticien Charles

(13) La plupart de ces auteurs, on le voit, se réfèrent au... référent (si l'on peut dire) et toutes ces dichotomies participent de ce que nous appellerons plus loin l' « obsession du référent » (cf. *inf.*, p. 164 sq.). On se souviendra aussi qu'après K. Bühler, dans sa classification des fonctions du langage, R. Jakobson (1963, p. 213 sqq.) identifie « fonction dénotative » ou « référentielle » ou « cognitive », opposée à la « fonction émotive » ou « expressive », etc.

Bally parlait de « valeur évocatrice »; et John Lyons parle aussi d'associations émotionnelles (*emotional* ou *emotive*) et évocatrices (*evocative*) quand il entreprend de définir ce que sont les connotations (*ibid.*). Enfin, dans le cadre de la théorie de la traduction que propose Charles Taber, l'une des manières de classifier les composantes sémantiques consiste, comme on l'a vu (cf. *sup.*, p. 126), à opposer la connotation comme « contenu affectif » à la dénotation comme « contenu purement conceptuel » (Ch. Taber, 1972, p. 60).

Pour le traducteur, il vaut mieux certes opérer avec des valeurs affectives, que son sens de la langue (*Sprachgefühl*) le met à même d'apprécier empiriquement dans les deux langues, plutôt que d'avoir à se référer à de vagues niveaux d'énonciation sociolinguistiques, qui restent des cadres vides, trop généraux et même fondamentalement inassignables. Mais il faut bien avouer qu'il n'est guère possible de mener à son terme « l'analyse des composantes affectives, du fait qu'il nous manque jusqu'à présent une méthode rigoureuse », comme le reconnaît Ch. Taber (*ibid.*).

On n'a donc fait là que formuler les termes du problème, qui reste entier, entre l'extrapolation sous-entendue et hasardeuse d'hypothétiques déterminations sociolinguistiques et le retour pur et simple à l'empirisme d'une phénoménologie stylistique des connotations telle que l'ont de tout temps pratiquée les traducteurs. Ainsi défini, le « sens linguistique » du terme *connotation* n'est en somme que l'acception courante et traditionnelle qu'a le mot dans le discours prélinguistique des littéraires, comme dans le discours des sciences humaines, qu'il a en fait pour toute personne cultivée et *last but not least*, bien sûr, pour les traducteurs.

Mais si la connotation est définie comme un sens subjectif, la question se pose de savoir s'il s'agit en l'occurrence de subjectivité empirique ou de subjectivité transcendantale. Autrement dit — en traduisant ces termes empruntés à la philosophie kantienne dans ceux de la linguistique saussurienne — la connotation est-elle un phénomène *individuel*, de parole, ou un fait, collectif, de *langue?* En dépit de la perspective sociolinguistique sous-jacente à ses analyses, c'est un point que Bloomfield n'avait fait qu'effleurer (cf. *sup.*, p. 133).

2.4. L'individuation des connotations

Sans qu'il y ait en la matière de consensus formel au sein de la littérature linguistique et bien qu'au contraire, on soit amené à y constater certains flottements d'un auteur à l'autre, il ressort toutefois que la plupart des linguistes semblent d'abord tendre à faire de la connotation quelque chose qui relève de la pure et simple idiosyncrasie individuelle du locuteur. L'affectivité — qui vient d'être assignée comme contenu à la connotation — n'est-elle pas au demeurant fonction de la subjectivité individuelle?

La connotation sera donc identifiée à ce « qui n'est pas commun à tous les communicants » pour Alain Rey (1970, p. 284), ou encore à « tout ce qui dans l'emploi d'un mot, n'appartient pas à l'expérience de tous les utilisateurs de ce mot dans cette langue » pour Georges Mounin, qui invoque là l'autorité de A. Martinet (1967), dans ses *Clés pour la linguistique* (G. Mounin, 1971, p. 181); et dans ses *Problèmes théoriques de la traduction,* il va jusqu'à écrire que le mot *train,* par exemple, peut comporter trois connotations tout à fait différentes pour trois individus différents, renvoyant « pour l'un, à l'atmosphère joyeuse d'un départ en vacances, pour l'autre au souvenir ou à l'appréhension d'une catastrophe, pour le troisième, à la monotonie d'une navette quotidienne entre l'usine et la maison » (G. Mounin, 1963, p. 168).

Ce pluralisme des significations connotatives est renvoyé à la contingence des itinéraires biographiques de l'apprentissage linguistique par le même G. Mounin (1971, p. 181 sq), qui s'inscrit en cela tout à fait dans l'esprit de la linguistique bloomfieldienne. Celle-ci définissait en effet le sens d'une forme linguistique pour chaque locuteur, comme « le résultat de situations au cours desquelles il a entendu cette forme » (L. Bloomfield, 1970, p. 144). Théorisant la connotation dans la perspective des problèmes de la traduction, G. Mounin (1963, pp. 163 et 157) insiste sur les différentes dimensions d'un apprentissage de la langue qui est multiple chez chacun de nous (cf. *inf.*, p. 180).

S'agissant ici essentiellement de la langue maternelle, et les arrière-plans « psychanalytisants » évoqués par G. Mounin donnent à l'expression tout son sens, il serait d'une terminologie plus sûre de parler d'*acquisition* (du langage en même temps que de la langue maternelle) plutôt que d'*apprentissage*, pour réserver ce dernier terme à la pédagogie des langues étrangères. Mais il ne s'agit là que d'une réserve tout à fait mineure, et même minime. D'ailleurs, d'une façon générale, nous ne croyons pas que la solution des problèmes théoriques passe nécessairement par le volontarisme de décrets terminologiques « arbitraires », contrairement à une illusion répandue chez les linguistes et autres chercheurs en sciences humaines (cf. *sup.*, p. 24). Ainsi n'avons-nous pas craint nous-même d'utiliser indifféremment ou concurremment les termes de couples lexicaux comme apprentissage/acquisition, sens/signification, sémiologie/sémiotique, notion/concept, traductologie/théorie de la traduction, etc. à la façon de simples *doublets*, modulés par le jeu stylistique de l'écriture et, dirons-nous, seulement distingués au niveau des... connotations. De même, dans la présente étude, nous n'entrerons pas dans l'approfondissement des distinctions qu'on peut établir entre traductions littéraire et poétique ou entre « contexte » au sens strict (français) et au sens élargi ou « franglais » (14).

Abordant l'échéance d'une stylistique qui rende compte de la « communication poétique » — et qui, à ce titre, est essentielle à notre propos dans la mesure où c'est la traduction littéraire, et mieux encore poétique, qui pose les problèmes les plus délicats au traducteur — il propose une métaphore qui nous semble terminologiquement heureuse, en faisant des connotations les *franges* individuelles du signifié (cf. G. Mounin, 1969, p. 25). Là encore, il rejoint Bloomfield, qui parlait de « l'univers intime et personnel des connotations » (1970, p. 400) à propos de la néologie. Renouvelant une formule classique, sa définition de la

(14) Sur les deux sens du mot *contexte*, cf. *inf.*, pp. 187 et 196. Quant à *sens* et *signification*, nous continuons ici à les employer le plus souvent indifféremment, en dépit de l'utile distinction proposée par E. Coseriu entre *Sinn* et *Bedeutung* (cf. *inf.*, pp. 206 et 186).

poésie est une autre métaphore : « nous emportons notre patrie linguistique et poétique à la semelle de nos souliers d'enfant » (G. Mounin, 1971, p. 182). Certes, il est beau de le voir ainsi arracher en partie aux troubles objets de la psychanalyse le vert paradis des amours enfantines pour y circonstancier l'acquisition de la parole qui y gagne une auréole nostalgique de virginale poésie...

Mais cette logique bloomfieldienne, individualisant à l'extrême les connotations en en faisant une fonction psycholinguistique de l'apprentissage, n'amène-t-elle pas G. Mounin à s'enfermer dans ce que nous avons appelé la problématique de l'objection préjudicielle (cf. *sup.*, pp. 76 et 85 sqq.), c'est-à-dire à s'empêtrer dans une discussion académique insoluble sur la possibilité ou l'impossibilité, théoriques, de traduire?

Il s'en montre conscient en rappelant tout de suite que « le langage est construit pour communiquer, c'est-à-dire pour mettre en commun » (1971, p. 182), mais la poésie tend à faire exception à cet égard. On serait donc conduit à une conception « polaire » de la stylistique, opposant à un pôle de communication un pôle de l'ineffable où la poésie constituerait ce qu'on pourrait appeler, en faisant écho aux évocations psychanalytiques qu'appelle l'anamnèse linguistique de l'enfance, un processus d'*involution* quasi autistique du langage. Quand bien même on parlerait de « connotations partagées », comme le fait G. Mounin (1971, p. 183) en se référant à A. Martinet, les connotations et la poésie n'en resteraient pas moins essentiellement personnelles, fondamentalement incommunicables et donc, finalement, intraduisibles.

Mais avant d'approfondir notre réflexion sur le problème des rapports entre « traduction et connotation » dans la perspective du fonctionnement de la communication — pour échapper ainsi aux fantômes de l'intraduisible et à l'objection préjudicielle qui s'y laisse prendre — il nous faut faire ici place à un élément de définition qui n'a pas encore été mentionné jusqu'à présent. Pour certains auteurs, comme Leonard Bloomfield (1970, p. 186 et cf. pp. 155, 468 et 470) ou Roland Barthes (1965, pp. 92 et 160), la connotation d'un terme recouvre un ensemble de *traits non distinctifs*. C'est un élément « définitoire » que retient aussi l'article « connotation » qu'a rédigé Michel Arrivé pour le Supplément II du *Grand Larousse Encyclopédique* (G.L.E.).

Cette caractérisation est une paraphrase, un peu plus précise, des « valeurs supplémentaires » bloomfieldiennes. Mais surtout, c'est encore à la conception « individualiste », dont nous venons d'indiquer les limites, que réfère en fin de compte cet élément de définition. Les connotations sont tout simplement conçues comme des variations individuelles, à ce titre non pertinentes. Nous nous contenterons, sur ce point, de faire deux remarques.

D'une part : quand pour illustrer sa définition de la connotation, R. Barthes prend l'exemple de l'opposition, non pertinente en français, entre le *r* roulé (apical ou antérieur) dit « bourguignon » et le *r* grasseyé (vélaire, uvulaire ou postérieur) dit « parisien », il introduit ici la dimension de l'oral. D'abord il est clair que ce problème ne concerne pas la traduction au sens strict, qui ne s'occupe à proprement parler que de textes écrits (cf. *sup.*, pp. 12 et 42); et G. Mounin (1963, p. 164 sq.) n'a pas tort de dissocier les connotations qui nous intéressent de ces connotations phonétiques, qu'elles soient volontaires ou involontaires.

D'autre part, pour en rester au même exemple, il n'échappera à personne que la dimension « individuelle » de ladite connotation est à l'échelle d'une individualité collective : il s'agit là d'un niveau intermédiaire, qui va au-delà de l'idiolecte d'un locuteur individuel sans atteindre la totalité sociale de la langue. Il y aura donc lieu de revenir bientôt (cf. *inf.*, p. 145 sqq.) à une perspective sociolinguistique, dont Bloomfield nous a déjà indiqué la direction.

Mais encore une fois, avec toute sa perspicacité Bloomfield pose les problèmes plus qu'il ne les résout. On trouve chez lui non seulement cette perspective sociolinguistique, qui tendrait à dégager les connotations de la sphère strictement individuelle, mais aussi une logique situationnelle, de l'apprentissage linguistique, qui les y enracine. C'est ainsi qu'il lui arrive aussi, notons-le au passage, d'évoquer la dimension phonétique des variantes connotatives non pertinentes, par opposition aux traits phonologiques (cf. L. Bloomfield, 1970, pp. 155 et 470) — comme dans l'exemple emprunté à R. Barthes que nous venons d'écarter de notre propos.

Toutefois, sur un plan plus général, on trouvera chez lui un postulat massif, et apparemment tautologique, qui consiste à identifier « *la signification distinctive* ou *linguistique* » (L. Bloomfield, 1970, p. 134), et donc à poser l'existence d'un ordre *sui generis* du linguistique. Cela revient à escamoter notre problème de savoir si la connotation est un phénomène individuel, non distinctif : dans ce qu'elle peut avoir d'individuel, la connotation serait ainsi rejetée vers les ténèbres extérieures du non-linguistique, dans la fameuse « boîte noire » d'une psychologie plus ou moins mentaliste. Mais là encore, c'est une façon de nommer ce problème et de nous indiquer peut-être aussi une direction, celle d'une théorie de la connotation qui prenne en compte la spécificité linguistique de la communication (15).

Cela dit, nous sommes parvenu dès à présent à une triple conclusion provisoire : la connotation n'est pas, sans plus, un phénomène strictement individuel; et il n'y a pas non plus un sens linguistique individuel du terme qui se juxtaposerait éventuellement à un autre sens linguistique, social ou collectif; il y a seulement un problème posé de savoir quelle est la part de l'individuel dans le jeu des connotations et c'est pour indiquer cette complexité problématique et processuelle que nous avons choisi de parler d'une *individuation* des connotations, en reprenant un vieux terme de la tradition philosophique (cf. aussi G.-G. Granger, 1968).

(15) Sur la dimension de communication essentielle à la traduction, cf. *inf.*, p. 141 sqq. mais aussi p. 165 sqq. Sur la spécificité du linguistique et ses contaminations psychologisantes, cf. *inf.*, p. 179 sqq. Certes, Bloomfield n'est rien moins que mentaliste; mais il reste que la réduction qu'il opère de la signification aux contextes situationnels, qui est chez lui un postulat d'exclusion, conduit G. Mounin à une psychologisation des connotations.

3. Traduction et communauté linguistique

3.1. Stratégie de la communication

Très vite, il apparaît donc qu'on ne saurait s'en tenir à un tel « individualisme de la connotation », sauf à pulvériser complètement la notion. De proche en proche, c'est non seulement selon les individus qu'en viendraient à varier les connotations ainsi définies, mais c'est aussi au gré de chacune des situations où sera produite la forme linguistique considérée, fût-ce par un seul et même individu. De l'individuel, on passe à l'infra-individuel.

Chaque mot — bien plus : chaque occurrence serait un *hapax sémantique*, le signifié linguistique n'étant plus qu'un événement de parole. Si chaque énoncé renvoie en définitive à une énonciation radicalement singulière et irréductible, il est incommensurable à tout autre énoncé ; du coup, c'est la communication en général qui est impossible entre les hommes, et en particulier la traduction, au même titre que la lecture elle-même. On ne se baigne jamais deux fois dans le même fleuve, disaient les Anciens ; il faudrait ajouter qu'on n'entend, qu'on ne prononce, qu'on ne lit... et qu'on ne traduit jamais véritablement le « même » énoncé. Dès lors, les richesses véhiculées par le langage seraient intransportables. Bref, une telle atomisation des significations et des connotations voueraient les unes comme les autres à l'ineffable, à l'incommunicable, et rendrait tout langage impossible en même temps qu'elle opposerait *a priori* un obstacle infranchissable à toute tentative entreprise pour les traduire.

Il est significatif à cet égard que, tout de suite après qu'il eut traité de la connotation dans le chapitre X de ses *Problèmes théoriques de la traduction* (1963, p. 144 sqq.) et qu'il en eut fait un phénomène purement individuel (p. 168), G. Mounin consacre tout un chapitre à réfuter l'aporie du *solipsisme linguistique*, le chapitre XI intitulé « Traduction, langage et communication interpersonnelle » (p. 169 sqq.) ; significatif aussi le fait que ce soit essentiellement à partir d'une « psychologie bibliologique » démontrant l'impossibilité en toute rigueur de la lecture qu'il développe l'argument de « ce paradoxe irritant » (p. 171) mais éternel — qu'il lui faudra bien en fin de compte réfuter. Il est clair en effet qu'on ne saurait en rester là et que G. Mounin finit par dépasser l'objection préjudicielle d'un tel solipsisme moins linguistique qu'anti-linguistique, mais il reste vrai aussi qu'il était dans la logique de sa position de s'y trouver confronté dès lors que la connotation était assimilée par lui, comme par d'autres, à un phénomène de parole individuel. C'était en effet dissoudre les connotations et les significations elles-mêmes en une poussière intraduisible.

La philosophie sous-jacente à de telles attitudes est une conception monadique de la communication comme interlocution entre des sujets parlants insularisés, échangeant des énoncés ponctuels qui sont autant d'événements singuliers et isolés. Nous n'en voulons pour preuve que le schéma de la communication proposé par G. Mounin, qui isole « trois sortes de relations pragmatiques » (1963, p. 159) :

a) le rapport émetteur-énoncé, c'est-à-dire « l'attitude affective du locuteur envers les signifiés de l'énoncé » (*ibid.*), qui est une forme d'expressivité psychologique ;

b) le rapport énoncé-récepteur, c'est-à-dire l'attitude « de l'auditeur seul envers les énoncés du locuteur » (*ibid.*), qui constitue l'expressivité sociolinguistique du message, les « valeurs socio-contextuelles » de P. Guiraud (1964, p. 124) ;

c) le rapport émetteur-récepteur : « c'est le cas des connotations qui traduisent l'affectivité la plus socialisée » (G. Mounin, 1963, p. 160) ; celles-ci sont « communes au locuteur et à l'auditeur » (*ibid.*) et correspondent à l'impressivité stylistique de P. Guiraud (1963, cf. p. 65 et *passim*).

En fait, seule la troisième sorte de relations communicatives correspond à une réalité ; les deux premières n'en sont que des *modes déficients*. Ce ne sont donc, à proprement parler, que les connotations du troisième type (c) qui nous intéressent, parce qu'elles sont « partagées » par le locuteur (scripteur) et son auditeur (lecteur), donc communicables et traduisibles, et les deux autres sortes de connotations distinguées par G. Mounin n'ont d'existence à nos yeux que dans la mesure où elles s'y réduisent.

Pour les premières, les connotations affectives (a), il nous apparaît qu'il y a trois possibilités. Ou bien elles seraient purement individuelles, donc soustraites à toute communication, et elles nous renverraient à la logique individualiste et solipsiste qui vient d'être critiquée. Ou bien elles participent elles-mêmes d'une affectivité plus ou moins « socialisée » et ce sont au bout du compte des connotations du troisième type (c), comme en témoignent les exemples invoqués qui rejoignent les dernières rubriques du catalogue sociolinguistique bloomfieldien (cf. *sup.*, p. 132) : « les diminutifs, les péjoratifs, les augmentatifs, les hypocoristiques, etc. » (G. Mounin, 1963, p. 159). Ou bien encore, elles concernent le timbre d'une intonation plus ou moins bien maîtrisée sous le coup de l'émotion et leur caractère oral, phonétique, font qu'elles ne nous concernent pas directement (cf. *sup.*, p. 139 sq.) — encore que par ailleurs elles soient le plus souvent stéréotypées et réductibles en termes « sociolinguistiques », donc décodables par l'auditeur (et par un traducteur de l'oral-source en écrit-cible), ce qui les ferait se confondre avec les connotations du second type (b).

Quant à ces dernières, les connotations sociolinguistiques (b), il est clair qu'elles sont codées et donc « communes » elles-mêmes à l'émetteur et au récepteur, c'est-à-dire qu'elles sont confondues avec les connotations du troisième type (c). Même le cas des connotations sociales « dites vulgaires, argotiques, pédantes, archaïques, provinciales, enfantines, etc. » (G. Mounin, 1963, p. 160) qui ont pu échapper inconsciemment au locuteur est un cas limite : le locuteur se croyait au milieu de ses pairs et il s'est trompé, il y a seulement eu un dérapage de la communication; ou bien le locuteur ne dispose que d'un « code restreint » et il y a alors déficit de la communication; mais dans les deux cas, devant ces deux modes déficients de communication, le traducteur compétent pourra restituer ces connotations dans le cadre idéal d'un catalogue sociolinguistique objectif où elles prennent leur sens.

Il faut bien voir que tout énoncé *instaure une situation de communication* qui met en jeu d'emblée et de façon indissociable aussi bien le récepteur (auditeur/lecteur) que l'émetteur (locuteur/scripteur), en même temps que le message énoncé par ce dernier et la relation de *feed-back* qui lui est coextensive. L'énoncé est concrètement un acte de langage (*speech act*), un jeu de langage (*language game*), qui fonctionne comme *performatif de communication*. En d'autres termes, la communication est un phénomène social *global total*, pourrait-on dire en paraphrasant Marcel Mauss, ce qui va nous conduire à revenir à une perspective sociolinguistique.

Cela est d'autant plus évident quand il s'agit de ce cas particulier de la communication qu'est la traduction. Bien plus, la traduction est un cas remarquable de la communication, c'est une *méta-communication*, une communication au second degré qui, d'une langue à l'autre, porte sur la communication au premier degré qu'elle prend pour objet. C'est-à-dire que la traduction procède à une *objectivation* de la communication en langue-source, qu'elle globalise pour en faire le contenu du message qu'elle a à traduire en langue-cible. La méta-communication traduisante fait de la communication-objet au premier degré, en langue-source, un donné sociolinguistique.

Ainsi par exemple — mis à part, bien entendu, le cas des « états d'âme » parasites relevant d'une idiosyncrasie purement individuelle ou « autistique », qui sont par définition aberrants, comme des « mauvaises herbes » de la communication pour ainsi dire — les connotations du second type (b), concernant le rapport énoncé-récepteur, se trouvent-elles objectivées au regard de la méta-communication traduisante qui, en les intégrant comme éléments de code au sein d'une grille sociolinguistique, en fait des connotations du troisième type (c) concernant l'ensemble des instances de la communication (cf. *inf.*, p. 176 sqq.). A vrai dire, cela n'échappe pas tout à fait à G. Mounin et il en vient lui-même à remettre en cause sa propre trilogie des relations pragmatiques ; mais il ne le fait qu'incidemment, en trois lignes (1963, p. 164), et on comprend mal pourquoi il avait auparavant développé si complaisamment ce thème, sauf à supposer qu'il se soit agi de simples concessions à la rhétorique d'un exposé obéissant aux critères universitaires de ce qui doit être une Thèse! D'une façon générale, c'est souvent l'impression que donne le chapitre X des *Problèmes*...

3.2. Langue et sociolinguistique

Il convient donc de re-socialiser les connotations, si l'on peut dire, et de voir en elles non pas un jeu kaléidoscopique d'irisations insaisissables voué aux contingences biographiques de pures idiosyncrasies individuelles mais bien un fait collectif qui, en termes saussuriens, relève de la langue plutôt que de la parole. Et telle est effectivement la conclusion à laquelle sont amenés à se rallier les rédacteurs de l'article *connotation* dans les meilleurs dictionnaires spécialisés. On ne peut pas ignorer que la connotation *danger* de *rouge* est « reconnue de tout locuteur français » (J. Dubois *et alii*, 1973, p. 115). De même, c'est en soulignant qu' « il ne s'agit pas de variations uniquement individuelles ou affectives, mais bien de constantes au niveau de ce qu'on peut appeler des usages culturels » que R. Galisson et D. Coste (1976, p. 119) referment le dossier controversé des connotations.

Plus précisément, c'est « pour la plupart des locuteurs français » (R. Galisson et D. Coste, 1976, p. 118) que, par exemple, *chien* connote la *bassesse;* les systèmes de connotations sont « partagés par tout *ou partie* » de la communauté linguistique (*ibid.*, p. 119 — c'est nous qui soulignons). La connotation n'est pas du côté de la parole individuelle mais du côté de la langue; et sans doute est-il ambigu d'écrire qu'elle désigne « ce que la signification a de particulier à un individu ou à un groupe donné à l'intérieur de la communauté » (J. Dubois *et alii*, 1973, p. 115) parce qu'on risque ainsi de trop particulariser la notion, toutefois, il reste qu'elle n'est pas strictement un fait de langue, mais plutôt un phénomène qui est *de l'ordre de la langue.* Les connotations constituent un fait linguistique *collectif*, ni purement individuel ni non plus totalement général ou universel, à vrai dire *intermédiaire* entre la parole et la langue, mais plus proche de cette dernière.

Le fonctionnement des connotations renvoie à un usage linguistique collectif assimilable à la langue, au sens saussurien du terme, en ceci que plusieurs locuteurs puissent s'y reconnaître et communiquer sur la base de ce présupposé commun. Mais le groupe des locuteurs considérés ne représentera le plus souvent qu'un sous-ensemble plus ou moins étendu de la communauté linguistique. On pourrait parler, à ce propos, de « micro-langues », de « sous-langues » ou, plus simplement, de zones de discours; Pierre Guiraud reprend quant à lui l'expression d' « états de langue », à laquelle il donne non plus le sens saussurien de coupes synchroniques opérées dans la diachronie historique d'une langue mais celui, précisément, de registres sociolinguistiques (1963, p. 51). Du coup, on comprend mieux pourquoi Bloomfield en était venu à proposer directement un catalogue sociolinguistique des registres connotatifs (cf. *sup.*, p. 132 sq.).

Encore convient-il de remarquer que l'étiquette *sociolinguistique* est ambiguë dans la mesure où elle donne à penser qu'il serait possible d'assigner à ces états de langue(s) ou zones de discours un substrat réel de locuteurs déterminés en fonction de coordonnées *sociologiques* relativement précises. Il s'en faut de beaucoup que ce soit toujours le cas et cela n'est au demeurant pas nécessaire. La « sociolinguistique » des connotations dont il s'agit ici ne s'embarrasse guère à établir des covariances empiriques, c'est une socio-linguistique tout à fait impressionniste. Pour éviter l'inconvénient qui découle de cette ambiguïté — et aussi parce que le problème de ces sous-ensembles plus ou moins isomorphes à la langue (si elle existe) se pose à la linguistique contemporaine, notamment avec la question des grammaires non-standard — nous proposons d'utiliser le terme *dialinguistique*. Quoi qu'il en soit de l'avenir de cette proposition terminologique, à laquelle on trouvera une généalogie dans les concepts de « dialecte social » (cf. A. Martinet, 1969, p. 158, etc.) ou de « diasystème » (U. Weinreich, 1954, p. 307 sq. et *passim*), notre intention en la faisant n'est que de fournir un doublet plus précis ou « technique » à l'emploi parfois un peu trop large du terme « sociolinguistique » dans des contextes comme celui qui nous occupe ici, et non pas de l'y remplacer systématiquement.

Sans doute y a-t-il lieu maintenant de faire justice à des auteurs comme Roland Barthes qu'indirectement, sur le vu de leur caractérisation des connotations comme non distinctives, nous avions classés peut-être un peu vite parmi les « individua-listes de la connotation » (cf. *sup.*, p. 138 sqq.). Pour reprendre l'exemple alors cité, il est clair que l'opposition entre le *r* roulé et le *r* grasseyé est, nous l'avions noté, un phénomène collectif et non pas seulement individuel. Par ailleurs, on trouvera aisément des exemples analogues, qui ne pourront pas être récusés comme celui-là, du simple fait qu'il est de nature phonétique et qu'à ce titre il ne concerne pas la traduction puisque cette dernière n'a affaire qu'à des textes écrits : on pourrait ainsi prendre l'exemple de l'opposition entre le belgicisme *nonante* et la variante « hexagonale » *quatre-vingt-dix*.

En ce qui concerne Bloomfield, nous avons assez montré comment sa logique « individualiste » de l'apprentissage linguis-tique par les situations n'en débouchait pas moins sur une « sociolinguistique » des connotations. Mais R. Barthes avait lui-même précisé que, si des oppositions de ce genre font partie des « variations non-signifiantes », elles peuvent être « cepen-dant ' glottiques ' » (1965, p. 92), c'est-à-dire qu'elles sont de l'ordre de la langue. De telles variantes non pertinentes sont « in-signifiantes sur le plan de la dénotation » (p. 160), c'est-à-dire à peu de chose près sur le plan phonologique de la langue (quand il s'agit de l'opposition susdite entre les deux réalisations du *r* en français); mais elles « peuvent redevenir signifiantes sur le plan de la connotation » (*ibid.*), c'est-à-dire au niveau « d'un système de sens seconds, parasite, si l'on peut dire » (p. 102), et « ce système second est lui aussi une ' langue ' » (*ibid.*). Cette « langue » qui n'en est pas une, c'est ce que nous avons appelé une « sous-langue » ou une zone de discours. L'individuation des connotations est en l'occurrence collective, « sociolinguis-tique » ou dialinguistique.

Ces registres dialinguistiques sur lesquels jouent les connota-tions sont plus des réductions de la langue que des extensions de la parole individuelle (16); c'est pourquoi ils peuvent s'inscrire

---

(16) C'est aussi pourquoi nous trouvions malencontreuse la formule qui faisait de la connotation quelque chose de « *particulier à un*

dans une stratégie de communication. Au reste, ces sous-ensembles plus ou moins étendus de la langue peuvent en venir à occuper toute la place et à se confondre avec l'ensemble de la langue elle-même. Aussi R. Barthes, ayant caractérisé les variantes connotatives comme « glottiques », peut-il paraphraser le terme en ajoutant : « c'est-à-dire qu'elles appartiennent à la langue » (1965, p. 92). A première vue, la formule est seulement un peu ambiguë et schématisante en ce qu'elle semble méconnaître les éventuelles limitations dialinguistiques des zones de discours auxquelles réfèrent ces connotations.

Mais il précise bien qu'il en parle « d'un point de vue sémiologique » (*ibid.*), ce qui est essentiel à notre propos. Il apparaît en effet que la traduction relève plutôt de la sémiologie que de la linguistique · à proprement parler. La traduction, disions-nous (cf. *sup.*, p. 144), est une méta-communication qui prend pour objet la langue-source (mais aussi, dans un second temps, la langue-cible), en la resituant dans un cadre plus large où elle n'est qu'un élément parmi d'autres et où interviennent aussi l'autre langue précisément, les conditions spécifiques de double énonciation qui président à l'élaboration d'une traduction, ses « conditions de production », les présuppositions culturelles (de la culture-source et de la culture-cible), etc. La langue est là l'essentiel, mais elle n'est pas tout.

Parallèlement, « la linguistique n'est qu'une partie de cette science générale » que Ferdinand de Saussure (1972, p. 33) a appelée la sémiologie. La langue « est seulement le plus important » (*ibid.*) des systèmes de signes qu'a pour objet la sémiologie ; mais comme elle est justement le plus important, c'est la linguistique qui joue le rôle de sous-discipline rectrice et fournit à la sémiologie. et à la théorie de la traduction, l'essentiel de ses concepts, de ses modèles donc et de ses

---

individu ou à un groupe dans la communauté » linguistique (J. Dubois *et alli*, 1973, p. 115 — c'est nous qui soulignons). Encore qu'en diachronie. au niveau d'une reconstruction hypothétique, les deux perspectives puissent être réconciliées dans le cadre de la théorie des ondes (*Wellentheorie*) de J. Schmidt (cf. F. de Saussure, 1972, p. 287).

méthodes — au point que Roland Barthes envisage « la possibilité de renverser un jour la proposition de Saussure » et de faire de la sémiologie une annexe de la linguistique, une « trans-linguistique » (1965, p. 81). On pourra dégager au moins trois aspects sémiologiques de la traduction.

La sémiologie rejoint ici la perspective « sociolinguistique » dans la mesure où, d'abord, la mise en contact de deux langues par la traduction fait que chacune se trouve objectivée et en quelque sorte fait figure de système dialinguistique, presque de « sous-langue » sociolinguistique, du point de vue du traducteur. Celui-ci dispose en effet d'une « double compétence » linguistique qui fonctionne comme *archi-compétence* (ou, si l'on veut, comme « méta-compétence ») plus *puissante* que chacune de ses deux langues de travail prise séparément (cf. *inf.*, p. 177).

Nous employons ici le mot au sens où l'on peut dire qu'une axiomatique est plus « puissante » qu'une autre, ou un ordinateur plus « puissant » qu'un autre. Le concept de *puissance interlinguistique* que nous dégageons ainsi de ces emplois « techniques » du terme trouve une application aux différents niveaux des langues. C'est manifeste au niveau phonétique, comme en témoigne la difficulté éprouvée par les italophones à prononcer certaines voyelles arrondies ou labialisées du français. Au niveau morphologique, le système de marquage de l'adjectif (ou, plutôt, du déterminatif) possessif de troisième personne du singulier que possède l'allemand, par exemple, est plus « puissant » que les paradigmes correspondants du français, qui ne marque que le genre et le nombre du possédé, et de l'anglais, qui ne marque que le genre (le sexe?) du possédant : le paradigme de l'allemand représente en quelque sorte la synthèse des deux et l'on pourrait parler ici d'« archi-morphèmes » plus puissants, etc. (cf. R. Jakobson, 1963, p. 82 sq.). Ce concept trouve à s'appliquer très largement en traduction, comme celui de « double compétence » du traducteur (cf. *sup.*, p. 55 sqq.); nous y reviendrons dans une prochaine étude sur la perspective *interlinguistique* en traductologie.

Ensuite, la perspective sémiologique est très explicitement chez R. Barthes une façon d'ouvrir la langue sur la dimension *culturelle* (au sens élargi qu'a pris le mot en franglais) qui lui est coextensive. La sémiologie ou « linguistique des connotations » qu'il annonce sera « une véritable anthropologie historique »

(R. Barthes, 1965, p. 164 sq.) dont les « signifiés communiquent étroitement avec la culture, le savoir, l'histoire... » (p. 165). Là encore, on rejoint Saussure, pour qui la sémiologie est « une science qui étudie la vie des signes au sein de la vie sociale » (1972, p. 33). C'est un aspect dont on a vu qu'il était déjà indiqué par R. Galisson et D. Coste (1976, p. 119) quand ils parlaient d' « usages culturels ». Ainsi, pour une théorie de la traduction, Henri Meschonnic fait-il la « proposition » d'élargir le concept de langue aux dimensions d'une « langue-culture » (1973, p. 308 et *passim*), qui est ce que nous avons appelé le donné *sociolinguistique* sur lequel travaille le traducteur (17).

Enfin, le point de vue sémiologique qu'adopte R. Barthes, c'est aussi et surtout autre chose. C'est une théorie de la connotation qui soit en mesure de faire à nouveau une place à la dimension individuelle, qui ne saurait être totalement exclue (cf. *inf.*, p. 179 sqq.) une fois marquées ses limites à la perspective sociolinguistique qu'est venu compéter l'apport sémiologique et dont il contribue à rendre le fonctionnement plus concrètement intelligible.

3.3. Les limites du schéma sociolinguistique

Comme on l'a vu plus haut (cf. *sup.*, p. 132 sq.), c'est sur le schéma d'un catalogue « sociolinguistique » des registres connotatifs que débouchait Bloomfield et nous avions d'emblée souligné combien cette perspective théorique est loin de répondre aux préoccupations pratiques du traducteur, plus intéressé à une phénoménologie stylistique des « niveaux de langue » et des connotations dont ils sont affectés qu'à un tel classement dialinguistique des « états de langue » ou zones de discours, où les effets connotatifs sont censés trouver leur explication. Mais

(17) On pourra aussi parler de « périlangue » (cf. *inf.*, p. 178 sq. et *passim*). Remarquons aussi qu'à la problématique dialinguistique de nos « sous-langues » ou zones de discours correspond aussi une différenciation qu'on pourrait dire *dia-culturelle* des « sous-cultures » évoquées par R. Galisson et D. Coste (1976, p. 119). Sur traduction et sociolinguistique, cf. M. Pergnier (1978).

n'est-ce pas maintenant à justifier, théoriquement, le bien-fondé du schéma bloomfieldien qu'au bout du compte nous en sommes venu?

Certes, les connotations d'un mot, d'une tournure ou d'une phrase, voire de toute une page ou même de tout un livre, renvoient à un contexte d'évocations propres à telle ou telle zone de discours. C'est ce que s'attache à thématiser la perspective « sociolinguistique » ou dialinguistique de Bloomfield et elle rejoint en cela l'entreprise d'un Charles Bally, qui développe une stylistique de la langue prenant pour objet, à côté des « effets naturels », ce qu'il appelle les « effets par évocation » dont on peut rendre compte ainsi : « les formes reflètent les situations dans lesquelles elles s'actualisent et tirent leur effet expressif du groupe social qui les emploie », comme l'écrit P. Guiraud (1963, p. 51), qui utilise aussi quant à lui l'expression de valeurs « affectives » et « socio-contextuelles » (1964, p. 124), comme on l'a vu (cf. *sup.*, p. 142). Au reste, G. Mounin ne manque pas à marquer d'emblée la convergence entre Bloomfield et Bally (1963, p. 146 sq.).

Outre les considérations théoriques précédemment exposées, il est possible d'invoquer à l'appui de la crédibilité du schéma bloomfieldien certains exemples qui lui apportent les éléments d'un remplissement. Ainsi, l'utilisation de termes scientifiques dans le cadre du langage courant (*Umgangssprache*) vise à produire un effet stylistique de « technicité » en connotant l'esprit général qui préside au discours scientifique dont ils sont empruntés (18). Inversement, on produira un effet comique, par

---

(18) ... au sens d'un emprunt (intra-)linguistique (*Lehnwort*) et au sens où on dit de quelqu'un qu' « il a l'air emprunté » — et, si l'on nous pardonne ce jeu de mot néologisant, nous dirions volontiers que ce « collage » dialinguistique est aussi « empreinté » du discours spécialisé dont il émane (et dont il porte l'empreinte). La notion de *discours* prend ici la valeur d'un terme médiateur entre langue et parole, dans la dialectique de mise en œuvre et de transgression qui les relie : il ne désigne plus seulement le niveau hypersyntaxique d'énonciation supérieur à la phrase, c'est-à-dire un synonyme du texte long

exemple, en faisant exactement le contraire, c'est-à-dire en utilisant les termes du langage courant dans un énoncé scientifique. C'est ainsi que l'auteur de ces lignes trouvait plaisant, quand il était au lycée, d'ouvrir une démonstration de géométrie par la phrase : « Soit O le milieu du rond... » (au lieu de la formule consacrée : « Soit O le centre du cercle »).

La traduction de tels effets connotatifs ne pose en principe aucun problème, car s'il est un cas où, d'une langue à l'autre, il existe une correspondance entre registres sociolinguistiques, c'est bien là. D'un côté, il semble que le langage courant puisse être considéré comme un registre de langue neutre et il n'est pas illégitime de se risquer à affirmer qu'à cet égard, il est globalement « le même » dans tous les idiomes. De l'autre côté, on peut voir dans le discours scientifique une langue « neutralisée », à l'horizon d'un processus d'universalisation linguistique à l'échelle planétaire.

Mais ce sont là deux façons de parler, qui risquent d'induire en erreur dans la mesure où elles semblent impliquer qu'il puisse y avoir un degré zéro de la connotation. On en viendrait à croire qu'il n'y aurait de connotations que poétiques et que le langage courant serait un langage sans connotation. A moins que ce ne soit le discours scientifique qui serait un langage de la dénotation pure : on retrouverait la vieille idée que les langues commencent par être poésie et finissent par être une algèbre. Mais, d'abord, lequel des deux serait-il sans connotation, le langage courant ou le discours scientifique? ou serait-ce les deux?

Pour certains auteurs, comme Bloomfield lui-même, le langage scientifique se définit notamment par son effort pour neutraliser les connotations, en quoi réside le phénomène terminologique : « dans le cas de termes scientifiques, nous

_____

(sens linguistique); il est en outre porteur de la trace connotative et, pour ainsi dire, auto-générative d'une parole sur une langue. Pour désigner cette sédimentation sémantique nous avons parlé d'un sens « épistémologique » du terme, in J.-R. Ladmiral (1971), pp. 170 et 173, cf. *inf.*, p. 202.

essayons de débarrasser le sens des facteurs connotatifs... »
(L. Bloomfield, 1970, p. 144). Mais Bloomfield ajoute immédiatement : « ... bien que là aussi nous puissions échouer; le nombre *treize*, par exemple, a pour beaucoup de gens une forte connotation » (*ibid.*) — prenant en cela un exemple bien américain, comme en témoigne la survivance superstitieuse si forte dans l'ultra-moderne mégalopole newyorkaise qu'y manque un treizième étage jusque dans les *buildings* les plus cossus et les plus futuristes de la Cinquième Avenue, l'ascenseur passant directement du douzième étage au « quatorzième » étage... (19).

De fait, la neutralisation terminologique porte sur les connotations indésirables ou « adventices », qui sont comme des alluvions sédimentées dans le lit du langage par les flots multiples et accumulés d'usages préscientifiques qu'il a charriés avant que ne soient entrepris les travaux scientifiques, récents et limités, de canalisation et d'endiguement terminologiques. Mais le langage codé (chiffré) des « savants » sécrète ses propres connotations (c'est le cas de le dire!).

A la lumière de la perspective « sociolinguistique » bloomfieldienne elle-même, il apparaît qu'il reste toujours au moins un coefficient de *connotation minimale*, coextensive au discours scientifique comme à tout discours, qui est la fonction suiréférentielle (métalinguistique implicitement et corollairement phatique) de se connoter lui-même dans sa spécificité scientifique. C'est par elle que s'explique que puissent fonctionner des effets connotatifs comme ceux qu'on peut tirer de l'interférence du discours scientifique avec le langage courant ou toute autre zone de discours, comme dans les deux exemples inversés et complémentaires qui viennent d'être invoqués. A l'intérieur même du langage scientifique, le recours à tel ou tel terme connote en général l'appartenance à une école déterminée et un investissement de la personne du chercheur, sujet de l'énonciation. dans les polémiques qui définissent les « fronts scienti-

(19) Dans le même sens, J.-M. Zemb remarquait que *trente-six* est numérique quand on fait la multiplication « $6 \times 6 = 36$ », par exemple. mais linguistique dans l'expression « trente-six chandelles ».

fiques » de sa discipline (cf. J.-R. Ladmiral, 1971, p. 173 sq.) : ainsi, l'emploi du concept de *signifiant* dans le contexte du discours psychanalytique pourra par exemple avoir des connotations lacaniennes, avec tout ce que cela peut signifier. Il y a des emprunts terminologiques d'une discipline à l'autre, et donc des interférences au niveau des connotations internes au discours scientifique.

Quant au langage courant, s'il est vrai qu'il joue dans nos deux exemples le rôle de langue neutre, il n'en fourmille pas moins lui-même de connotations, immanentes aux mots, aux expressions ou locutions et tournures de phrases. L'exemple du mot *chien* a été évoqué plus haut (cf. *sup.*, p. 120, etc.). D'une façon générale, le problème reste posé de cette coloration dite « affective », inhérente à bien des éléments de la mosaïque hétéroclite qu'est toute langue. Charles Taber, on s'en souvient (cf. *sup.*, p. 126), lui faisait finalement une place sémantique en structure profonde et c'est aussi en recourant à la même idée, baptisée *emotive meaning,* que des linguistes anglo-saxons comme John Lyons paraphrasaient la notion de connotation (cf. *sup.*, p. 133 sqq.) avant d'en faire la critique, à laquelle nous allons revenir tout à l'heure.

Aussi R. Galisson et D. Coste ont-ils raison, dans la perspective de l'enseignement des langues qui est la leur mais dont on a vu qu'elle rejoignait assez largement les problèmes de la traduction (cf. *sup.*, p. 116), d'insister sur l'importance des connotations dans la « communication usuelle » justement (*Umgangssprache*), au même titre que dans la « communication poétique » (1976, p. 118). Et ils invoquent des exemples aussi courants dans la langue que les valeurs connotatives « supplémentaires » qui sont attachées à des mots comme *chien* précisément, *bœuf, vache, bouc* (20) ou *coq*...

Ces connotations, indésirables au discours scientifique qui cherche à s'en débarrasser autant que faire se peut, font partie de la langue. Pour reprendre la métaphore « fluviatile » qui nous a servi tout à l'heure à donner une illustration allégorique

(20) Cf. G. Mounin (1963), pp. 157 sq. et 167..

de l'accumulation de ces connotations adventices et parasitaires, nous dirons que le traducteur doit être un dragueur — qui fasse remonter à la surface, en langue-cible, du fond de la langue-source et en aval d'elle la substance de ces dépôts connotatifs, car ils peuvent recéler des trésors dont viendra s'orner le langage poétique comme le langage courant (21).

Contrairement donc à ce qu'on a parfois affirmé un peu légèrement, pour des raisons pédagogiques de simplification et pour trouver des exemples faciles (cf. M.-N. Gary-Prieur, 1971, p. 97), ni le langage courant ni le langage scientifique, ni aucune zone de discours d'une langue naturelle, n'entraînent une neutralisation des connotations. On n'a pu neutraliser toutes les connotations que dans des langages artificiels, élaborés à des fins techniques ou scientifiques. Encore là convient-il de remarquer que la réutilisation au sein d'une langue naturelle d'éléments empruntés à de tels langages prend alors une valeur connotative. Quant à l'interférence réciproque entre discours scientifique et langage courant, qui vient de nous fournir l'ample matière de notre double exemple, elle constitue un cas tout à fait particulier, peut-être le seul auquel convienne en toute rigueur le schéma bloomfieldien, du moins dans la perspective de la traduction qui nous occupe ici. Partout ailleurs et d'une façon générale, le renvoi des connotations aux conditions sociolinguistiques de leur énonciation risque de les vouer aux gémonies de l'intraduisible.

Ce n'est en effet que par une analogie rapide, sans doute abusive et, au minimum, tout à fait problématique qu'on admettra les équations de traduction suivantes :
— anglais-source des *public schools* = français-cible « Sciences-Po »,

(21) On retrouve encore la métaphore de la sédimentation, qui a déjà été utilisée auparavant et sera reprise plus loin (cf. *inf.*, p. 202); elle est en effet une description adéquate de la relation qui va de la sémiologie du discours à la sémantique de la langue. (Au niveau des principes, nous ne pensons pas que les métaphores doivent être chassées du discours scientifique comme l'affirment d'aucuns; il y a à cela d'ailleurs trop de contre-exemples.)

— espagnol-source du *Siglo de Oro* (XVIᵉ siècle) = français-cible classique du XVIIᵉ siècle,

— et aussi allemand-source du XVIIIᵉ siècle classique = français-cible du XVIIᵉ,

— dialecte bavarois (ou autre) = patois ch'timi, occitan, breton?...

Le traducteur pourra être amené à poser de telles équations et se trouver bien de les mettre en œuvre dans sa pratique; mais ce seront des choix de traduction qui auront en fait trouvé leur justification dans une analyse préalable des effets connotatifs à traduire, dans la phénoménologie stylistique de ces derniers, au coup par coup, et non pas dans l'inassignable et fantasmatique concordance d'une grille classificatoire des niveaux d'énonciation « sociolinguistiques » (cf. *inf.*, p. 194 sq.).

Voilà étroitement marquées les limites du schéma sociolinguistique de Bloomfield. Mais il existe aussi une autre difficulté : quelle place ce schéma laisse-t-il à l'innovation linguistique individuelle? Serons-nous contraint de renoncer à rendre compte des créations verbales des poètes, des philosophes, etc.? Elles sont en effet déviantes par rapport à la norme de la langue et par rapport aux normes dialinguistiques des différentes zones de discours; et le problème se pose pour tous les novateurs, y compris dans le domaine scientifique. Plus précisément, quant au problème qui nous occupe, allons-nous devoir renoncer à traduire ces innovations et les vouer aux fantomatiques sortilèges de l'intraduisible?

Certains linguistes auront la tentation de baisser les bras devant ce problème et d'arguer qu'il s'agit de « cas d'espèce », non justiciables (au moins actuellement) de la théorie linguistique, qui ne prend pour objet que le langage ordinaire (22). Mais qui ne voit que la néologie est une dimension essentielle à tout langage vivant! Au reste, Bloomfield se montre conscient du problème en faisant naître, comme on l'a vu, d'un couple de

---

(22) Cf. A. Martinet (1969), p. 193, sur l'innovation et le « langage affectif », conçus par certains comme opposés au langage grammatical et liés entre eux.

tension où le consensus de la communauté linguistique est fécondé par l'expérience particulière de chaque locuteur la « saveur » ou le « parfum » (*flavor*) des connotations (23).

Ce n'est pas à dire qu'on doive en rabattre sur nos analyses antérieures et revenir à la conception individualiste des connotations que nous avons critiquée. Il s'agit de contribuer à ce qu'on pourra appeler avec certains disciples de Saussure une « linguistique de la parole », qui rejoint le « point de vue sémiologique» de R. Barthes (cf. *sup.*, p. 148) ou, si l'on préfère un terme plus moderne, une *sémiotique* qui soit un élargissement et un approfondissement de la linguistique (*stricto sensu*). Quoi qu'il en soit de l'étiquette finalement retenue, c'est à une réflexion de cet ordre, à l'arrière-plan du catalogue « sociolinguistique » ou dialinguistique des zones de discours, qu'il reviendra de thématiser la connotation comme niveau « intermédiaire » entre l'institution sociale de la langue et le phénomène individuel de la parole. Mais avant d'aborder ce problème (cf. *inf.*, p. 185 sqq.), il convient de revenir sur l'idée d'un « contenu subjectif » des connotations qui doit être maintenant réexaminée compte tenu des analyses précédentes, car elle « traduit » bel et bien la façon dont le traducteur ressent spontanément et empiriquement les choses.

4. Remarques critiques

4.1. Critiques de la connotation

Pour être au premier abord moins embarrassante — parce qu'empiriquement de plain-pied avec les problèmes réels qui se posent au traducteur — que le simple renvoi à une « sociolinguistique » qui resterait totalement impressionniste, la difficulté qu'il y a à définir avec précision les valeurs affectives auxquelles

---

(23) Nous paraphrasons ici les termes de la phrase de L. Bloomfield (1970, p. 147) déjà citée plus haut (cf. *sup.*, p. 133), en « modulant » les traductions-cibles à partir du texte original en anglais-source.

on a identifié la connotation (cf. *sup.*, p. 134 sqq.) n'en est pas moins réelle. Cette difficulté apparaît très clairement dans le Manuel de J. Lyons (1970), sur lequel nous appuyons nos analyses, à la fois parce qu'il constitue un échantillon représentatif de la littérature linguistique contemporaine et parce qu'il est accessible à un public assez large. Encore une fois c'est à dessein et de façon systématique que, dans la présente étude, nous avons cité Manuels et dictionnaires de linguistique. Ce choix délibéré de nous référer au discours didactique de la linguistique (voire de la philosophie), autant et plus qu'à ses véritables sources scientifiques, était commandé par la perspective des utilisateurs que nous avons adoptée ici. Il s'agissait en effet de ne retenir des acquis de la théorie linguistique que ce qui peut en être appliqué « en aval » dans la pratique des traducteurs *on line* et, plus généralement, de renvoyer le lecteur non linguiste à des sources relativement accessibles.

Une remarque en passant, concernant le titre du Manuel de J. Lyons et deux de ses traductions (pour les références bibliographiques complètes de ces trois volumes, cf. *inf.*, p. 271). Le rapprochement est inattendu et donne l'équation interlinguistique suivante : en anglais-source *Introduction to Theoretical Linguistics* (1968) = en allemand-cible *Einführung in die moderne Linguistik* (1971) = en français-cible *Linguistique générale...* (1970). De telles variations sont-elles significatives, au niveau de ce que nous pourrions appeler une « contre-dépendance » connotative ou connotée? Peut-on dire que le titre anglais cherche à se démarquer des pesanteurs idéologiques de l'empirisme inhérent à la tradition anglo-saxonne, en soulignant le caractère *théorique* du Manuel, alors que le titre allemand afficherait, avec l'adjectif *moderne*, un parti pris scientifique de coupure épistémologique, rompant avec la tradition spéculative et idéaliste de la *Sprachtheorie* et avec l'héritage philologique de la *Sprachwissenschaft?* Quant au titre français (qui, à vrai dire, donne en sous-titre une traduction littérale du titre anglais), il se voudrait simplement (et commercialement) didactique?... D'une façon générale, il y a un problème spécifique posé par la traduction des *titres*, où interfèrent les conditions d'énonciation et les « conditions de production » matérielles qui président a l'énoncé du titre d'un livre. D'une part, ce sont des énoncés courts, où l'économie dans la communication linguistique est maximale et qui mettent en jeu une sémiologie implicite de la « langue-culture » destinataire. D'autre part, le choix des titres est directement commandé par des impératifs publicitaires où il est de règle que la voix de l'éditeur (*Verlag* et non *Herausgeber*) soit prépondérante, qu'il s'agisse d'un titre original ou *a fortiori* d'une traduction. Dans le cas qui nous occupe les deux facteurs ont joué aussi, et vraisemblablement y a-t-on pris compte aussi des considérations du genre de celles auxquelles nous venons de nous risquer.

La notion de connotation renvoie à l'idée de synonymie, même si elle ne lui est pas toujours irrémédiablement liée comme on l'a vu (cf. *sup.*, p. 120). Aussi est-ce au sein de la partie sémantique de son Manuel, dans le cadre du chapitre qu'il consacre à la synonymie, que John Lyons présente et discute la notion de connotation (1970, p. 343 sq.). Une fois bien établi qu'il ne peut y avoir de synonymie que « dans un contexte » (*context-dependent*), après avoir notamment critiqué le maxima-lisme de sémanticiens comme St. Ullmann, J. Lyons entreprend de faire la critique du concept de connotation entendu comme un « sens affectif » des mots. Il remarque que, s'il est vrai que certains termes sont dits synonymes quant à leur contenu cognitif mais pas quant à leur valeur dite affective (*liberty/freedom, père/papa, Kopf/Haupt*, etc.), si l'on parle donc de synonymie cognitive sans synonymie affective, l'inverse est impensable et jamais il ne saurait être question d'une synonymie affective sans synonymie cognitive. A quoi l'on reconnaît que ledit sens affectif n'est qu'un halo flou auréolant le véritable sens, une simple « musique d'accompagnement ».

Plus précisément, il représente l'importation en contrebande des catégories d'une psychologie vieillie au sein de la conceptua-lisation linguistique. La bonne vieille « psychologie des facul-tés » est devenue une idéologie linguistique, elle est venue nourrir la présupposition métaphysique d'un substrat de facultés psychiques qui présideraient au fonctionnement du langage (24).

(24) J. Lyons (1970), p. 343. De même, après avoir donné quelques exemples et en s'appuyant sur A. Martinet, G. Mounin conclut « l'opposition entre ˙ langage affectif ˙ et ˙ langage intellectuel ˙ ici n'est pas dégagé par une procédure linguistique spécifique » (1963, p. 162), cf. *inf.*, p. 175.

En un mot, la connotation est pour J. Lyons un *catch-all* — en français : un « fourre-tout » (p. 344), voire un « attrape-tout » comme il arrive de plus en plus qu'on dise sous l'empire grandissant de l'inculture franglaise (ou encore, comme disait joliment Lewis Carrol, c'est un « mot-valise »).

Au reste, la voix de J. Lyons n'est pas une voix isolée ; elle prend place dans un concert assez général où l'on s'accorde à critiquer la notion de connotation. C'est aussi « un fourre-tout » pour T. Todorov (1966, p. 9), un « terme passe-partout » pour G. Mounin lui-même (1963, p. 164) ; pour A. Rey, ce concept « n'est pas clair » (1970, p. 284). Le couple dénotation/connotation n'est qu'une « dichotomie grossière » pour Weinreich (cité in G. Mounin, 1963, p. 154), il « n'a été que source de confusions » pour T. Todorov (1966, p. 6)... Quant au *Dictionnaire de linguistique* de chez Larousse, il fait un bilan du même ordre : après avoir souligné « le caractère vague du concept de connotation », il montre que ce dernier « joue souvent le rôle de débarras », ramassant « tout ce qui n'est pas du domaine de la dénotation » (J. Dubois *et alii*, 1973, p. 115).

Si l'on ajoute à cela les incertitudes persistant sur le statut de la connotation comme fait de langue ou phénomène individuel de parole, l'impression dominante est bien celle d'un grand « désordre terminologique » (J. Dubois *et alii*, 1973, p. 115) (25). Il semble en somme se dégager un consensus tendant à récuser le concept de connotation comme « non linguistique » (cf. M.-N. Gary-Prieur, 1971, p. 98). C'est en tout cas l'attitude adoptée par le Manuel de J. Lyons, dans le droit fil d'une tradition positiviste dont est empreinte la linguistique anglo-saxonne. Mais n'est-ce pas là jeter, comme on dit maintenant en franglais (et comme nous y engage le contexte général de la présente discussion), le bébé avec l'eau du bain ?

4.2. Critique de la critique

Ces critiques de la notion de connotation sont justiciables à leur tour d'une double *méta-critique*, épistémologique d'abord et

(25) Sans compter qu'il y a aussi les acceptions qu'a le terme chez Beauzée et K. Bühler, et que nous avons écartées de notre propos ici.

méthodologique ensuite. Au niveau fondamental, il convient d'en faire la méta-critique *épistémologique* en leur adressant les mêmes critiques que l'on fait justement de tout positivisme. Dans l'esprit de l'épistémologie poppérienne, dominante dans le discours des sciences humaines anglo-saxonnes, on a procédé à une « falsification » invalidant le concept de connotation et on est conduit à l'abandonner au couperet de la rigueur méthodologique (26).

La linguistique, tout spécialement, a été ces dernières années dominée par une telle attitude, plus rigoriste que rigoureuse, et nous ne craignons pas de parler à ce propos d'un véritable *terrorisme*, « linguisticiste » et « théoriciste » (cf. J.-R. Ladmiral, 1975*d*, p. 6 sq.). On est prêt à immoler sur l'autel des exigences méthodologiques du moment tous les acquis d'une tradition intellectuelle séculaire, qui se trouverait d'un seul coup « dépassée » au nom d'une « coupure épistémologique » instituant — enfin! — la linguistique comme science : ainsi en serait-il de la notion de connotation, dont le flou serait irrécupérable. Au reste, les polémiques n'en sont pas pour autant moins vives entre Ecoles linguistiques différentes. Mais là n'est pas notre débat et il est vrai en outre que ce climat de terrorisme épistémologique tend à s'estomper au sein de la linguistique d'aujourd'hui (cf. J.-R. Ladmiral, 1975*e*, p. 322).

(26) Sur le sens spécial que prend le terme de *falsification* dans un tel contexte et sur tout ce problème épistémologique, que nous ne faisons qu'évoquer rapidement ici puisqu'il s'agit d'une étude de linguistique et non de philosophie, cf. J.-R. Ladmiral (1971), p. 159 sqq. Dans les dernières traductions françaises parues de K. R. Popper, on a évité cet anglicisme et le terme a été traduit par fr. *réfutation*. Cette traduction constitue une paraphrase tout à fait justifiée, extrêmement utile en première approximation. Il y a là un bon exemple de ce que nous appelons *dissimilation* (cf. *inf.*, p. 190 et *passim*); mais, s'agissant d'unités proprement terminologiques (cf. *inf.*, p. 222 sqq.) ou *a fortiori* de titres (cf. *sup.*, p. 158 sq.), nous inclinons plutôt quant à nous à faire alors prévaloir ce que nous appelons le « principe de *transparence* » et c'est pourquoi nous avons conservé dans le français-cible de notre traduction de J. Habermas (1973) l'anglicisme(-« origine ») présent dans l'allemand-source (cf. *inf.*, p. 251)

Disons seulement, après Auguste Comte lui-même, que l'on ne détruit que ce qu'on remplace. Si l'on renonce au concept de connotation, encore faut-il proposer au traducteur l'alternative d'un outil conceptuel aussi utilisable, qui soit en mesure de le remplacer dans la pratique. Plus généralement, en matière de théorie de la traduction ou *traductologie*, il convient de bien faire la séparation entre *théorie et pratique*. La traductologie ne peut se contenter d'appliquer la théorie linguistique ; il lui faut gérer une pratique, au jour le jour ; elle est une praxéologie (*Handlungswissenschaft*). Là encore, nous passons rapidement (cf. *sup.*, p. 114, etc.), l'essentiel étant de maintenir qu'en l'absence d'une alternative praticable, « en aval », les critiques théoriques adressées au concept de connotation, « en amont », ne sauraient suffire à le discréditer (cf. J.-R. Ladmiral, 1975*e*, p. 529 sqq.). Quand bien même la théorie linguistique — c'est-à-dire en fait *une* théorie linguistique, la théorie dominante du moment — déboucherait sur une critique radicale remettant en question catégoriquement le concept, il se pourrait que la pratique traduisante dût n'en continuer pas moins à faire un usage pragmatique ou « empirique » des connotations (cf. *inf.*, p. 184 sq.).

Mais, outre cette méta-critique épistémologique fondamentaliste, les critiques de la notion de connotation qu'on vient de voir appellent elles-mêmes les éléments d'une méta-critique *méthodologique* ou linguistique. Tout d'abord, la critique de J. Lyons commence par escamoter le problème. Après avoir souligné les indéniables faiblesses de la notion de connotation définie comme « sens affectif » d'un terme, il entend montrer que le choix fait par un locuteur entre deux mots synonymes sur le plan « cognitif » de la dénotation obéit en fait à de tout autres raisons que leurs prétendues connotations : le locuteur (ou, en l'occurrence, le scripteur-source) en question a pu vouloir éviter une répétition ; il a pu aussi, comme disait plaisamment Valéry, « entre deux mots choisir le moindre » ; le choix a parfois obéi à des contraintes de métrique, etc. (J. Lyons, 1970, p. 344). Il est clair que ces considérations sont irréfutables, mais bien peu convaincantes car elles n'ont rien à voir avec notre problème précis, qu'elles laissent entier. Une fois prises en compte toutes ces éventualités évoquées par J. Lyons, il reste des cas où c'est bel et bien la « coloration connotative » du message qui est en cause.

Ailleurs, J. Lyons renvoie la traduction en général (et, en particulier, la traduction des connotations qui nous occupe ici), sans autre forme de procès, à la médiation des bilingues considérée comme une donnée brute, garantie par le simple consensus empirique de ces derniers (*ibid.*, p. 333). C'est là apporter de l'eau au moulin du pragmatisme, voire à un *practicisme* aux relents plus ou moins « poujadistes » chez les traducteurs (27). Ou encore, pour mesurer la synonymie et se passer ainsi du malencontreux concept de connotation, J. Lyons s'en remet à un appareil rudimentaire de procédures formelles (p. 344) dont on se demande ce qu'elles pourront nous apporter, sinon une simple vérification *a posteriori* des incertitudes qui assaillent de temps en temps, il est vrai, le traducteur dans le cours de son travail quant à des points de détail somme toute relativement circonscrits, et dont il perçoit déjà qu'il ne les avait pas parfaitement maîtrisés (28).

Il prend aussi quelques exemples simplistes de synonymie et nous assure que les locuteurs natifs (de l'anglais) emploieront indifféremment des expressions comme *brebis* ou *mouton femelle* (29) — quitte à reconnaître tout tranquillement, au para-

---

(27) Cf. nos remarques sur le practicisme des professeurs de langues (J.-R. Ladmiral, 1975*d*, p. 7 sq.), qui peuvent être étendues aux professionnels de la traduction — même quand ils se font théoriciens, comme en témoignent certaines publications récentes... La méta-critique méthodologique rejoint ici la méta-critique épistémologique qui vient d'être indiquée.

(28) Ce qui est un aspect de l'expérience bien connue des traducteurs, et très frustrante, d'une « perte des moyens d'expression » (cf. *sup.*, p. 25).

(29) Nous ne reprenons pas ici littéralement le même exemple que J. Lyons, car il apparaît moins convaincant en français-cible (cf. J. Lyons, 1970, p. 345) qu'en anglais-source. On touche là un problème particulier, celui de la traduction des *exemples* dans la littérature

graphe suivant, que cela entraîne un « appauvrissement » sur le plan stylistique (p. 345)! Il est facile de voir qu'une telle démonstration se réfute d'elle-même. En premier lieu, c'est précisément à prendre en compte la « variété » de ces nuances, variations ou variantes stylistiques (*stylistic variety*) qu'est censé servir le concept de connotation. Quand on se contente d'enregistrer un appauvrissement stylistique, on ne résout pas le problème : on a seulement refusé de le poser. En outre, la démonstration se donne de fausses allures de méthode expérimentale en invoquant le consensus empirique des locuteurs pour constater que des synonymes comme celui qui vient d'être évoqué « sont bien (*indeed!*) interchangeables dans l'usage normal de la langue » (p. 345). Mais la contre-épreuve empirique n'est pas faite réellement et le consensus invoqué entre les locuteurs reste purement fantasmatique.

Enfin, l'arbitrage des synonymes et donc de leurs nuances connotatives est renvoyé au plan d'une manipulation, elle-même seulement fantasmée, du référent dénoté. Ainsi dans la phrase « je vais prendre du pain chez le boulanger », où (*aller*) *prendre* connote qu'il s'agit en fait d'un achat, compte tenu de la situation référentielle (cf. p. 346); mais il peut se faire dans certaines situations que le terme connote en réalité un chapardage si le locuteur est un kleptomane invétéré, avec ou sans la justification idéologique de la « reprise individuelle »... Surtout, c'est bien sûr l'existence d'un référent commun bien connu qui permet à J. Lyons d'affirmer que *brebis* et *mouton femelle* ne sont que deux variantes, sémantiquement synonymes.

Ce dernier point est significatif de ce que nous appellerons *l'obsession du référent*. On peut se risquer à en faire le « diagnostic » non seulement chez J. Lyons mais aussi chez presque tous ceux qui ont traité de la connotation. C'est le cas des linguistes cités par G. Mounin (1963, p. 147) qui définissent la connotation par opposition à la dénotation identifiée au

---

linguistique; il y aura lieu d'y revenir, en prolongeant notamment des analyses que W. V. O. Quine (1977, pp. 295 sqq., 209 et *passim*) consacre au problème de la citation en traduction.

référent, comme on l'a vu plus haut (cf. *sup.*, p. 134). De même, la *voiture* et la *bagnole* ont « une dénotation équivalente », pour M.-N. Gary-Prieur (1971, p. 97), tout simplement parce que les deux termes *réfèrent* au même objet, à la même réalité extra-linguistique. La dénotation linguistique tend alors à s'identifier à la dénotation au sens logique (cf. *sup.*, p. 129 sqq.) et le signifié linguistique serait le référent lui-même, auquel éventuellement viendrait s'ajouter « en plus » une coloration connotative dont la linguistique s'avouerait impuissante à rendre compte.

Mais c'est confondre les mots et les choses. Depuis long-temps, les philosophes savent que *le concept de chien ne mord pas* — le signifié linguistique du mot non plus! Aux linguistes, Saussure rappelait aussi que « le signe linguistique unit non une chose et un nom, mais un concept et une image acoustique » (1972, p. 98). La critique du concept de connotation et l'obsession du référent dont elle procède en viennent à priver la linguistique de son objet, puisqu'il n'y aurait plus que du non-linguistique et de l'extra-linguistique...

4.3. Connotation et théorie de l'information

Telle est la logique aporétique à laquelle on est conduit quand on fait le point des critiques, comme celles de J. Lyons, qui peuvent être adressées à la notion de connotation conçue comme une aura stylistico-affective du sens. On approcherait là de ce que M.-N. Gary-Prieur appelle « le lieu inquiétant » du *non-linguistique* (1971, p. 98). Il est clair que nous ne saurions nous en tenir à cette solution négative, dont la « méta-critique » vient au demeurant d'être faite — sauf à concevoir « le point de vue sémiologique » (ou sémiotique) non pas tant comme un approfondissement de la linguistique que comme en rupture complète avec elle, ce qui paraît exclu puisqu'il ne fait que la prolonger en dépendant d'elle très largement (cf. *sup.*, p. 148 sqq.). Pour en sortir, M.-N. Gary-Prieur propose de recourir à deux apports récents de la linguistique post-structuraliste : la théorie de l'énonciation et le concept de compétence (*ibid.*). Mais elle se contente d'évoquer allusivement ces deux directions nouvelles et c'est à en déterminer plus précisément le bénéfice pour une théorie de la traduction qu'il conviendra de s'employer maintenant.

Quel que soit le niveau de la connotation considérée, qu'il s'agisse des « valeurs supplémentaires » d'un mot ou d'une tournure de phrase ou qu'il s'agisse de la coloration suprasegmentale du *ton* général d'un énoncé ou discours, qui est comme l'équivalent écrit d'un « accent » (dialectal, sociolectal, etc.), cette connotation fait partie du message où, à la place qui est la sienne, elle est elle-même porteuse d'*information*. C'est bien ce qu'entrevoit M.-N. Gary-Prieur en invoquant la théorie de l'*énonciation* et en soulignant l'importance qu'y revêt « la notion d'information dans la communication » (1971, p. 98). Aussi était-il maladroit de sa part d'écrire, s'agissant des fameuses deux phrases *la voiture est abîmée* et *la bagnole est esquintée,* que « du point de vue de l'information, les deux messages... sont ' égaux ' » (p. 97), même si c'est pour critiquer ensuite cette première vue des choses.

Il faut voir là d'abord une illustration de l'obsession du référent dénoncée plus haut, mais aussi un artefact de méthode : les deux phrases en question constituent des « exemples linguistiques », au sens où l'on parle aussi parfois de « phrases grammaticales » (et on se demande ce que pourraient être des phrases qui ne le seraient pas...), ce sont des exemples de linguistes — ou, si l'on veut, des « exemples (de) linguisticiens » — isolés de tout contexte réel. Mais une telle neutralisation des contextes fait fonctionner le langage dans des conditions parfaitement artificielles de (non-) communication ; du coup, elle invalide ces exemples et les conséquences qu'on peut en dégager. Autrement, l'arbitrage opéré par le locuteur en faveur des connotations respectives de l'une ou l'autre de nos deux phrases ne se fût pas perdu dans l'arbitraire de « variantes libres », plus ou moins aléatoires. Il aurait renvoyé à une option précise dans le cadre d'une stratégie globale de communication déterminée.

Le choix des connotations argotiques de *la bagnole est esquintée* s'inscrit lui-même dans un contexte déterminé, auquel il nous renvoie. Ces connotations représentent un marquage sociolinguistique qui peut signifier des informations très différentes selon les contextes : connivence socio-culturelle de « familiarité », tracé agressif d'une « ligne de classes », maladresse involontaire, ou affectée, désinvolture, expression gênée d'un très grand embarras, etc. Il est clair que l'interprétation sémantique de cette même phrase-source ne sera pas la même dans chacun de ces contextes éventuellement envisageable et elle appellera des traductions-cible différentes selon l'interprétation qu'aura été amené à faire le traducteur, selon le pari herméneutique qu'elle appelle (30).

Par ailleurs, il est possible de donner pour une phrase comme *la voiture est abîmée* bien d'autres synonymes que *la bagnole est esquintée*. La paraphrase « technico-administrative » *le véhicule est hors d'usage* est encore une possibilité. Elle pourrait donner à penser qu'elle comporte une neutralisation des connotations, si nous n'avions déjà montré qu'il y a toujours une connotation minimale (cf. *sup.*, p. 152 sqq.). En fait, là aussi, les connotations effectives de cette phrase apparemment neutre s'avéreront différentes selon qu'il s'agira du contexte d'une déclaration d'accident, d'un pastiche quelconque, d'une taquinerie plus ou moins méchante, selon que la voiture en question sera véritablement ou non « hors d'usage », etc. Au vrai, ni *la voiture est abîmée* ni *le véhicule est hors d'usage* ne sont des énoncés connotativement neutres, il y a dans les deux cas des connotations déterminées et interprétables en fonction du contexte réel de la phrase.

Et quand bien même on s'en tiendrait aux connotations argotiques, qui sont celles du second exemple donné par M.-N. Gary-Prieur, *la bagnole est esquintée* est loin d'être la

(30) C'est pourquoi nous n'en proposons pas ici *la* traduction, en allemand par exemple; il conviendrait d'envisager en effet plusieurs équivalents-cible en *imaginant* des contextes réels. D'une façon générale, toute traduction proposée pour un exemple décontextualisé reste seulement « probable », comme le note justement J. C. Catford (1967), p. 27. (Quant à la remarque ironisant sur les « phrases grammaticales », nous la reprenons à P. Valentin, cf. J.-R. Ladmiral, 1975*e*, p. 327.)

seule paraphrase synonymique possible d'un énoncé prétendu
« neutre ». Sans parler du trop grossier et scatologique, et peut-
être aussi trop parisien *la chiotte est merdée* (sic!), rappelons
qu'il y aurait : *la bagnole* ou *la tire* ou *la guinde... est esquintée*
ou *bousillée* ou *déglinguée...* A quoi il faudrait ajouter tout un
ensemble de phrases plus ou moins stéréotypées qui n'auraient
pas adopté le même schéma syntaxique. De même, on pouvait
dire *la voiture* ou *l'auto* est *abîmée* ou *cassée,* etc. On pourrait
multiplier les exemples de ce genre à l'infini.

Tous ces exemples appellent une remarque essentielle : on y
voit à quel point dénotation et connotation sont liées et, en fait,
forment un tout. Ainsi, *déglinguée* connote le langage parlé mais
dénote aussi que la voiture dont il s'agit est déjà ancienne et plus
ou moins mal entretenue, que certaines pièces s'en détachent...;
si elle est dite *abîmée*, cela dénote en principe une avarie visible,
alors qu'on la dira *cassée* pour dénoter seulement qu' « elle ne
marche pas »; *bousillée* connote une certaine désinvolture dans
le langage, réelle ou feinte, mais dénote en même temps que les
dégâts sont importants, sans doute qu'il s'agit d'un accident, et
vraisemblablement que ladite voiture est « bonne pour la casse »
(*Totalschaden*); mais là on rejoint *foutue, ratatinée, fusillée...* Et
ainsi de suite.

A chaque fois, c'est un *package deal :* on ne fait pas le détail,
si l'on peut dire; il est extrêmement difficile, sinon même
impossible, de faire le départ entre dénotations et connotations.
C'est en ce sens qu'il convient de « reconsidérer l'opposition
dénotation/connotations », comme l'écrit M.-N. Gary-Prieur
(1971, p. 98) — en un sens donc pratique et « microlinguis-
tique », pourrait-on dire dans la mesure où c'est à des nuances
dénotatives/connotatives minimales que nous renvoient les
exemples qui viennent d'être donnés, et non pas au sens
maximaliste d'une critique théorique et épistémologique comme
celle de M.-N. Gary-Prieur, dont il nous semble qu'elle participe
du positivisme précédemment critiqué. Par ailleurs, il ne s'agit
pas non plus pour nous de contribuer à « une conception non
informationnelle de l'œuvre » (M.-N. Gary-Prieur, 1971, p. 107)
mais au contraire de situer les problèmes de la traduction dans

le contexte de la théorie de la communication (cf. *sup.,* p. 141 sqq.), où prend son sens le concept d'information qui vient assurer son remplissement à la linguistique de l'énonciation.

Une telle nécessité apparaît d'autant plus nettement dès lors qu'on ne s'en tient plus à ce que nous avons appelé des « exemples linguistiques » isolés et *décontextualisés,* et dont n'est pas exploré tout l'axe paraphrastique de synonymie. De proche en proche, on est en effet amené à prendre en compte tout un paradigme d'équivalents synonymiques, comme nous l'avons indiqué plus haut en nous référant au cas où l'on a affaire à des variantes libres du genre : *il pleut sans arrêt/la pluie ne cesse pas* (cf. *sup.,* p. 122 sqq.). Il s'agit maintenant d'un autre aspect, complémentaire, du même problème ; et c'est l'idée même de synonymie qui est en cause.

D'un côté, il y a des équivalences strictement « synonymiques » au sens où l'arbitrage qui aura à les départager est, disions-nous, théoriquement indécidable — c'est-à-dire indécidable en dehors de la pratique traduisante vouée au « bricolage » des ajustements contextuels qui finissent par donner un texte-cible qu'on appelle une traduction. C'est le cas du double exemple que nous venons de rappeler et où il serait bien aventuré d'affirmer qu'il y a une différence stylistique de connotations entre les deux variantes proposées, comme nous l'avions indiqué au début de la précédente étude.

De l'autre côté, comme dans l'exemple automobile de M.-N. Gary-Prieur largement complété par nous et qui nous occupe ici, les équivalents passés en revue ne sont pas à proprement parler des synonymes ; ils renvoient à l'organisation finement différenciée de tout un champ sémantique où chaque item est dans une relation paradigmatique d'opposition sémantique nuancée avec les autres, sans qu'y puissent être nettement dissociées les connotations des dénotations. Là aussi, le traducteur est conduit à explorer, de proche en proche, tout un paradigme paraphrastique d'équivalents quasi ou para-synonymiques, mais c'est pour prendre la mesure des différences ou des nuances qui les distinguent. En ce cas, les choix de traductions sont dictés par le sens même du texte-source et non plus seulement par les contraintes plus ou moins aléatoires de l'ajustement contextuel coextensives à l'écriture d'un texte-cible. En ce cas, « la nuance n'est pas un luxe, elle n'est qu'un aspect de la précision » (cf. *sup.*, p. 58).

Dans la pratique, le traducteur doit avoir dans les deux langues, et tout particulièrement dans sa langue-cible (31), une compétence « puissante » et très démultipliée qui le mette à même de mobiliser tout un contexte paradigmatique de paraphrases « synonymiques » et il lui incombe de faire un choix entre elles après en avoir apprécié la valeur différentielle, en les situant par rapport à une échelle où lesdits synonymes se répartissent en dégradé entre deux pôles, allant de pures et simples *variantes libres* à de véritables *oppositions sémantiques*. En toute rigueur, il ne faudra pas dire que *la voiture est abîmée* et *la bagnole est esquintée,* etc. sont deux variantes synonymiques, différemment connotées, mais qu'il y a entre ces deux phrases une opposition sémantique minimale où s'interpénètrent connotations et dénotations.

Sans doute faudrait-il poser en principe qu'on ne dit jamais « la *même* chose » de *différentes* manières (32). Plus précisément : cette façon de parler est ambiguë et doit être précisée. Quand on prononce l'expression « dire *la même chose* », on peut avoir deux idées en tête ; et c'est à une traduction, en latin-cible, que nous nous en remettrons pour les distinguer l'une de l'autre. Ou bien : il faudrait traduire par *eamdem rem,* et la « chose » dénotée réfèrerait à la même réalité extra-linguistique, dont on parlerait en y surajoutant les connotations de notre subjectivité,

---

(31) Et il n'y a guère de meilleur entraînement aux « techniques d'expression » que la traduction (cf. *sup.,* p. 46 et *passim*).

(32) Dans le catalogue classique des questions posées par H. Lasswell pour analyser le schéma de la communication : « *qui* dit *quoi? à qui?* avec *quels effets?* », on remarquera que le *comment* (*Wie*) connotatif n'est pas même formulé, pas distingué du *quoi* (*Was*) dénotatif. La deuxième question porte donc sur le *quoi-et-comment* du message, qu'au demeurant l'analyse de contenu traite conjointement (cf. A. Moles, 1971, p. 163 sq.).

de notre affectivité. Ou bien : il faudrait traduire de façon syncrétique par *idem* (33).

Dans le premier cas, on s'expose à la fois aux critiques de J. Lyons et à la méta-critique que nous en avons faite (cf. *sup.* p. 157 sqq.) ; c'est ce que nous avons appelé l'obsession du référent. Pour reprendre encore un exemple donné plus haut (cf. *sup.*, p. 120), il est clair maintenant qu'on ne parle pas de « la même chose » ou, plutôt, du « même » animal quand on dit *cheval, canasson* ou *coursier* — à quoi on devrait ajouter, dans l'esprit des analyses faites ici, bien d'autres synonymes comme *monture, bourrin, destrier,* etc. (34). Il s'agit à chaque fois de chevaux différents, identifiés par ces coordonnées linguistiques intriquées que sont dénotations et connotations. Les unes et les autres sont mises en jeu simultanément : *destrier,* par exemple, dénote et connote indistinctement ; c'est à la fois l'idée d'une certaine noblesse, un contexte guerrier, l'époque médiévale (diachronie linguistique et référence historique), etc. Dans ce premier cas, l'idée n'est pas claire et la traduction latine fait affleurer un contresens. On ne dit pas vraiment « la-même-chose » (*idem*).

Dans le second cas : on prend en compte le fait que l'énoncé est un fait de communication où l'information est simultanément dénotative et connotative. C'est donc à une *sémantique des connotations* qu'on est conduit. On ne dit pas « la même *chose* » (*eamdem rem*) au niveau de la dénotation, de manières différentes au niveau des connotations ; mais on peut dire « la *même* chose » (*idem*), c'est-à-dire le même signifié linguistique (dénotatif et connotatif), de façons différentes, c'est-à-dire en ayant recours à des signifiants qui sont des variantes libres.

(33) En allemand-cible, respectivement : *dieselbe Sache* (*dasselbe Ding* ne se dit guère) et *dasselbe*. Ici, nous laisserons de côté le problème logique : identité individuelle ou identité de classe — selon qu'on choisirait, par exemple, de traduire par *dieselbe Sache* ou *die gleiche Sache...*

(34) Comme on sait, le vocabulaire du cheval est très abondant dans nos cultures et il appellerait à lui seul le travail lexicographique de tout un dictionnaire ; chez les hellénistes, il s'est même trouvé un érudit pour publier un *Index du cheval homérique* (chez Klincksieck).

Il n'est guère possible de dissocier un style connotatif et un sens dénotatif, pour les traduire séparément comme proposait de le faire Ch. Taber (cf. *sup.*, p. 121 sqq.), car le style est un élément supra-segmental qui fait partie du *message* communiqué (cf. A. Hill, 1958). Aussi est-il pour le moins étrange, et en fait totalement inacceptable, de trouver dans une encyclopédie consacrée à *La Communication* la note suivante, censée définir le concept de connotation : « variations sur un thème pouvant donner lieu à des permutations sans que le message dénotatif qui, lui, correspond à un sens précis, puisse en être changé. Par exemple, dans une traduction, les connotations du texte peuvent être remplacées par des équivalences sans que la signification soit altérée » (A. Moles, 1971, p. 395)!

5. Sémantique et sémiotique

5.1. Pour une sémantique des connotations

On ne saurait souscrire à une théorie de la connotation qui revient à postuler un modèle « chosiste » de la communication verbale en y projetant le clivage sujet-objet sur le mode d'un dualisme qui est celui de la métaphysique classique. Je ne communique pas *sur* des objets extérieurs (dénotés) en y ajoutant par après le « grain de sel » d'une subjectivité adventice (connotative). La connotation ne peut pas être définie comme un pur « supplément d'âme » stylistique, venu auréoler ou couronner un corps de sens dénotatif. Elle est un élément d'information comme un autre, que la (méta-)communication traduisante est amenée à placer sur le même plan que la dénotation; elle est un élément, un *moment sémantique* de l'énoncé-source — a traduire dans le cadre global et indivis d'un acte de communication, au sein de la démarche synthétique d'une *écriture* qui accouche d'un texte-cible, d'emblée achevé (cf. *inf.*, p. 232 sq.).

On devra donc effectivement « reconsidérer l'opposition dénotation/ connotations » et poser le problème de « l'intégration des connotations dans une théorie sémantique », comme l'indique M.-N. Gary-Prieur (1971, p. 98); mais elle se dispense d'apporter une telle contribution à la linguistique théorique, animée qu'elle est de la volonté de déboucher avant tout sur une théorie du texte littéraire; et nous n'entendons pas nous-même aller au-delà de quelques indications programmatiques, une fois mis en évidence les arguments qui militent pour une sémantique des connotations, car notre perspective est ici seulement celle d'une « linguistique appliquée » à la théorie de la traduction.

Les connotations ne sont pas du ressort de la stylistique, alors que la sémantique se cantonnerait dans l'étude de dénotations assimilées aux signifiés. Contrairement à ce qu'en dit P. Guiraud, les connotations ne sont pas des « associations extra-notionnelles » (1964, pp. 31 sq. et 124) au sens où il veut dire des « associations extra-sémantiques » (p. 32). Indissociables des dénotations, ces « valeurs stylistiques » font partie intégrante du sens des unités linguistiques considérées. Ce sont des *valeurs* tout court au sens saussurien du terme, et non pas au sens proposé par P. Guiraud (*ibid.*); ce sont des valeurs sémantiques déterminées par le réseau paradigmatique des « rapports associatifs » d'opposition entre termes plus ou moins voisins, à quoi s'ajoutent les relations syntagmatiques d'un environnement contextuel. Les différents exemples qui viennent d'être analysés le montrent assez clairement. Il est significatif à cet égard que ce soit seulement dans une note de sa *Sémantique* que P. Guiraud présente la notion de connotation (1964, p. 32), alors que sa *Stylistique* (1963) néglige de traiter la question.

C'est donc à prendre parti pour une sémantique et contre une stylistique, dont on a pu soupçonner combien le statut reste problématique (cf. *sup.*, p. 121 sqq.), que nous sommes conduit pour thématiser les connotations à traduire. Au vrai, cette prise de position s'inscrit dans le cadre d'un débat fondamental qui oppose les théoriciens de la traduction et les partage en deux camps. D'un côté, on aurait les « sémanticiens » ou théoriciens *sémanticistes* de la traduction, qui peuvent être assimilés à des linguistes-philosophes de la traduction; c'est le cas de G. Mounin, E. Nida et Ch. Taber, etc., et c'est à cette tradition que nous nous rallions nous-mêmes. De l'autre côté, il y aurait les « stylisticiens », qui sont des littéraires-théoriciens de la traduction, et en même temps des théoriciens de la traduction littéraire, qui travaillent à élaborer une *poétique* de la traduction comme H. Meschonnic et L. Robel (35).

Du côté du « sémanticisme », pour lequel nous optons, on a vu comment Ch. Taber en était finalement ramené à analyser les connotations dans la troisième étape de son « analyse du sens » (cf. *sup.*, p. 126) — après avoir indiqué d'abord la direction d'une théorie discontinuiste qui débouchait sur un programme en deux temps consistant à « traduire le sens » puis à « traduire le style » (cf. *sup.*, p. 121 sqq.), dont il est apparu que ce serait réduire la marge de manœuvre du traducteur à un choix entre des variantes libres, alors que les paraphrases « synonymiques » avec lesquelles il opère se répartissent en dégradé sur une plage qui va des simples variantes à des nuances d'opposition sémantique.

Quant à G. Mounin, après avoir remarqué que « les connotations sont liées de manière indissoluble aux dénotations » (1963, p. 158), il en vient aussi très justement à intégrer les connotations au « sens des monèmes » (p. 161). Mais c'est après un bien « long périple » (p. 160 et cf. p. 165) discursif consacré à un exposé de thèses passant en revue la littérature linguistique. D'une façon générale, on peut lui reprocher de traiter des « problèmes théoriques de la traduction » dans l'esprit de ce qui mériterait plutôt de s'appeler un « cours de linguistique générale » didactique, sans jamais rien qui ressemble à la moindre référence à la pratique de la traduction (cf. *sup.*, p. 76 sq., etc.). Aussi le chapitre qu'il consacre à la connotation est-il très diffluent et, en fin de compte, les conclusions qu'il en dégage ne ressortent pas clairement.

Surtout, s'il est vrai qu'il opte à juste titre pour une sémantique des connotations, en invoquant l'autorité de A. Martinet (G. Mounin, 1963, p. 161 sq.), il reste prisonnier de l'héritage bloomfieldien ; et il semble s'étonner lui-même de cette convergence quand il remarque combien A. Martinet est « pourtant peu bloomfieldien » (p. 161). Comme André Martinet, Georges Mounin récuse les dichotomies parallèles

---

(35) Nous renvoyons l'examen critique de cette option traductologique, qui n'est pas la nôtre, à une prochaine étude.

opposant les connotations aux dénotations ainsi que le « langage affectif » au « langage intellectuel », auxquels elles feraient écho (p. 161 sq.); parallèlement encore, il hésite à suivre ceux qui voudraient renvoyer les connotations à une stylistique ou à une pragmatique, distincte de la sémantique linguistique, mais c'est toujours en se référant explicitement à Bloomfield (G. Mounin, 1963, p. 158 sq.); et il ne parvient pas véritablement à dépasser les ambiguïtés immanentes aux analyses du grand linguiste américain, qui s'en est tenu à vrai dire à des indications très succinctes concernant la connotation. Ainsi se trouve-t-il engagé dans plusieurs discussions dont l'enjeu et l'issue n'apparaissent pas toujours avec une netteté suffisante.

Il est assez clair qu'on ne peut plus guère définir les connotations comme des « valeurs supplémentaires », ainsi que le faisait Bloomfield (1970, p. 144), ni comme une « information additionnelle » (Ch. Morris, cité par G. Mounin, 1963, p. 147 et *passim*), dès lors qu'on aura admis qu'elles « ne peuvent être clairement distinguées de leur sens dénotatif » (L. Bloomfield, 1970, p. 147). Il y a là une évidence du point de vue de la théorie linguistique, même si la notion de connotation conçue comme « significations secondes » (M.-N. Gary-Prieur, 1971, p. 98) conserve une valeur opératoire pour le traducteur au niveau de sa pratique (cf. *inf.*, p. 184 sq.). Trop bloomfieldien — et aussi parce qu'il reste cantonné sur le plan théorique de la linguistique générale — G. Mounin est amené à consacrer toute une discussion à ce problème qui n'en est pas un (1963, p. 159 sqq. et cf. p. 155 sqq.).

Bien plus, il retrouve sans cesse le problème d'une alternative stylistique (ou « pragmatique ») à la sémantique, ce qui lui fait développer toute une théorie de l'apprentissage linguistique (p. 163 sq. et cf. 157 sq.). En cela, il reproduit une ambiguïté de la logique bloomfieldienne, qui débouche sur une sociolinguistique des connotations alors qu'elle procède d'un axiome concernant l'apprentissage linguistique individuel à partir des contextes situationnels (cf. *sup.*, p. 138). Mais, s'agissant d'assigner un statut précis aux connotations, la question reste posée de savoir comment devront être articulées la perspective sociolinguistique et la dimension psycholinguistique de l'apprentissage.

En tout cas, c'est bien dans le cadre d'une sémantique des connotations qu'on peut intégrer le catalogue « sociolinguistique » des registres connotatifs proposé par un Bloomfield. Même si la limitation dialinguistique des zones de discours à prendre en compte a pour corollaire qu'on n'a pas affaire à proprement parler à des faits de langue, il reste que les connotations sont des faits collectifs de signification qui s'insèrent dans le cadre d'une stratégie globale de communication (cf. *sup.*, p. 141 sqq.). A ce titre, elles concernent l'ensemble de la communauté linguistique au sein de laquelle s'est opérée la différenciation dialinguistique de ces zones de discours. C'est pourquoi nous avions récusé l'analyse psychologisante de G. Mounin, opposant trois sortes de relations pragmatiques et de connotations.

Sauf à considérer le cas aberrant des langages secrets — argots (*stricto sensu*), registres trop localisés ou trop « techniques » de la langue — tout locuteur de la communauté a vocation à décoder les significations dialinguistiques, soit qu'il soit lui-même locuteur compétent dans la zone de discours considéré, soit qu'étant extérieur au milieu, il se contente de percevoir objectivement les significations connotatives attachées à certains usages sociolinguistiques (cf. *sup.*, p. 144). On peut se contenter de reprendre ici la distinction traditionnelle établie empiriquement entre vocabulaire « actif » et vocabulaire « passif », dont la pédagogie des langues étrangères a fait un ample usage. On peut dire globalement que le fonctionnement sémantique de la langue est sans véritables frontières de classes!

Certes, on constate des barrières linguistiques (*Sprachbarrieren*) au sein d'une communauté linguistique unilingue; mais il faut y voir des cas de *déficit* linguistique. Ils correspondent à ce que nous avons appelé des « modes déficients » de la communication qui renvoient à l'étalon idéal d'une compétence globale (cf. *sup.*, p. 142 sqq.), assez « puissante » pour englober la sémantique de toutes les zones de discours qui ont pu se développer au sein de la langue (cf. *sup.*, p. 149). Cette compétence totale reste idéale au sens où, de fait, « la langue n'est complètement dans aucun (individu), elle n'existe parfaitement que dans la masse » comme le disait Saussure (1972, p. 30). Mais elle est quand même le prototype-étalon auquel chaque locuteur mesure sa compétence et vers lequel il tend. Au reste, n'est-elle pas supposée être, en l'occasion, celle de l'observateur, qui constate barrières et déficits?...

En tout cas, c'est sur une telle archi-compétence tendanciellement totale qu'est obligé de faire fond le traducteur : chaque texte-source exige de lui les efforts de documentation nécessaire pour maîtriser, en langue-cible autant qu'en langue-source, tous les registres dialinguistiques mis en œuvre par le texte. S'il est vrai qu'il ne possède pas une telle compétence totale comme un capital statique, à tout le moins tend-il progressivement, de texte en texte, à s'en approcher de façon dynamique et asymptotiquement. Les « langages secrets » n'échappent pas à la règle, ils font partie de ce que nous avons appelé le « donné sociolinguistique » que la méta-communication traduisante prend pour objet.

Il est vrai par ailleurs qu'une sémantique de la traduction (et des connotations) débouche sur autre chose qu'elle-même : elle devra s'élargir aux dimensions du champ culturel et faire place aussi à l'innovation individuelle. C'est pourquoi nous allons devoir revenir (cf. *inf.*, p. 185 sqq.) à ce qu'avec R. Barthes nous avions appelé le « point de vue sémiologique », dont nous avions indiqué qu'il est en continuité avec la perspective sociolinguistique (cf. *sup.*, p. 149). Cet *autre chose* de la sémantique qu'elle appelle comme son complément n'est pas « extra-sémantique », contrairement à ce que donnait à penser P. Guiraud (1964, p. 32). Il s'agit d'apporter à la sémantique un *prolongement*, qu'on devra plutôt dire « *trans-sémantique* » au sens où R. Barthes voyait dans la sémiologie une « trans-linguistique » (1965, p. 81). Au reste, P. Guiraud en vient lui-même à préciser que les valeurs stylistiques « socio-contextuelles » finissent souvent par se *sémantiser* (1964, p. 40). Dans l'esprit de ladite « perspective sociolinguistique », à qui il revient d'articuler la charnière entre la sémantique et son prolongement « sémiologique » ou sémiotique, la théorie de la traduction est donc conduite à *dilater le concept saussurien de langue* (cf. *sup.*, pp. 18, 150, etc.).

D'une part, on vient de voir qu'il y a lieu d'y intégrer les connotations propres à toute zone de discours. La langue est en quelque sorte *démultipliée* par les registres dialinguistiques qui la diversifient et qui viennent ainsi contribuer à augmenter le stock des significations connotatives et autres dont peuvent disposer les locuteurs. Commandé par la perspective de la réception, puisqu'il ne contrôle pas l'encodage des énoncés-source, le traducteur doit nécessairement avoir intégré ces connotations à la sémantique de ce que nous avons appelé son « archi-compétence ».

D'autre part, le concept de langue devra aussi être dilaté ou élargi pour s'ouvrir sur les horizons socio-culturels qui viennent assurer le remplissement réel de sa sémantique. De proche en proche, ce sont toutes les présuppositions *du champ culturel* que le traducteur finirait par être amené à maîtriser. Aussi avons-nous repris à H. Meschonnic la notion de *langue-culture,* dont la traduction fait apparaître la pertinence sémantique. En mettant deux langues en contact, la méta-communication traduisante entraîne ce que nous avons appelé une objectivation des connotations (cf. *sup.*, p. 144); elle met en évidence le fait que les connotations culturelles sont propres aux contextes de chaque langue et qu'à ce titre, elles doivent être traduites, c'est-à-dire qu'elles doivent figurer dans le texte-cible puisqu'elles font parties des informations que comporte, implicitement, le texte-source.

Nous préférons, quant à nous, thématiser ce problème en utilisant le concept de *périlangue* (cf. *sup.*, p. 61 et *passim*) dans la mesure où il ne s'agit pas seulement de traduire d'une « langue-culture » à l'autre : la langue ainsi « dilatée » n'englobe pas seulement le contexte de la civilisation dont elle est solidaire. Il faut aussi faire une place au substrat référentiel, voire à certains traits comportementaux, qui accompagnent les énoncés des locuteurs-source. Ainsi devra-t-on parfois traduire, dans certains contextes, l'anglais-source *the river* par le français-cible « la Tamise », etc. Au vrai, on pourrait considérer aussi que ces éléments de référence font partie des supposés culturels de la langue-source, mais il est quand même plus explicite d'utiliser le concept de périlangue. Ces con-notations, ces signifiés périlinguistiques devront être réinvestis, éventuellement neutralisés puis reconstitués, dans le message-cible par le traducteur (36).

5.2. Psychologie et théorie linguistique

Mais cette « dilatation » sociolinguistique de la langue, à laquelle nous a conduit la sémantique des connotations, semblerait appeler de façon parallèle et complémentaire un second prolongement para-linguistique, sinon véritablement « non linguistique », du côté de la psycholinguistique. On a vu qu'il y a indiqués les deux aspects chez Bloomfield. Conformément à cette ambiguïté qui traverse implicitement les analyses bloomfieldiennes, n'est-ce pas aussi le chemin que prend G. Mounin en thématisant l'apprentissage linguistique?

En allant dans ce sens, on répondrait à la préoccupation de M.-N. Gary-Prieur, qui proposait d'intégrer à une linguistique des connotations non seulement la théorie de l'énonciation mais encore le concept de *compétence,* comme on l'a vu plus haut (cf. *sup.,* p. 165). N'avons-nous pas nous-même pris en compte la perspective « sociolinguistique » ou dialinguistique dans le cadre de l' « archi-compétence » du traducteur? En reprenant le concept chomskyen de compétence, on pourrait assurer « l'articulation... du linguistique sur le psychologique » au sein d' « une linguistique qui intègre le sujet parlant », comme le demande M.-N. Gary-Prieur (1971, p. 98). La référence aux analyses « psycho-linguistiques » de G. Mounin est d'ailleurs explicite chez elle (p. 98 sq.).

(36) On a alors à faire ce que nous appelons des « incrémentialisations » (cf. *inf.,* p. 219), c'est-à-dire en l'occurrence à des explicitations du « *non-dit* », implicite à la langue-source. Pour une « exemplification » de ce réinvestissement sémantique interlinguistique, cf. *inf.,* et notamment p. 235 sqq. pour un exemple qui nous fait toucher aux limites de la traduction à cet égard.

Le problème étant de savoir si les connotations font véritablement partie de la signification linguistique (encore!), la solution trouvée par l'auteur des *Problèmes théoriques de la traduction* est astucieuse. Dans la mesure où « l'apprentissage des significations se fait par (des) voies différentes », il y aurait (au moins) deux pôles du sémantisme linguistique, correspondant à deux modes d'apprentissage spécifiques : la dénotation correspondrait à ce qui a été appris par la voie didactique « de définitions de type logique » (enseignement, dictionnaires, etc.) et la connotation à ce qui a été acquis « au hasard des messages » par l'expérience empirique des contextes et des situations (G. Mounin, 1963, p. 163).

Une telle solution, si bien balancée, est certes séduisante pour l'esprit, et elle peut même sembler partiellement éclairante, il nous faut néanmoins lui opposer notre *non possumus*. En effet, c'est rien moins qu'en commettant les connotations à une psychologie de l'apprentissage linguistique *individuel* qu'on pourra en faire la théorie sémantique que demande la traduction. « Il est vrai de dire que la signification (linguistique) d'un terme est, pour chaque locuteur, la somme des situations et des contextes dans lesquels ce locuteur a entendu et utilisé ce terme » (G. Mounin, 1963, p. 163), tel est le postulat « psychopédagogique », qui se situe très exactement dans le cadre des présupposés béhaviouristes de l'héritage bloomfieldien, dont se soutiennent ces analyses.

En optant finalement pour les antécédents psychologisants d'une théorie de l'apprentissage plutôt que pour les conclusions sociolinguistiques dégagées par Bloomfield, G. Mounin en reste donc à une individuation des connotations, dont nous avons fait la critique au nom d'une analyse de la communication conçue comme stratégie globale d'un phénomène social total (cf. *sup.*, p. 141 sqq.). Dans cet esprit, et dans la logique de la stylistique des connotations littéraires et poétiques qu'il avait proposée (cf. *sup.*, p. 137 sq.), G. Mounin quitte donc le camp des « sémanticiens » pour rejoindre en fin de compte celui des « stylisticiens ».

Il s'oriente vers une poétique de la traduction procédant de ce que nous avons appelé une stylistique « polaire », qui revient à opposer prose et poésie, la première étant conçue comme le pôle non marqué, comme un degré zéro de l'écriture littéraire, et la seconde comme le pôle marqué, qui est le lieu des connotations. S'il est vrai qu'on peut se satisfaire superficiellement d'une telle conception de la littérarité, dans la mesure où elle fournit un premier principe de classement des discours à traduire et correspond à une sorte d'idéologie régnante préréflexive (cf. *sup.*, p. 127), elle est cependant inacceptable pour de multiples raisons.

D'abord, il a été établi qu'il y a une « connotation minimale » de tout discours (cf. *sup.*, p. 152 sqq.) et l'on n'atteint jamais à ce degré zéro qui aurait neutralisé toute connotation. Autrement dit, il n'y a pas de connotations que poétiques, tant s'en faut (cf. R. Galisson et D. Coste, 1976, p. 118). Opposer les connotations poétiques aux dénotations, prosaïques, objectives, voire scientifiques, c'est encore revenir à ce que nous avons appelé l'obsession du référent (cf. *sup.*, p. 164 sq.) et oublier que, dans le langage, tout est information, y compris les connotations de la poésie (cf. *sup.*, p. 166 sqq.). Plus généralement c'est reproduire une métaphysique dualiste au sein des conceptualisations de la science linguistique, alors que l'attitude sémanticiste à laquelle nous nous sommes rallié amène à relativiser la dichotomie opposant connotations et dénotations au sein du signifié linguistique.

Et puis les sortilèges de l'ineffable et du « mystère poétique » méconnaissent la véritable dimension de la communication, essentielle à tout phénomène linguistique (cf. *sup.*, pp. 138 et 141 sqq.). Si la « communication poétique » renvoie à un fonctionnement quasi psychanalytique de la poésie, comme le suggère G. Mounin (1971, p. 183), le traducteur n'a plus qu'à baisser les bras. Il lui sera en effet bien difficile de convoquer et de confesser son Auteur-source « sur le divan », surtout si la traduction est posthume! On se retrouverait confronté à ce que nous avons appelé l'objection préjudicielle de l'intraduisibilité et du solipsisme linguistique. En fin de compte, et très rapidement, on peut ramener les difficultés de la traduction poétique ou littéraire à trois types de problèmes.

Soit, la difficulté tient à la *forme du signifiant* du texte-source, et on touche là aux limites de la traduction et à l'intraduisible; mais c'est une intraduisibilité occasionnelle, plutôt un « trou » dans la traduisibilité fondamentale de l'œuvre et donc, finalement, un contre-argument à l'objection préjudicielle. Soit, on a affaire à des connotations *sémantiques* ou encore à des images poétiques, qui correspondent elles-mêmes à un contenu sémantique, et la traduction est « aisée »... Soit, la difficulté renvoie au *fonctionnement du texte;* et là, d'une façon générale, il faut admettre que la sémantique débouche sur autre chose qu'elle-même, mais c'est sur une « sémiologie » ou sémiotique que nous avons déjà annoncée (cf. *inf.,* p. 185 sqq.) et non pas sur une individuation psychologiste des connotations (37).

Quant à l'échéance d'une *lecture plurielle* à laquelle nous confronte l'œuvre littéraire, elle ne représente pas un quatrième ordre de difficultés de traduction *sui generis.* Elle correspond seulement au prolongement *herméneutique* qu'appelle la *sémiotique* que nous allons indiquer, laquelle est elle-même le prolongement de la *sémantique* des connotations, comme on vient de le voir. Sur ce dernier problème, nous reviendrons dans le cadre d'une prochaine étude.

Quand G. Mounin se fait bloomfieldien et quand il reprend à la lettre un béhaviourisme psychologisant, qui n'est déjà plus bloomfieldien, il méconnaît fondamentalement la spécificité du linguistique. Chez Saussure, qui fait du signe linguistique, comme on sait, « une entité psychique à deux faces » (F. de Saussure, 1972, p. 99, etc.), une telle psychologisation du linguistique est acceptable dans la mesure où il faut n'y voir qu'une *approximation* pédagogique, située historiquement, par rapport au niveau de développement atteint par les sciences humaines de son temps. Mais G. Mounin n'a certainement pas

---

(37) Quand bien même Georges Mounin considère le « Que sais-je ? » de P. Guiraud (1963) comme dépassé (cf. G. Mounin, 1971, p. 186), c'est finalement à une *stylistique* de ce genre qu'il en vient, sans solution de continuité entre une « stylistique 1 » des ressources expressives de la langue et une « stylistique 2 » de leur mise en œuvre littéraire (cf. *sup.,* p. 128 sq.), la seconde tendant à phagocyter la première.

raison de le prendre au mot, en lui faisant dire à peu près que le signifié serait une sorte de référent psychologique ou conceptuel (G. Mounin, 1963, p. 149 sq.). Surtout, le « psychologisme » de Saussure (chez qui on trouvera aussi beaucoup plus d'éléments allant dans le sens d'un *sociologisme*) concerne les grandes lois générales supposées du fonctionnement mental de l'esprit humain — ce qui est tout autre chose que de pulvériser la sémantique des connotations en une poussière contingente et aléatoire de biographies individuelles, poudre impalpable et cendres froides de quelques feux d'artifices poétiques sans lendemains ni véritables spectateurs.

Mais, dans notre refus de laisser la psychologie envahir la théorie linguistique, on voudra bien ne pas voir le regard sourcilleux et inquiet d'un « chien de garde » positiviste obsédé de « coupures épistémologiques » et soucieux de veiller sur les « plates bandes » de la discipline linguistique. Il est certes nécessaire d'assurer à cette dernière les prolongements interdisciplinaires d'une psychologie analysant les processus mentaux qui sous-tendent notre fonctionnement linguistique. C'est le sens des recherches qui sont entreprises ici et là, notamment sur les mécanismes psychiques qui rendent possibles le travail de l'interprète (38), ce qui nous apprendra aussi quelque chose sur la façon dont travaille le traducteur (cf. *sup.*, p. 42 sq.). Il reste que la frontière doit être tracée nettement entre psychologie et théorie linguistique.

Ce n'est pas une psycholinguistique des locuteurs, ni même de l'Auteur-source, qui peut remplacer la sémantique des connotations et nous aider à les traduire. Par contre, il est vrai que la théorie de la traduction ou traductologie pourra faire son profit d'une « psycholinguistique » de l'archi-compétence du *traducteur* lui-même, tel était le sens du modeste et trop allusif excursus que nous avons fait dans cette direction. S'agissant d'une psychologie empirique du traducteur, et non pas de

___

(38) Cf. les travaux de J. F. Le Ny ou les recherches entreprises par l'équipe interdisciplinaire du G.E.L. (Groupe d'Etudes du Langage) de Créteil autour de D. Seleskovitch, M. Pergnier, etc.

l'inassignable psychanalyse de l'Auteur-source ni de la trop balbutiante encore psycholinguistique des locuteurs en général (cf. J.-R. Ladmiral, 1975e, p. 527 sq.), il convient de rappeler qu'on doit bien séparer théorie et pratique quand il s'agit de traduction (cf. *sup.*, p. 162).

Ainsi, du point de vue épistémologique de la *théorie* linguistique, on en vient à réintégrer les connotations au sein des signifiés et à ne plus faire la différence avec les dénotations, de sorte que le concept de connotation finit par ne plus avoir de contenu qui lui soit propre. A moins qu'au contraire il n'ait la vocation holiste de tendre à recouvrir, comme la signification bloomfieldienne, « le contenu total de la situation » (cf. G. Mounin, 1963, p. 157). En tout cas, c'est bien à sa dissolution que conduisent les analyses de la linguistique contemporaine. Au regard de la théorie linguistique, le concept de connotation « ne tient pas », car il ne peut être pensé à fond sans finir par se dissoudre dans le signifié lui-même. Pour des raisons différentes, nous sommes amené à rejoindre les conclusions d'un J. Lyons (cf. *sup.*, p. 157 sqq.). Incapable de satisfaire aux exigences théoriques de rigueur conceptuelle qui définissent la linguistique, la notion de connotation ne relève pas tant du discours scientifique que du discours didactique ou pédagogique (cf. *sup.*, p. 73). C'est en ce sens qu'on peut la dire « non linguistique ».

Mais, s'il est vrai que la connotation ne saurait être prise au sérieux jusqu'au bout ni accéder à un statut théorique épistémologiquement satisfaisant (39), elle reste irremplaçable justement au plan pédagogique de la *pratique* traduisante. Il convient de conserver cette notion précieuse et de faire fi des objections qu'elle appelle de la part de la linguistique théorique, car elle a

---

(39) C'est au niveau de la *théorie linguistique* que nous maintenons ce jugement sévère que nous avons déjà formulé au passage (cf. *sup.*, p. 58). La connotation doit être cependant réhabilitée non seulement, donc, dès lors qu'il s'agit de la *pratique* du traducteur (cf. *inf.*, p. 199) mais aussi, comme nous l'allons montrer tout à l'heure, quand elle recouvre un sens précis et renouvelé dans la perspective de la théorie *sémiotique*.

été élaborée à partir de la pratique, dont elle se nourrit ; et, dans cette mesure même, elle contribue beaucoup à l'éclairer. Il faut seulement se résigner à ne lui accorder qu'un statut empirique ou pragmatique, au niveau d'un « bricolage » psycholinguistique impressionniste à usage interne.

De ce point de vue, traductologique, une certaine *psychologie du traducteur* (voire, y compris, une psychanalyse de ce dernier) peut reprendre ses droits. Mais, encore une fois, il ne s'agit que d'une psychologie empirique, essentiellement introspective, qui ne concerne que le traducteur, comme praticien — en attendant mieux, avec les apports d'une psycholinguistique interdisciplinaire, plus scientifique. Ainsi, on pourra reprendre la remarque de bon sens d'un Pierre Guiraud, qui parle de la « nature psycho-associative » (1964, p. 44 et *passim*) du signe linguistique, prenant au pied de la lettre les approximations saussuriennes avec la psychologie associationniste dont elles se nourrissent, tout en y ajoutant le remplissement plus moderne mais un peu hétéroclite du schéma béhaviouriste stimulus-réponse (S-R) et de l'arc-réflexe pavlovien. Car finalement, dit-il aussi très simplement, « tout se passe dans l'esprit » (p. 12).

En ce sens tout à fait commun et limité, mais bien commode, la pratique traduisante pourra continuer à utiliser les catégories « psychologiques » qui lui sont indispensables et la sémantique des connotations dont se sert empiriquement le traducteur pourra parler de « valeurs supplémentaires » ou associées (cf. *inf.*, p. 199). Mais il reste maintenant à présenter une sémiotique des connotations qui vient en compléter la sémantique, et qui a dans son absence sans doute contribué à provoquer les débordements psychologisants par nous critiqués, comme s'ils venaient en combler l'attente.

5.3. Pour une sémiotique des connotations

En faisant déboucher le programme d'une sémantique des connotations sur autre chose qu'elle-même, la traduction poétique ou littéraire ne fait pas exception. Arrachée à son contexte effectif ou « dé-contextualisée », c'est-à-dire hors d'un texte réel où elle prend son sens, toute phrase est intraduisible à la rigueur. Ainsi avions-nous hésité à proposer la moindre traduction-cible pour des exemples-source pourtant aussi simples que *la voiture est abîmée* et ses différentes paraphrases, argotiques ou non (cf. *sup.*, p. 167). Mais ce n'était pas revenir à la logique de l'individuation qui finirait par faire de chaque énoncé ce que nous avons appelé un « hapax sémantique » (cf. *sup.*, p. 141), incommensurable à tout autre, dans l'esprit héraclitéen de l'antique dicton selon lequel « on ne se baigne jamais deux fois dans le même fleuve »...

Loin de désintégrer ainsi les connotations à traduire en autant d'instantanés impressionnistes (*Abschattungen*) abandonnés au flou stylistique de la « compétence » psychologisée de chaque locuteur, c'est à en réintégrer la teneur sémantique comme informations dans l'horizon d'une structuration contextuelle que doit s'attacher la linguistique de l'énonciation traductive. Pour répondre au problème ainsi posé à la traduction du sens total d'un texte, la sémantique des signifiés de la langue se continue en une théorie du discours comme acte de parole (*speech act*) et débouche nécessairement sur une analyse interprétant le *fonctionnement du texte*, lui-même, qui fait l'objet de l'approche sémiotique à laquelle il a été déjà fait référence à plusieurs reprises (cf. *sup.*, p. 148 sqq. et *passim*).

Comme dans certaine histoire juive, c'est toujours par une autre question que le traducteur répond à la question : « Comment traduisez-vous tel mot? » — « Quel est le contexte? » Autrement dit, selon une formule fameuse qu'on peut faire remonter à Meillet ou a Wittgenstein : *les mots n'ont pas de sens, ils n'ont que des emplois*. A quoi font écho le concept de collocation, l'opposition entre un sens de base et les « effets de sens » qui en sont la réalisation ou encore l'expression plus banale selon laquelle un mot « *prend* son sens » dans le contexte, etc. (cf. *inf.*, p. 206). Pour le traducteur, c'est une vérité d'expérience quotidienne et ce n'est pas « à coups de dictionnaire » qu'il arrive à briser la coquille qui renferme le sens des textes qu'il affronte. Si le travail du lexicographe est d'articuler la signification en grains ponctuels qu'il enfile sur un chapelet alphabétique, le métier du traducteur ne peut tisser son texte que s'il ouvre d'abord ces points de sens sur l'espace d'un *contexte*, aux deux sens du mot : au sens strict d'un environnement textuel et au sens franglais, très élargi, du contexte situationnel, qui tend de proche en proche à donner la totalité de l'univers et du temps pour « contexte » au moindre énoncé.

Au vrai, par rapport au problème qui nous occupe, les deux aspects du problème s'avèrent intimement liés et l'on est renvoyé sans cesse de l'un à l'autre (cf. *inf.*, p. 196). C'est pourquoi nous avons préféré ne pas procéder ici à la thématisation terminologique de cette différence sémantique (cf. *sup.*, p. 137). Il reste que, dans la mesure où *context* désigne en anglais l'environnement extra-linguistique ou situationnel de l'énoncé et où cet usage élargi « déteint » sur le français des linguistes, il est possible de « surpréciser » le sens strict du terme en se servant de néologismes comme *co-text* en anglais, selon une suggestion de J. C. Catford (1967), p. 31 : mais la reprise en français du calque « co-texte » ne s'impose pas vraiment, car c'est bien le sens premier du mot *contexte* dans notre langue. Il y a là seulement une variante utilisable quand il est nécessaire de neutraliser une ambiguïté trop gênante. Nous n'avons pas eu besoin d'y avoir recours, puisque la problématique du référent extra-linguistique en traduction n'a pas été développée au-delà de ce que permet d'en appréhender l'approche sémiotique. Le problème reste toutefois posé, ne fût-ce que par rapport aux problèmes spécifiques posés par le phénomène terminologique (cf. *inf.*, p. 222 sqq.), et il devra faire l'objet d'une réflexion approfondie.

Ce prolongement nécessaire de la sémantique nous entraîne au-delà de la linguistique au sens restreint, telle que nous la connaissons. Il s'agit là d'un domaine extrêmement vaste où rien n'est encore établi avec certitude, pas même la terminologie, et plusieurs étiquettes sont possibles. Si l'on pense surtout à une étude des relations qu'entretiennent aux signes linguistiques leurs utilisateurs, on pourra parler de *pragmatique*, comme le fait G. Mounin (1963, p. 158 et *passim*). L'étiquette *stylistique* peut aussi être reprise, mais au sens que lui a donné Jean Fourquet d'une analyse des rapports existant entre le plan du signifié et la réalité extralinguistique. Comme il s'agit d'abord d'une étude du fonctionnement sémantique des unités linguistiques dans leur contexte, on pourra parler de *textologie* ou de

« linguistique du texte », comme on dit volontiers en allemand (*Textlinguistik*), mais cette étiquette est peut-être encore trop restrictive. En fin de compte, ce sont les termes de « sémiologie » ou *sémiotique* que nous avons choisi d'adopter, à la fois parce qu'ils semblent devoir s'imposer et parce qu'ils ont sans doute l'extension la plus large (40).

S'agissant de connotation, c'est en l'occurrence à la théorie de Louis Hjelmslev qu'il y a lieu maintenant de faire référence, pour dégager un troisième sens de la notion, non plus logique (cf. *sup.*, p. 129 sqq.) ni même strictement linguistique (cf. *sup.*, p. 132 sq., etc.), qui est le *sens sémiotique*. En aval des analyses du linguiste danois, on trouvera dans les *Eléments de sémiologie* de Roland Barthes (1965, p. 163 sqq.) une précieuse présentation du problème.

Pour L. Hjelmslev, la connotation désigne un mode de fonctionnement particulier des signes linguistiques qui fait jouer à l'ensemble formé par le plan de l'expression (signifiant-1) et le plan du contenu (signifié-1) de ces derniers une fonction d'expression au deuxième degré (signifiant-2). Pour reprendre notre exemple initial, la phrase « la bagnole est esquintée » est expression (signifiant-1) qui dénote un certain contenu (signifié-1) et qu'on a pu dire, au niveau du référent, synonyme de « la voiture est abîmée »; pour L. Hjelmslev, c'est l'ensemble expression (signifiant-1) *et* contenu (signifié-1) qui constitue l'expression d'un *connotateur* (signifiant-2) dont le contenu (signifié-2) « connote », en l'occurrence, la coloration argotique d'un certain laisser-aller dans le langage en même temps qu'un marquage sociolinguistique.

On remarque qu'il n'y a pas isomorphisme entre les unités

(40) Toutes ces étiquettes ne sont pas véritablement synonymes, comme on le voit, mais elles sont équivalentes eu égard à la perspective que nous définissons ici. Dans l'esprit du « libéralisme terminologique » pour lequel nous avons opté (cf. *sup.*, p. 137), nous nous contentons de les juxtaposer sans justifier notre choix plus avant. Cf. M. Arrivé (1976), où l'auteur analyse les flottements d'une « nébuleuse lexicale » (p. 98) du même ordre, quoique plus spécifiquement littéraire. Sur « sémiologie ou *sémiotique* », cf. *inf.*, p. 197.

dénotatives du premier degré, ici quatre mots, et les unités du deuxième degré qui définissent le langage de connotation, ici un seul connotateur de vulgarité. On peut dire que le choix de *bagnole* (par opposition à *voiture*) et celui de *esquintée* (par opposition à *abîmée*) constituent les deux éléments d'un seul « signifiant discontinu » (signifiant-2) ayant un signifié unique (signifié-2). Bien plus, il faut sans doute même dire que le connotateur en question est d'une dimension qui excède en réalité les bornes de la phrase considérée — d'où, encore une fois, notre hésitation à en fournir « la » traduction, en allemand-cible par exemple ; et où l'on voit que la perspective sémiotique tend à intégrer le contexte (*stricto sensu*) d'un registre dialinguistique au contexte (*lato sensu*) d'une expérience vécue... La dimension d'un connotateur (signifiant-2) peut aussi être inférieure à celle des unités linguistiques dénotatives (signifiants-1), comme dans le cas d'un graphisme connotant l'archaïsme, dans « l'e*sch*olier » par exemple (41).

Ce concept de connotateur sémiotique non isomorphe aux unités linguistiques dénotatives est d'un intérêt capital dans la perspective qui est la nôtre, car il permet notamment de donner des assises théoriques précises à la notion empirique de *compensation* dont le traducteur est sans cesse amené à faire usage dans sa pratique. La fameuse « balance du traducteur » n'est dès lors plus seulement une autre façon d'appeler les purs et simples aux « coups de pouce » qu'il lui faut toujours donner dans son travail pour agencer « au pifomètre » un texte-cible qui soit, au-delà du « mot à mot », assez ressemblant à l'original.

On n'en passe pas moins pour autant, certes, par la médiation herméneutique de la subjectivité cultivée du traducteur, qui doit toujours interpréter son texte-source. Certes, la théorie de la traduction ou traductologie reste une praxéologie (*Handlungs-*

---

(41) Cf. notamment M. Arrivé (1973), p. 60 et *passim*. Cet article propose une « théorie des textes poly-isotopiques » dont la traductologie pourra faire son profit, dans la perspective sémiotico-sémanticiste qui est la nôtre, en prolongeant les présentes analyses du côté notamment de la traduction littéraire ou poétique.

wissenschaft) qui se mesure moins à des critères épistémologiques *a priori* de « scientificité » qu'au résultat terminal et *a posteriori* de ces *produits* qu'on appelle des traductions, les textes-cible. Mais on retire de la sémiotique de l'Ecole danoise le bénéfice fondamental d'un instrument théorique qui permet de conceptualiser la pratique traduisante et d'évaluer avec plus de rigueur les «compensations» auxquelles elle ne cesse de procéder.

Concrètement : une fois le contenu connoté dans le texte-source (signifié-2) apprécié à sa juste valeur (... « supplémentaire ») par le traducteur, il est loisible à ce dernier de choisir n'importe quel connotateur-cible, sans plus se soucier de la forme qu'avait prise le connotateur-source. Il s'arrêtera au connotateur le plus adéquat à « rendre » le connoté-source en langue-cible. Voilà en partie de quoi délivrer le traducteur de ses angoisses et de son hypnose face aux signifiants-source. A la lumière de cette conceptualisation théorique, l'absurdité de certains reproches faits aux traducteurs devient éclatante : ainsi, par exemple, quand on déplore que n'ait pas été respecté l'ordre des mots, que l'unité faussement terminologique d'un terme-source n'ait pas été conservée dans le texte-cible (cf. *inf.*, p. 220 sqq.), que l'étymologie d'un terme-source n'ait pas été « rendue »... et autres fariboles si souvent alléguées par les cuistres ignorants!

On rejoint ici le concept descriptif de *dissimilation* que nous avons proposé d'emprunter à la phonétique combinatoire (qui décrit les sons d'une langue) pour le faire servir à conceptualiser la pratique interlinguistique du traducteur et le rapport qu'il entretient aux signifiants écrits de ses deux langues de travail (cf. *sup.*, pp. 39, 57 et *passim*). Il s'agit d'autoriser, et même d'encourager le traducteur à « dissimiler » (ou, comme on pourra dire aussi, à « lancer le poids plus loin »), c'est-à-dire à s'éloigner du connotateur-source, pour choisir un connotateur-cible qui ne lui est pas « ressemblant » au plan du signifiant mais qui connote bien le même signifié.

A cette seule indication, on mesure quelle peut être l'importance de l'apport hjelmslévien à la théorie de la traduction, et on comprend mal la légèreté avec laquelle G. Mounin l' « expédie », dans une note de trois lignes (1963, p. 154)! Si, pour lui, « l'usage tout à fait personnel » que fait L. Hjelmslev du terme de connotation est « sans rapport immédiat » avec les problèmes théoriques de la traduction, c'est qu'en fait il reste prisonnier du clivage traditionnel entre sémantique et stylistique, dont on a vu qu'il doit être dépassé dans la perspective d'une théorie de la traduction. Alors qu'en fait le concept hjelmslévien de connotateur nous permet au contraire, on le voit, de dégager un « théorème pour la traduction » dont l'application va même bien au-delà du seul problème des connotations telles qu'on les conçoit habituellement! Et les éléments de réponse essentiels qu'il apporte viennent prolonger la sémantique des connotations que nous avons esquissée, en offrant un cadre théorique où peuvent prendre place les différentes analyses qui nous y ont conduit.

Après avoir défini le concept de connotateur, comme nous l'avons rappelé brièvement, L. Hjelmslev ajoute : « Un langage de connotation n'est donc pas une langue », c'est « un langage dont l'un des plans, celui de l'expression, est une langue » (1968, p. 161). La connotation est analysée comme une *fonction sémiotique* (p. 160 et *passim*) qui, dirons-nous, fait « fonctionner » une langue naturelle *au deuxième degré*. Est-ce à dire qu'on quitte le terrain de la linguistique pour basculer dans le flou « inquiétant » du non-linguistique, qui appellerait les critiques épistémologiques d'un purisme « linguisticien »? Ce n'est pas ce que pense L. Hjelmslev, pour qui « les connotateurs constituent eux aussi un objet qui relève de la linguistique » (p. 160).

Les analyses hjelmsléviennes demanderaient à être resituées dans le cadre plus large de la théorie sémiotique, il faudrait notamment les articuler aux approches de même ordre et plus ou moins divergentes, comme la « sémiologie des paragrammes » proposée par J. Kristéva (1978, p. 113 sqq.) ou la poétique de la traduction de H. Meschonnic (1973, p. 303 sqq.). De proche en proche, on glisserait insensiblement hors du champ de la linguistique, vers l'impossible rencontre d'un horizon totalisant l'ensemble des sciences humaines; et, sur ce point, nous rejoignons les critiques que D. Delas et J. Filliolet (1973, p. 58 sq.) adressent au concept holiste de connotation thématisé par J. Kristeva. Le problème épistémologique des rapports entre sémiotique et linguistique (*stricto sensu*) reste posé lui aussi, quand bien même nous nous rallions à la position de L. Hjelmslev, qui intègre la perspective sémiotique à une linguistique élargie... Tous ces problèmes théoriques excèdent les bornes de la présente étude, déjà excessivement diffluente, et surtout limitée à la finalité d'une application dans l'optique de la pratique traduisante.

Par contre, le problème des *unités sémiotiques*, de leur dimension et de leur nature, que Michel Arrivé pose à la poétique et à la « sémiotique textuelle » (1976, p. 109 sqq.) concerne aussi très directement la théorie de la traduction. Nous nous sommes contenté de reprendre à L. Hjelmslev le concept de connotateur, mais le non-isomorphisme des connotateurs aux unités linguistiques fait justement qu'il reste à définir (à tous les sens du mot) ces unités sémiotiques. Les connotateurs sont en effet des unités sémiotiques de fonctionnement d'un texte dont le découpage ne peut plus s'appuyer sur celui des unités de la langue (« langage de dénotation »), puisqu'elles s'en trouvent justement comme « décrochées » pour faire jouer la signification « au deuxième degré », disions-nous — à un niveau différent, qui est le plus souvent de dimension supérieure ou « supra-linguistique (une connotation argotique, par exemple), mais qui peut être aussi de dimension inférieure ou « infra-linguistique » (tel graphème archaïsant, par exemple).

Au plan de la théorie sémiotique, ce problème reste encore sans solution. C'est du moins ce qui ressort du bilan dressé par Michel Arrivé, qui ne débouche que sur la mise en cause critique de trois réponses aporétiques. Au terme d'une analyse indiquant les faiblesses des recherches structuralistes touchant ce problème, sa conclusion est qu' « il semble, dans l'état actuel des travaux en France, qu'aucune procédure ne permette, sauf cas exceptionnel, de déceler et, à plus forte raison, de construire en système les unités du plan de connotation » (1976, p. 110 sq.), sans qu'à ses yeux il y ait plus à attendre de la solution, qu'on pourrait dire « microsémiotique », des *différentielles signifiantes* dont parle Julia Kristeva ni des coups de force terminologiques d'un Henri Meschonnic, qui se contente de créer des composés néologiques juxtaposant des concepts opposés, comme « le concept, à la fois fascinant et problématique, de *forme-sens* » (M. Arrivé, 1976, p. 111).

Mais la pratique a ses exigences et ses urgences et la solution à laquelle nous pensons consiste à renvoyer ce problème du découpage des unités sémiotiques au problème classique des *unités de traduction* (U.T.). Il y a en effet entre ces deux problèmes la même relation dialectique qui articule la tension existant entre théorie et pratique en traductologie. La théorie sémiotique permettra de poser le problème pratique des unités de traduction en des termes renouvelés et, en retour, la pratique traduisante apportera des éléments de solution permettant de sortir de l'aporie où se trouve enfermé le problème théorique des unités sémiotiques. C'est donc au niveau pratique des applications que pourra être dégagé le théorème sémiotique à la lumière duquel on pourra délimiter les unités de traduction identifiées comme connotateurs.

Cette question devra être reprise (cf. *inf.*, p. 203 sqq.) et, posée en termes sémiotiques, elle trouvera une réponse en même temps qu'elle en apportera une au problème de la synonymie (cf. *sup.*, pp. 159 et 163 sq.). Mais ce n'est pas le seul bénéfice qu'il y aura lieu de retirer du cadre théorique hjelmslévien. Ce dernier permet d'intégrer comme corollaires la plupart des problèmes précédemment rencontrés.

La définition des connotations comme valeurs non distinctives n'a plus, dans une perspective sémiotique, le sens d'un retour à l'individuation des connotations (cf. *sup.*, p. 139 sq.). Elle reste valable au niveau de la langue comme « langage de dénotation », mais il est certain aussi que ces valeurs redeviennent pertinentes ou « glottiques » au niveau de la connotation. C'est particulièrement vrai pour le traducteur — qui se trouve placé dans une situation de décentrement interlinguistique comparable à celle que connaît celui qui apprend une langue étrangère. Pour ce dernier, il ne suffit pas de maîtriser le système *phonologique* de la langue seconde, il lui faut tout autant, sinon plus, acquérir la substance *phonétique* étrangère qui vient en assurer le remplissement vécu et qui se charge pour lui d'une objectivité inaperçue du locuteur natif. Ce modèle élémentaire peut être extrapolé en traductologie, et aux différents niveaux de la langue (morpho-syntaxe, lexique, phraséologie, voire habitus rhétoriques, etc.) que la méta-communication traduisante est conduite à objectiver et à prendre en compte comme un donné « sociolinguistique » (cf. *sup.*, p. 144).

Par là même, la connotation sémiotique prolonge aussi la sémantique des connotations en y intégrant la « perspective sociolinguistique », sans les inconvénients qui en faisaient les limites (cf. *sup.*, p. 150 sqq.), et sans prendre le chemin d'une régression psycho-linguistique individualisante. La différenciation dialinguistique qui est présente dans les textes est prise en compte par L. Hjelmslev, qui en présente une taxinomie rappelant le « catalogue sociolinguistique » des registres connotatifs proposé par Bloomfield (L. Hjelmslev, 1968, p. 156 sq.). Mais la perspective sémiotique adoptée par le linguiste danois permet de faire l'économie d'une typologie statique de niveaux dits sociolinguistiques, qui reviendrait à échafauder toute une superstructure stratifiée à l'infini de sociolectes fantasmatiques, qu'on imaginerait parallèles et idéalement traduisibles les uns dans les autres mais qui sont en réalité tous extrêmement lacunaires. Coupant court à cet avatar moderne et linguistique de l'antique illusion métaphysique des arrière-mondes, la théorie hjelmslévienne de la connotation a le mérite de poser le problème dans les termes dynamiques d'un procès où ce sont toutes les unités de la langue qui peuvent être mises en œuvre dans l'énonciation d'un discours visant à la manifestation d'effets connotatifs qui sont propres au texte de l'énoncé considéré, et non pas aux atomes « sociolinguistiques » d'une « sous-langue » introuvable.

Ainsi, les équations de traduction « sociolinguistiques » que nous avions proposées *cum grano salis* entre différents « états de langue » historiques, sociaux ou régionaux de deux langues mises en contact par la traduction (cf. *sup.*, p. 155 sq.) restent-elles contestables *en soi* — dans la mesure où elles donneraient à penser qu'il existe comme une grille de concordance sociolinguistique d'une langue à l'autre — mais elles peuvent se justifier dans certains cas, au coup par coup et selon les contextes, par rapport à l'appréciation que le traducteur est amené à faire du rôle joué par les registres dialinguistiques considérés comme connotations sémiotiques au sein des « langues-cultures » occasionnellement mises en contact et pour un texte donné. C'est aussi en tant que fonctionnement sémiotique de la langue et de ses « sous-langues » comme langages de connotation que s'explique ce que nous avons appelé la « connotation minimale » (cf. *sup.*, p. 153) immanente à tout discours, même scientifique, avec les effets qu'on peut en tirer.

Surtout le cadre théorique proposé par L. Hjelmslev permet de conceptualiser le sempiternel renvoi au sacro-saint « contexte », qui est une exigence brute, massive, impérieuse et irréfutable pour le traducteur mais qui, sans fondement théorique, fait aussi figure d'échappatoire plus ou moins terroriste et complexée de la part d'un praticien dont il serait alors permis de penser qu'il est incapable de théoriser son affaire parce qu'il navigue « au jugé »...

Si, comme nous le disions (après tant d'autres), les mots n'ont pas de sens mais seulement des emplois, c'est que la sémantique des connotations de la langue débouche toujours sur une sémiotique des contenus connotés dans la parole par des connotateurs dont la dimension, non isomorphe aux signifiants de langue, module les signifiés de langue en les contextualisant. La sémiotique arbitre ainsi le vieux débat philosophique de savoir si la phrase est faite de mots ou si les mots sont des extraits de phrase : le mot ou la phrase? la poule ou l'œuf? Le mot réel est une phrase ponctuelle et le mot tout court est un mot idéal ou virtuel, comme l'est la langue à laquelle il se trouve ainsi renvoyé. Même le mot du dictionnaire a la fonction sémiotique d'une entrée lexicographique, ce qui connote tout un contexte. C'est sans doute au mot du dictionnaire auquel on pense le plus souvent, tout en oubliant le dictionnaire où il prend place, alors que le traducteur pense au mot dans *ses* contextes, archivé avec eux dans un fichier de travail. En somme, il y a une interaction indissociable entre sémiotique et sémantique.

Mais avant d'en préciser l'articulation, et avant de revenir au problème des U.T. (unités de traduction), notons que la perspective sémiotique permet de référer l'un à l'autre les deux sens du mot *contexte*, dont nous étions parti. La connotation hjelmslévienne apporte un soubassement théorique aux concepts de *périlangue* et de « langue-culture » indispensables en traductologie (cf. *sup.*, p. 178 sq. et *passim*). Il y a une irruption du champ culturel dans la langue qui élargit le message à l'horizon de toute une culture et de toute une histoire, comme l'indiquait R. Barthes (1965, p. 167). Mais ce contexte référentiel (sens élargi ou « franglais ») passe par le contexte discursif ou textuel (sens « français », plus strict), car il n'y a de réalité que manifestée dans l'apparence et assimilée au sein d'une culture ; or le monde des signifiés culturels « n'est autre que celui du langage » (*ibid.*, p. 80). Ainsi la théorie de la traduction est-elle une sémio-logie ou une trans-linguistique, contrastive et appliquée au binôme de deux « langues-cultures », qu'oriente la finalité pratique de l'élaboration d'un produit, le texte-cible. C'est la connotation sémiotique qui articule le sociolinguistique (*lato sensu*) sur le sémantique, donnant ainsi tout son sens à l'expression de « valeurs *socio-contextuelles* » dont se servait P. Guiraud (1964, pp. 40, 124 et *passim*) pour désigner les connotations sémantiques.

5.4. Deux sortes de connotations à traduire

Concernant le problème « traduction et connotation », nous retrouvons donc, on le voit, l'opposition cardinale du sémantique au sémiotique, dont Michel Arrivé (1976, p. 108) souligne qu'elle reste dans la logique structuraliste, reprenant la dichotomie établie par Saussure entre *signifiant et signifié* — ou par L. Hjelmslev entre *expression et contenu* — pour la faire fonctionner à deux niveaux.

Toujours dans la perspective qui est la sienne, d'une poétique en voie de constitution, il nous rappelle aussi qu'il y aurait lieu sans doute de thématiser l'opposition hjelmslévienne entre *forme* et *substance* (M. Arrivé, 1976, p. 110). Ce point est en effet fondamental pour la théorie de la traduction, comme l'avait déjà soupçonné G. Mounin (1963, p. 35 sqq.). On rejoint là la dimension *herméneutique* qui est inhérente à toute traduction et que la théorie sémiotique permet de conceptualiser avec plus de rigueur que ne l'ont fait jusqu'à présent « philologues » et littéraires. Cette question, abordée plus loin (cf. *inf.*, p. 231 sq.), mérite une étude approfondie.

196

Une fois posée la question des connotations, le vrai problème était de les définir. Ainsi permettront-elles de *conceptualiser* la pratique traduisante, en quoi réside le seul bénéfice qu'il soit permis d'espérer d'une théorie de la traduction. Le principal théorème pour la traduction sur lequel débouche la présente étude tient en la proposition terminologique de distinguer deux concepts de connotation : *connotation sémantique* et *connotation sémiotique* (42) — qu'il s'agit d'articuler l'un à l'autre, les deux faisant couple dans une relation d'opposition réciproque.

Dès lors qu'il est bien établi que les connotations ne ressortissent pas à une psycholinguistique de l'individuel (cf. *sup.*, p. 179 sqq.), il apparaît qu'elles renvoient à deux niveaux différents. D'une part : au double niveau supra-individuel d'une sémantique dialinguistique (ou « sociolinguistique ») de la langue et d'une « sémantique générale », interlinguistique, de ce que nous avons appelé périlangue socio-culturelle. D'autre part : au niveau infra-individuel d'une sémiotique qui analyse « le double fonctionnement du signe linguistique dans le texte » (43).

L'erreur d'un G. Mounin, partagée par de nombreux linguistes, a été de renvoyer les connotations au flou stylistique et au jeu kaléidoscopique de variations individuelles modulées par l'idiosyncrasie biographique de chaque locuteur. Sur le plan

(42) Jusqu'à présent, nous avons employé à peu près indifféremment les deux étiquettes de « sémiologie » et de « sémiotique ». Nous n'entendons pas nous engager ici « dans l'épineux débat qui oppose les partisans » de l'une et de l'autre, suivant en cela l'exemple sage de M. Arrivé (1976), p. 100, et compte tenu de notre défiance à l'endroit des fausses assurances de la terminologie, cf. *sup.*, p. 137. Par goût et par culture, nous eussions préféré *sémiologie*, que l'on trouve chez Saussure, à *sémiotique*, plus moderniste et « anglo-saxon ». Si nous avons finalement opté dans l'autre sens, c'est pour des raisons purement stylistiques, afin de camper l'opposition entre connotations *sémantique* et *sémiotique*, qui fait image par la grâce d'un jeu rhétorique d'allitération.

(43) M.-N. Gary-Prieur (1971), p. 106. Il est à cet égard inessentiel à nos yeux (cf. *sup.*, pp. 165 et 179) de savoir si l'on décide de donner à cette reconceptualisation l'habillage d'un signifiant terminologique plus moderne comme la notion chomskyenne de « compétence ».

théorique, c'était s'enfermer dans la problématique de « l'objection préjudicielle » (cf. *sup.*, p. 138) et rendre impossible la communication traduisante (cf. *sup.*, p. 141 sq.). Sur le plan pratique, c'était se condamner à en rester à l'a-peu-près intuitif d'une phénoménologie stylistique, comme l'ont de tout temps pratiqué les traducteurs, mais à laquelle on s'interdisait ainsi d'apporter le soutien théorique d'une conceptualisation.

Devant l'impossibilité de définir nettement la stylistique dans son rapport à la sémantique (cf. *sup.*, p. 126 sqq.) — c'est là un point sur lequel s'accordent maintenant la plupart des auteurs (44) — nous avons plaidé pour une sémantique des connotations à traduire (cf. *sup.*, p. 172 sqq.), quitte à devoir reconnaître que les connotations ainsi définies tendaient à se perdre dans les signifiés de la langue et, surtout, que ladite sémantique appelait le prolongement d'une sémiotique. Mais n'est-ce pas à une double dissolution des connotations que revient la solution proposée? A la fois, dissolution dans des unités syncrétiques au plan du signifié et dissolution dans le fonctionnement des textes. La dichotomie conceptuelle proposée serait négative et se résorberait en une double dé-conceptualisation des connotations.

C'est dans ce sens que va la conclusion de M.-N. Gary-Prieur, par exemple. Aussi bien la connotation sémiotique que ce qu'elle appelle aussi, comme nous en faisons nous-même la proposition terminologique, les « connotations sémantiques » (1971, p. 106) sont traduites par elles devant le même tribunal épistémologique, qui n'est pas exempt d'arrière-pensées idéologiques, avant d'être abandonnées aux poubelles de l'histoire des sciences linguistique et sémiologique. Les connotations n'ont que le sens d'une « étape » de transition et au bout du compte, à

(44) Citons seulement M.-N. Gary-Prieur (1971, p. 107) et, finalement, G. Mounin lui-même (1963, p. 166); pour M. Arrivé (1976, p. 104), il est « préférable de renoncer purement et simplement » à la notion même de stylistique; et ce n'est sans doute pas seulement sa dynamique publicataire propre qui amène P. Guiraud à un aller et retour de citations réciproques entre sa *Stylistique* (1963, p. 62) et sa *Sémantique* (1964, pp. 32 et 124).

l'en croire, le recours à « la notion ne se justifie plus » (p. 107). S'agissant des connotations sémantiques, on a vu que (cf. *sup.*, p. 184 sq.), dans la perspective praxéologique d'une théorie de la traduction, c'est du point de vue de la pratique traduisante et non pas en fonction des critères épistémologiques de la science linguistique qu'il y avait lieu de les réhabiliter et de justifier le recours à elles, dont le traducteur pourrait malaisément se passer. Ces connotations sémantiques ne sont autres que les connotations « littéraires » que l'on connaît bien pour les voir employées communément dans le langage courant. Il faut seulement les manipuler en gardant à l'esprit qu'en toute rigueur, il y a lieu de les réintégrer aux signifiés linguistiques.

Ce sont des *moments sémantiques* qui ne sont distingués des autres qu'au regard de ce que nous avons appelé une psychologie introspective du traducteur, à usage interne, procédant empiriquement par « associations d'idées ». Il s'agit seulement de rendre plus explicitement conscient un aspect du sens-source, un « moment sémantique » présent dans le texte à traduire, que l'équivalent-cible auquel on pense pourrait avoir négligé. Ces connotations ne sont donc pas tant des « valeurs supplémentaires » ou associées que des valeurs *complémentaires* et, si l'on veut, « dissociées » au sens où elles sont des résidus d'une analyse de l'aperception psycho-associative du signifié, artefacts évanescents de la pratique traductive et de la méthode traductologique.

Les connotations sémantiques ne sont que des *aspects* subjectifs des signifiés, du point de vue du traducteur. Mais cette subjectivité n'est pas une appropriation individualisant les connotations au niveau de la compétence de chaque locuteur, dans la conscience linguistique spontanée de l'Auteur-source et des lecteurs-cible (cf. *sup.*, p. 136 sqq.). C'est une individuation *méta*linguistique, et non stylistique, des connotations qui ressortit au vécu du traducteur entre deux langues, dans son travail de bricolage *sur* les textes. En quoi il n'est pas étonnant que ces connotations du traducteur soient aussi celles des littéraires, qui tiennent eux-mêmes un méta-langage discursif « sur » ces monuments de la langue que sont les œuvres littéraires.

Ce peut être des connotations « affectives », qui renvoient au *sujet* trans-individuel de l'énonciation comme stratégie de communication (cf. *sup.*, p. 141 sqq.). Ce peut être des connotations « idéologiques », qui articulent l'unité linguistique considérée à l'environnement contextuel ou discursif implicite dont elle est comme une *citation ponctuelle* (45). Ce peut être des connotations « situationnelles », qui explicitent plus consciemment le contexte extra-linguistique (et pragmatique) des objets et des comportements auxquels *réfèrent* le texte (46), etc.

Mais là on rejoint la connotation sémiotique, laquelle pourrait fournir un cadre théorique unificateur, si nous ne tenions pas justement à conserver cette notion empirique de connotations sémantiques pour l'utilité indispensable qu'elle a dans la pratique, quitte à reconnaître qu'elle ne ressortit pas au discours scientifique de la linguistique mais au discours didactique, à un discours « auto-pédagogique » coextensif à la pratique du traducteur. Il s'agit en effet de conceptualiser, voire même seulement de *verbaliser* cette pratique, ne fût-ce que pour aider le traducteur à sortir des situations de blocage psychologique que nous connaissons bien... Les difficultés de traduction que l'on rencontre sont bien en effet des problèmes *pratiques* de la traduction, au sens où (comme on dit) tous les problèmes se posent en même temps et où il faudrait satisfaire à des exigences tendanciellement contradictoires.

A côté de ces « significations secondes » (M.-N. Gary-Prieur, 1971, p. 102) que sont les connotations sémantiques, la connotation sémiotique ne fait guère problème dans la perspective traductologique qui est la nôtre ici, ni pratiquement ni théo-

(45) Ainsi fonctionne souvent le *Fremdwort* en allemand, cf. L. Bloomfield (1970), p. 146 sq. ; voir aussi les emprunts intra-linguistiques du langage scientifique dans la langue courante, etc. (cf. *sup.*, p. 151 sqq.).

(46) On pourra parler à ce propos de *con-notation* (cf. *sup.*, p. 179), en un sens qui n'est plus très éloigné de celui qu'avait le terme dans la tradition médiévale et de celui que lui donne K. Bühler. L'exemple « Je vais chercher du pain chez le boulanger », que nous avons évoqué en discutant les analyses de J. Lyons (cf. *sup.*, p. 164), en est une illustration.

riquement. Aussi nous contentons-nous d'en reprendre la théorie à L. Hjelmslev. Elle ne se situe pas à vrai dire sur le même plan que les connotations sémantiques : on pourrait parler de *méta-connotation*, pour indiquer à la fois qu'elle analyse le processus global de fonctionnement sémiotique d'un texte et qu'elle est le prolongement d'une sémantique des connotations, susceptible d'assurer à ces dernières un statut théorique, commun à l'ensemble.

En somme, notre « connotation sémiotique » est donc essentiellement la connotation hjelmslévienne (cf. *sup.*, p. 185 sqq.), alors que nos « connotations sémantiques » ne sont guère les connotations de la linguistique bloomfieldienne (cf. *sup.*, p. 132 sq.); mais elles ne renvoient pas non plus bien sûr à la connotation logique, qu'il y a lieu d'écarter de notre propos — encore que cette dernière tende à se confondre avec le signifié linguistique (cf. *sup.*, p. 130), dont les connotations sémantiques ne sont que des « moments »...

On remarquera que nous avons parlé de la connotation sémiotique au singulier et des connotations sémantiques au pluriel. C'est à M.-N. Gary-Prieur (1971, p. 106 et *passim*) que nous empruntons cet artifice ingénieux qui fait image au niveau de la graphie (*Schriftbild*) et rend aussi plus aisée la manipulation orale de ces deux concepts couplés, presqu'homonymes, dans le cadre de la verbalisation méthodologique conceptualisant les difficultés de traduction. Mais cela reste un artifice et on se souviendra que le déterminisme du contexte fait qu'à une seule connotation sémantique (au singulier), virtuelle, du même mot peuvent correspondre bien des connotations sémiotiques (au pluriel) selon le texte réel où il est serti (cf. *sup.*, p. 167, etc.).

Le flou psychologisant auquel nous sommes contraint de nous en tenir en ce qui concerne les connotations sémantiques donne à penser que, dans le détail de la réalité, il est bien difficile de marquer avec précision la limite entre les deux sortes de connotations. Et de fait, comme on vient de l'entrevoir pour les évocations contextuelles de certaines connotations sémantiques, il y a de ces dernières aux connotations sémiotiques un *continuum* dont il ne nous a été possible de définir conceptuellement les deux pôles extrêmes qu'au niveau de l'analyse théorique.

Le double mouvement déjà noté de mise en œuvre et de transgression qui va de la langue à la parole fait jouer entre les deux sortes de connotations toute une dialectique de la temporalité dans le langage où vient s'engouffrer l'histoire, c'est-à-dire la diachronie des langues mais aussi l'Histoire des hommes et du monde. Quelle que soit la volonté un peu crispée d'arrêter le mouvement et de lui fixer des bornes que peuvent nous dicter nos prétentions épistémologiques, quelque attrait qu'exercent sur nous les beautés de l'immobile nourries au goût esthétique de ce que notre culture littéraire nous fait croire être la bonne langue, et quelles que puissent être les tentations du repos où la pulsion de mort nous induit, il y a constitutivement dans le langage assez de jeu pour qu'y soit faite une place dans ses interstices où vienne se glisser l'avènement du nouveau.

Ainsi, en littérature, G. Mounin reconnaît-il aux poètes la vocation stylistique « d'agrandir le langage », avant que l'explosion de leur déviance créatrice ne donne lieu à des retombées récupérées sous la forme des clichés et des recettes d'une rhétorique qui « recopie » ces écarts et finit par les intégrer à la norme, renouvelée par eux (cf. G. Mounin, 1971, p. 184); ce qui peut aller jusqu'à l' « académisme », défini par G.-G. Granger (1968, p. 192) comme le glissement d'un code *a posteriori* (stylistique) à un code *a priori* (linguistique). Parallèlement, dans la langue, connotation sémiotique et connotations sémantiques désignent les deux pôles d'un processus de *sémantisation*.

En deux mots : la connotation sémiotique *anticipe* dans les textes sur des changements sémantiques inchoatifs à venir, qui peuvent au demeurant ne pas se produire car ils ne sont pas nécessairement ratifiés par l'usage; et les connotations sémantiques en sont la *sédimentation* (47) éventuelle dans la langue, à

(47) Cf. *sup.*, pp. 152 et 155. Sur la dimension connotative, métaphorique et généralement rhétorique, des changements sémantiques, cf. notamment L. Bloomfield (1970), p. 417 sqq. et P. Guiraud (1964), p. 39 sqq. et *passim*.

traduire comme des moments faisant partie intégrante des signifiés linguistiques. Connotation sémiotique *in statu nascendi* et connotations sémantiques *ad speciem* se font écho sur l'axe fuyant de la diachronie. Résumons-nous, en visualisant les choses grâce à un schéma (voir p. 248).

5.5. Pour une sémiotique des unités de traduction

Le concept de *connotateur* mérite selon nous de figurer au premier rang de ce que nous appelons des « théorèmes pour la traduction », c'est-à-dire des acquis théoriques que l'on peut retirer de disciplines comme la linguistique pour conceptualiser les aléas de la pratique traduisante. Ainsi défini dans les termes de la sémiotique hjelmslévienne et circonstancié au domaine de la traduction, il a un champ d'application qui dépasse largement le seul problème des connotations telles qu'on les conçoit habituellement. Entre autres choses, on retiendra qu'il peut assurer le remplissement d'un sens plus précis et gagé sur la pratique à la vieille idée, restée floue et inassignable jusqu'à présent, qu'il est possible de déterminer des *unités de traduction.* C'est en effet l'ambition des auteurs de Manuels ou Méthodes de traduction que de parvenir à définir de telles unités minimales, qui permettent d'aller quelque peu au-delà de l'empirisme intuitif régnant en matière de pratique traduisante.

Ainsi font les auteurs de l'un des meilleurs du genre : Jean-Paul Vinay et Jean Darbelnet dans leur *Stylistique comparée du français et de l'anglais.* Dans ce livre, l'unité de traduction (U.T.) est définie par eux comme « le plus petit segment de l'énoncé dont la cohésion des signes est telle qu'ils ne doivent pas être traduits séparément » (J.-P. Vinay et J. Darbelnet, 1968, p. 16 et *passim*), exactement dans les mêmes termes que chez A. Malblanc (1966, p. 13 sq.). Au-delà des analyses propres à ces auteurs, c'est un problème général qui est posé et dont il s'agit ici.

Bien sûr, J.-P. Vinay et J. Darbelnet excluent d'emblée que le mot puisse constituer l'unité de base recherchée (1968, p. 36 sq.). Ce n'est en effet qu'exceptionnellement que la traduction se réduira à un « mot à mot » littéral (cf. p. 48); et le mot déborde nécessairement sur le contexte syntagmatique où il a sa place, au-delà des deux blancs qui le « définissent ». Dès lors, le problème se pose de savoir quel doit être l'empan des U.T. Si on ne traduit pas des mots, traduit-on des phrases? ou seulement des membres de phrase, des groupes de mots ou syntagmes? ou alors faut-il envisager des micro-unités inférieures aux mots eux-mêmes? ou, au contraire, devra-t-on faire du discours considéré (livre, pièce de théâtre, etc.) dans son ensemble une macro-unité de traduction?

Il est bien certain que le *mot-à-mot* est une naïveté et une fausse manœuvre d'apprenti encore très maladroit, dont il importe au plus vite de se défaire. Dans la pratique normale, on tend en fait à faire du « phrase-à-phrase », pourrait-on dire, avec l'objectif terminal d'être parvenu à ce qu'on pourrait appeler l' « œuvre-à-œuvre » — quitte à s'être arrêté çà et là pour faire l'inventaire sémantique approfondi d'un mot ou d'une expression difficile à traduire (48).

Mais si lesdites unités de traduction peuvent ainsi se situer concurremment à plusieurs niveaux, n'est-ce pas à dire qu'il faille renoncer à un tel concept, si indéterminé? Posé en ces termes, le problème apparaît en effet insoluble, tant que n'auront pas été dissipées plusieurs confusions.

Pour en revenir au mot, l'inconvénient principal que J.-P. Vinay et J. Darbelnet trouvent à situer l'unité de traduction à son niveau, c'est finalement le fait qu'avec lui « le signifiant prend une place exagérée par rapport au signifié » (p. 37); or, ils y insistent, « le traducteur... part du sens » (*ibid.*), il traduit des idées et non des mots (cf. *inf., p. 220*). Les U.T. seront donc des unités *sémantiques* et nos deux auteurs proposent l'équation synonymique : « unité de pensée » = « unité lexicologique » = « unité de traduction ». Toutefois, en dépit de leurs dénégations et de leur volonté explicite de rééquilibrer

(48) Au-delà de cet « œuvre-à-œuvre », on atteint bien sûr aux limites de la traduction : ce serait de l'irréalisable « langue-culture-à-langue-culture » (!), cf. *inf.*, p. 235 sqq.

les choses au profit du signifié, ils nous proposent un découpage des U.T. qui se situe d'abord au plan du *signifiant*, dans la mesure où ces dernières sont le produit d'une segmentation opérée sur l'axe linéaire de la chaîne parlée (ou écrite). Ce passage par *la séquentialisation* du signifiant fait que la définition (au sens étymologique du terme) des U.T. proposée en reste prisonnière.

Ainsi en témoigne la place privilégiée, et même centrale, qui revient à ce que, de façon générique, on pourra appeler des *lexies*, c'est-à-dire des syntagmes pluriels au plan du signifiant mais correspondant dans les faits à un signifié unique comme l'atteste la possibilité de les traduire souvent par un seul mot-cible (49). J.-P. Vinay et J. Darbelnet proposent diverses classifications qui vont toutes dans le même sens. Des « groupes unifiés » ou *idiotismes* aux « groupements par affinité » et autres *locutions*, la seule différence réside dans « le degré de cohésion des éléments en présence » (p. 39). Ailleurs, il est question des *clichés* et des citations (p. 252 sq.), etc. : c'est toujours la même perspective, à savoir le parti pris de lexicalisation des problèmes de la traduction. De même, une fois écarté le cas limite simpliste et trop particulier des « unités fonctionnelles », les exemples donnés d' « unités sémantiques », d' « unités dialectiques » et d' « unités prosodiques » (p. 37 sq.) montrent qu'on a affaire pour ainsi dire à des « mots pluriels », c'est-à-dire à des syntagmes fonctionnant comme autant d'entrées lexicales au singulier. Quant aux « unités simples », « diluées » ou « fractionnaires » (p. 38 sq.), elles correspondent respectivement au mot lui-même, à la lexie ou au segment de mot (préfixe, suffixe ou taxème); c'est donc bien la séquentialisation des signifiants dans la chaîne parlée qui commande le monnayage du signifié en « unités de traduction » telles que les définissent J.-P. Vinay et J. Darbelnet.

(49) L'équivalence permettant de paraphraser un syntagme par un item lexical singulier est même le critère pratique qui, selon nous, définira le mieux une lexie, que cette équivalence soit attestée par la possibilité d'une paraphrase synonymique intra-linguistique — ou interlinguistique, c'est-à-dire d'une traduction.

Ces deux auteurs ont raison de plaider pour une *sémantique de la traduction* — et c'est aussi le parti que nous avons adopté quant à nous (cf. *sup.*, p. 172 sqq.) — mais leur erreur est d'assimiler restrictivement le « sémantique » au lexical. Finalement, si on les suit, la méthodologie de la traduction en reviendrait tout simplement à raffiner et à démultiplier la notion de *dictionnaire bilingue*, puisqu'il suffirait d'y intégrer tout ce que nous avons appelé des « mots pluriels ». Ainsi les « unités de traduction » de J.-P. Vinay et J. Darbelnet sont-elles bien des « unités lexicologiques »; mais elles ne sont des « unités de pensée » qu'au sens où la pensée peut en quelque façon employer de telles unités (génitif subjectif, si l'on veut), et non pas au sens où elles seraient elles-mêmes substantiellement de l'ordre de ladite pensée, découpées en elle pour ainsi dire (génitif objectif).

Plus profondément, il semble que soit méconnu ou du moins perdu de vue ce qui est à nos yeux le théorème fondamental de la traductologie, que nous appellerons la « quodité traductive » (cf. *inf.*, p. 224), à savoir la distinction entre actes de *parole* et faits de *langue* — et ce, encore une fois, en dépit de certaines formulations théoriquement satisfaisantes (cf. J.-P. Vinay et J. Darbelnet, 1968, p. 42 et *passim*). Répétons-le : on ne traduit pas des signes par des signes, non pas tant donc des unités de langue par des unités de langue, mais bien plutôt des unités de parole ou de discours (cf. V. G. Gak, in J. Rey-Debove, 1970, p. 105 sq.) par des unités de parole ou de discours — ou encore des messages par des messages, comme le dit par exemple tout simplement R. Jakobson (1963, p. 80).

Certes, les U.T. sont bien des *sémantèmes*, mais non pas au sens ancien, qui en fait de simples synonymes des « lexèmes » de A. Martinet. Il convient de ne pas en rester au plan strictement *lexico-sémantique*; la traduction est sans cesse confrontée à la mise en œuvre des signifiés de la langue au sein des contextualisations sémantico-sémiotiques qu'effectue et qui effectuent le texte d'une parole. On rejoint là la distinction faite notamment par E. Coseríu entre sens (*Sinn*) et signification (*Bedeutung*) ou, comme on disait traditionnellement, entre sens et « effet de sens », entre le sens d'un mot et ses emplois. Là encore, J.-P. Vinay et J. Darbelnet ne disent pas autre chose quand ils définissent les termes de *signifié* et de *signification* (p. 14). Mais, une fois posée cette distinction essentielle dans leur Glossaire, dès le début de leur livre, ils manquent à en tirer les conséquences au niveau de la délimitation des U.T.

La perspective excessivement lexicaliste qu'ils adoptent n'est pas sans lien avec leur polarisation sur la segmentation syntagmatique du signifiant. Il faut *dé-séquentialiser* le découpage des U.T., c'est-à-dire l'affranchir du signifiant. Mais il ne suffit pas de remplacer une syntagmatique des signifiants de la parole par une paradigmatique des signifiés de la langue. Théoriquement, cela reviendrait à se donner l'équivalent d'une caractéristique universelle et intemporelle assignant la signification à des catégories transcendantales *a priori*. C'est finalement d'une telle hypothèse insoutenable que procède l'« illusion terminologique » assimilant la traduction à un pur et simple transcodage (cf. *inf.*, p. 222 sqq. et *passim*). Pratiquement, cet aplatissement (*Verflachung*) du fonctionnement sémantique des textes à traduire aboutit à une surestimation de la phraséologie, dans l'enseignement de la traduction par exemple (50).

S'il y a des U.T. « fractionnaires » (cf. J.-P. Vinay et J. Darbelnet, 1968, p. 38 sq.), ce ne sera qu'exceptionnellement en segmentant le mot (préfixe, suffixe, etc.) qu'on les trouvera. Par contre, il peut être utile dans certains cas difficiles de faire une analyse en traits sémantiques. Telle est la véritable direction (« dé-séquentialisée ») que peut prendre une recherche des U.T. de niveau inférieur au mot. Mais, contrairement à ce qu'ont pu penser divers auteurs, il ne faut pas se promettre de l'analyse

---

(50) Il y a là une tendance pragmatiquement justifiée dès lors qu'il s'agit de former ceux qui auront à être des « mercenaires » (D. Moskowitz) de la traduction et donc d'accélérer chez ces futurs traducteurs professionnels les procédures de transfert interlinguistique en montant chez eux des apprentissages de type « réflexe ». Ainsi travaillons-nous à définir ce que pourrait être un *algorithme de traduction*, sur le plan pédagogique, avec certains collègues de l'E.S.I.T. (Ecole Supérieure d'Interprètes et de Traducteurs) de l'Université de Paris-III (Sorbonne Nouvelle).

componentielle plus qu'elle ne peut donner; on en attendra essentiellement une explication plus consciente de la compétence linguistique dont dispose le traducteur concernant un point de détail délicat et devenu problématique en raison même du va-et-vient de la traduction (cf. *sup.*, p. 199 sq.).

Quant aux U.T. « diluées », elles s'étendent bien « sur plusieurs mots » (p. 38), mais pas seulement quand il s'agit d' « une unité lexicologique » dont le signifiant serait pluriel (locution), voire discontinu. C'est *une paradigmatique des signifiés de parole* que doit gérer le traducteur et faire passer d'une langue dans l'autre.

Encore une fois, la sémantique des signifiés de langue débouche sur autre chose qu'elle-même, en l'occurrence sur une sémiotique des connotateurs comme unités de fonctionnement « sémantique » des textes, mettant en œuvre les signifiés de la langue, au deuxième degré. Et nous pensons que les U.T. ne sont pas autre chose que des connotateurs, précisément. Ainsi la traduction mérite-t-elle de s'appeler une « pratique sémiotique » — plutôt qu'une « opération linguistique », selon l'expression de G. Mounin (1963, p. 11 et *passim*), qui fait à vrai dire plutôt figure de « gadget terminologique » que de véritable concept traductologique. Ce renvoi (que nous proposons) à la sémiotique hjelmslévienne et à la non-isomorphie des connotateurs permet en effet de dé-lexicaliser et de dé-séquentialiser les U.T.

Mais il pourrait sembler qu'on n'ait fait que déplacer le problème. En identifiant les U.T. à des connotateurs, on se retrouve confronté à l'impossibilité de délimiter les unités sémiotiques que sont ces connotateurs (cf. *sup.*, p. 192 sq.). Telle est l'objection qui nous est faite par E. Coseríu, invoquant les apories où s'est trouvée enfermée l'Ecole danoise. Un peu plus tard, l'Ecole sémiotique française se retrouve confrontée à des difficultés analogues, comme l'a montré Michel Arrivé (1976, p. 109 sqq.). Il y a là un problème auquel la théorie sémiotique ne parvient pas à trouver une réponse pleinement satisfaisante, certes.

Mais devant cette impossibilité théorique à déterminer des critères de clôture suffisamment assurés qui permettent de définir les unités sémiotiques, c'est du côté de la pratique traduisante que nous chercherons une solution ou, plus modestement, une « issue » pour sortir de cette impasse où risqueraient de nous enfermer les apories de la théorie. Un excès de « théoricisme » risquerait en effet de nous confronter à une nouvelle mouture, sémiotique cette fois-ci, de l'objection préjudicielle. De sorte qu'encore une fois (cf. *sup.*, p. 124), la théorie de la traduction prend le sens non seulement d'un corpus de théorèmes mis *au service de* la traduction mais aussi celui d'un élément suppléant de théorisation dégagé *grâce à* la traduction.

A défaut d'une construction théorique satisfaisant aux exigences axiomatiques de « consistance » et de « complétude », c'est à honorer la seule exigence pratique de la « décidabilité » qu'il y aura lieu de s'attacher, conformément à l'obligation mainte fois répétée de bien séparer théorie et pratique en matière de traduction. Pour nous, il convient de renvoyer la délimitation des unités sémiotiques ou connotateurs à la médiation herméneutique mise en œuvre par la subjectivité du traducteur, qui doit nécessairement s'engager aux risques d'une « interprétation minimale » (cf. *inf.*, p. 231) concernant le fonctionnement du texte qu'il a à traduire. Mais, en cela, il n'est pas seulement à égalité avec le sémioticien « pur » qui interprète un texte littéraire, et donc confronté aux mêmes apories, le traducteur est un sémioticien « appliqué » ou « appliquant », et ce sémioticien sans le savoir dispose quant à lui d'un *critère différentiel* que lui fournit l'évaluation des équivalences entre texte-source et texte-cible.

Certes, le concept d'équivalence — si souvent employé quand il est question de traduction — est d'un maniement délicat et recouvre souvent un mixte équivoque engendré par l'accouplement antagoniste du Même et de l'Autre (cf. *sup.*, p. 16 sq.). Mais, s'il est vrai que l'équivalence entre texte-source et texte-cible est laissée à l'appréciation intuitive du bilingue qu'est le traducteur (51), à tout le moins la traduction constitue-t-elle un

(51) Si, dans le cadre d'une discussion théorique proprement linguistique, dont le propos doit être de parvenir à la formalisation théorique, il y a sans doute lieu de récuser la pure et simple invocation

dispositif différentiel qui permet de faire jouer le critère de la vieille règle *it is the same, or it is not the same.* La menace du « contresens » et, plus encore, du « faux sens » donne la chance d'une contre-épreuve permanente, qui tient en éveil l'archi-compétence bilingue du traducteur — alors que ce réactif fait défaut au sémioticien pur, enfermé qu'il est dans l'espace du seul texte qu'il a pris pour objet et dont il ne s'évade que pour des extrapolations parfois inavouées, le plus souvent indécidables et incontrôlables, somme toute illicites.

Au lieu de cela, le traducteur peut mesurer la validité de ses appréciations subjectives, de ces interprétations, au produit terminal de son travail qu'est le texte-cible soumis au contrôle de la re-lecture du texte-source. Il y a là comme un mécanisme de *feed-back* herméneutique aux termes duquel la subjectivité du traducteur est mise en jeu mais aussi articulée de façon critique par la dualité interlinguistique de son archi-compétence et par l'alternance continuelle des deux phases de la lecture-interpréta-tion puis de la réécriture. Et il ne s'agit pas seulement de bonne volonté auto-critique, voire d'honnêteté intellectuelle ou de « compétence » (au sens courant et non linguistique); car ici les deux textes s'explicitent dans l'horizon de leurs différences confrontées, puis réduites. Ce processus dialectique permet et exige du traducteur qu'il échappe aux fascinations de l'imma-nence et prenne le chemin d'une adéquation asymptotique du texte-cible au texte-source — en quoi réside ce que nous appelons la « quasi-perfection » à laquelle il est en position de pouvoir prétendre (cf. *sup.*, p. 75 sq.). C'est sans doute aussi ce dont s'est ressouvenu Henri Meschonnic quand il a parlé de « lecture-écriture », entreprenant ainsi l'impossible importation du dispositif traduisant en sémiotique textuelle...

Finalement, telles qu'elles se trouvent définies par J.-P. Vinay

du sens de la langue (*Sprachgefühl*) car cela représente un aveu d'impuissance (comme nous l'avons reproché à J. Lyons, par exemple, cf. *sup.*, p. 163), la perspective qui est la nôtre ici est différente puisqu'il s'agit de contribuer à l'élaboration d'une praxéologie de la traduction.

et J. Darbelnet, les U.T. (unités de traduction) ne représentent qu'un auxiliaire pédagogique approximatif. Dès lors que le problème est posé au niveau théorique, c'est à la notion de connotateurs qu'on est renvoyé ; mais alors la question reste posée de la délimitation de ces derniers. La solution que nous avons indiquée consiste à nous en remettre quant à cette question de théorie sémiotique à l'arbitrage de la pratique traduisante — et à l'expérience réelle et attestée qu'en ont ceux des théoriciens qui sont eux-mêmes praticiens... (cf. *sup.*, p. 7 sqq. et *inf.*, p. 216 sqq., etc.).

6. Applications et théorèmes

6.1. Théorie et pratique

Au terme de sa réflexion sur les connotations, G. Mounin conclut « qu'elles font partie du langage, *et qu'il faut les traduire* » (1963, p. 166), c'est bien évident et c'est un truisme ; le problème est de savoir comment s'y prendre. C'est un problème pratique et non pas tant un « problème théorique de la traduction ». Du « long périple » qui l'a amené à discuter plusieurs théories linguistiques (cf. *sup.*, p. 174), il ne pouvait être question qu'il rapporte des recettes toutes faites, pas plus que nous ici. Il n'est pas possible de déduire de la théorie linguistique, ni même de la théorie sémiotique, des « *techniques* de traduction » qui puissent être « appliquées » de façon linéaire : la traduction est une *pratique,* qui a son ordre propre ; comme telle, elle se définit par opposition au discours de la théorie et au fantasme de prétendues techniques.

Compte tenu de l'hiatus existant entre théorie et pratique, que nous avons marqué plus haut (cf. *sup.*, p. 162 et *passim*) et qu'il convient de ne pas perdre de vue, le seul bénéfice que l'on est en droit d'attendre d'une théorie de la traduction, ou traductologie, consiste à clarifier et à classer (cf. G. Mounin, 1963, p. 166 sq.), les *difficultés de traduction,* à les *conceptualiser* pour articuler une *logique de la décision.* Il s'agit seulement d' « éclairer » (*aufklären*) le traducteur, de lui fournir des « aides à la

211

décision » facilitant ses *choix de traduction* en les lui rendant conscients grâce à des outils conceptuels; mais, s'agissant de traduction humaine « et non de traduction automatique », rien ne lui permettra d'en faire l'économie (J.-R. Ladmiral, 1975*d*, p. 6).

Le discours théorique de la traductologie n'apportera pas des révélations, la découverte de « nouveaux continents », mais précisément la mise en place de concepts abstraits qui soient autant de *fenêtres* contribuant à éclairer la pratique traduisante. C'est en tant que « culture » ou en tant que « formation fondamentale » que la théorie a un impact au niveau de la pratique du traducteur, qui se trouve ainsi « informé » (à tous les sens du mot). D'où l'importance — quand même! — du détour discursif que nous avons emprunté et dont nous pensons qu'il permet de promouvoir une « observation armée »... conceptuellement. A notre sens, la théorie de la traduction n'a pas tant à apporter du savoir supplémentaire qu'à fournir des concepts clefs grâce auxquels on pourra « parler » la pratique traduisante, la *verbaliser* et la conceptualiser tout à la fois. Ainsi la traduc*tologie*, nourrie de linguistique et de sémiotique mais aussi élargie à l'horizon d'une interdisciplinarité plus vaste (52), aide le traducteur à se déprendre de l'idéologie spontanée qui nous assiège concernant les phénomènes du langage et qui obscurcit les problèmes. Ainsi permet-elle d'analyser et d'articuler en les distinguant les différents problèmes qui, au sein de cette pratique qu'est justement la traduction, se posent « tous en même temps ».

C'est pourquoi, encore une fois, nous ne cédons pas à la fascination d'une prétendue « scientificité » terminologique. Au-delà du terrorisme « théoriciste » précédemment dénoncé (cf. *sup.*, p. 161 sq.), notre seul propos est d'avancer un certain nombre de « *théorèmes* pour la traduction » — *pour* la traduction, c'est-à-dire d'emblée finalisée par elle. La traductologie ainsi

(52) On retrouve là toutes les ambiguïtés liées au concept de *Linguistique Appliquée*, cf. *sup.*, p. 116 sq. La notion d' « applications », telles qu'elles vont être ici définies, contribuera sans doute à en lever une partie.

entendue fait son deuil, disions-nous (cf. *sup.*, p. 209), des exigences axiomatiques qui font l'unité formelle d'un discours théorique et sa solidité en tant que tel. Il ne s'agit pas pour nous de proposer *une* théorie, la nôtre, et encore moins *la* théorie, la vraie et « scientifique », mais *de la* théorie pour la traduction : des théorèmes pluriels et juxtaposés, isolés et lacunaires, auxquels il manque l'harmonisation d'un discours totalisant et formalisateur.

Dans l'esprit de cet inachèvement théorique, qui se veut à l'écoute de la pratique, il ne serait guère acceptable que lesdits théorèmes manquassent à être gagés sur les exemples d'une pratique traduisante. C'est donc sur la conclusion ouverte aux hasards des bonnes et des mauvaises fortunes du traducteur qu'il convenait de refermer ce dossier d'esquisses conceptuelles. Nous allons maintenant évoquer quelques *applications* illustrant le premier et principal théorème que nous avons élaboré ici-même : la thématisation du concept de connotations et de leur polarité « sémiotico-sémantique » débouche sur quelques exemples de traduction. Mais, encore une fois, ce ne sont pas des « applications techniques », qui seraient déduites de façon linéaire ou « monologique » de ce théorème ; il s'agit plutôt d'une *mise en œuvre* dialectique.

Surtout, cette dialectique de la théorie et de la pratique permettra, par contrecoup, d'induire d'autres théorèmes à partir de ces applications pratiques (53). Il faut bien voir qu'il y a une *autonomie relative* de la théorie par rapport à la pratique, et inversement. Pour servir de base à ce qui pourrait devenir un *index* récapitulatif, ou à la façon d'un *abstract* nominalisé, voici « en vrac » une liste alphabétique non exhaustive de ces théorèmes, concepts clefs ou principes traductologiques que nous proposons dans le cadre de la présente étude, dont au reste certains déjà ont été indiqués plus haut ou même font partie depuis longtemps du bien commun des traducteurs (et des traductologues) : choix de traduction, citation ponctuelle, co-

(53) D'où l'inversion paradoxale de l'ordre qu'il aurait été normal d'attendre entre ces deux concepts faisant le libellé de notre intertitre : « 6. Applications et théorèmes ».

auteur (ou réécrivain), compensation, connotateur, conservatisme linguistique du traducteur, contresens minimal, dissimilation, entropie, (traduction) épigonale, illusion de la transparence traductive, incrémentialisation, interprétation minimale, intraduction, langue-culture, (primat de l'impératif de) lisibilité, médiation herméneutique de la subjectivité traduisante, mise en locution (syntagmatisation), périlangue, péri-paraphrase, quasi-perfection, phénomène terminologique, quodité traductive, (sur-) terminologiser, transcodage, etc. (54).

Il ne nous échappe pas qu'on pourra être tenté de voir dans les quelques applications qui feront l'objet des pages suivantes de bien petites souris, comparées à la montagne théorique qui en accouche. Bien plus, la théorie sémiotico-sémantique des connotations qui nous a occupé jusqu'à présent ne suffit même pas à rendre compte complètement de ces applications; et l'autonomie de la pratique fait qu'on peut, à l'inverse, en dégager d'autres théorèmes. Mais, répétons-le, l'ampleur du détour que nous avons fait par le discours théorique se justifie à nos yeux de l'éclairage qu'il est censé apporter au travers des « fenêtres » qu'est en mesure de percer une culture traductologique dans le mur sombre des difficultés imbriquées au niveau de la pratique, sur lequel butte le traducteur.

Quoi qu'il en soit, il nous est apparu qu'il fallait enfin prendre le risque de se départir des commodités de la tour d'ivoire, auxquelles s'en tiennent tant de théoriciens, à commencer par G. Mounin. La théorie de la traduction ne s'autorise que de la pratique traduisante qui la prolonge. Au-delà de cette sorte d'auto-validation praxéologique, ces applications représentent aussi une contribution à ce que nous appelons une *linguistique inductive* de la traduction (55).

---

(54) Cette liste devra être complétée. La plupart des théorèmes qu'elle énumère sont eux-mêmes des « citations ponctuelles » ou des néologismes de conceptualisation; comme tels, ils appelleraient des guillemets et, surtout, des explications : on trouvera ces dernières dans les pages qui suivent pour ceux qui n'ont pas encore été mentionnés.

(55) Au double sens d'un génitif subjectif et objectif. D'une part, il s'agit de théorèmes linguistiques induits à partir de la pratique

Il s'agit en l'occurrence de promouvoir conjointement deux convergences. D'une part : une collaboration entre praticiens et théoriciens de la traduction, où les linguistes ne sont pas les seuls en cause; et, au moins au début, il semble bien qu'un tel décloisonnement « interdisciplinaire » doive être mis en œuvre par la médiation personnalisée de sujets individuels, à la fois traducteurs *et* traductologues, si l'on veut que les théorèmes dégagés soient réellement adéquats à la pratique traduisante (cf. J.-R. Ladmiral, 1971, p. 183 sq.). D'autre part : une collectivisation des matériaux comme, par exemple, les fichiers artisanaux que se constituent les traducteurs, chacun de son côté, pour en rationaliser la méthodologie, jusque-là implicite et empirique, et pour mettre en commun les richesses qu'ils recèlent.

La réalisation d'un tel projet passe, dans un premier temps, par l'accumulation de monographies partielles, de comptes rendus d'expériences, qui devront être systématisés ensuite. S'agissant d'une linguistique « de terrain », les premières contributions à y apporter seront nécessairement très limitées, comme les applications que nous allons indiquer; et il ne faudra pas reculer devant un certain éclectisme théorique, au rebours de tout terrorisme épistémologique d'école. Le discours théorique qui conceptualise et verbalise la pratique véhicule des présupposés idéologiques, certes, mais son intérêt est de nous dire par là quelque chose de la réalité. On remarquera qu'il y a des antécédents pour une telle entreprise : les travaux d'un Mario Wandruszka (cf. 1969), par exemple, représentent autant d'apports qui viennent s'inscrire dans le cadre d'une telle linguistique inductive *de* la traduction, pour la traduction (56).

---

traduisante: et il peut y avoir là notamment des données utilisables par la lexicographie (cf. *inf.*, p. 249...). D'autre part, cette « Linguistique Appliquée » qu'est la traductologie est de nature à induire les effets d'une pratique conceptualisée dans le vécu professionnel du traducteur. C'est ce même double sens qu'on a vu prendre à l'expression « théorie *de* la traduction », cf. *sup.*, pp. 124 et 209.

(56) Il faut ici saluer la création prochaine d'un Collège européen des traducteurs (*Europäisches Übersetzer-Kollegium*) par la ville de Straelen (République Fédérale Allemande) et le rôle décisif qui revient

6.2. Deux exemples de traduction

6.2.0. C'est d'abord de notre propre pratique de traducteur qu'il nous a paru nécessaire de parler, car il y avait là comme l'échéance d'un test qu'il n'eût pas été convenable d'éluder. Pour simplifier, nous commencerons par examiner le cas de deux *mots*-source faisant difficulté. C'est en effet à des problèmes de mots « difficiles », voire « intraduisibles », que l'on a spontanément tendance à circonstancier les problèmes de la traduction; c'était aussi nous placer dans la perspective de la sémantique des connotations pour laquelle nous avons plaidé, en ce sens il est vrai réduite à son axe lexical, qui en est l'essentiel — au point qu'on l'y a pour un temps cantonnée à tort (cf. *sup.*, p. 206), la « sémantique » ayant été pour certains linguistes un pur et simple synonyme de la lexicologie.

Nous avons rencontré ces deux mots problématiques dans le cadre d'une traduction de l'allemand. Il s'agissait du premier livre traduit en français du philosophe-sociologue de l'Ecole de Francfort, Jürgen Habermas : *La Technique et la science comme ' idéologie '*, paru il y a cinq ans chez Gallimard — c'est à l'édition française que renvoient les références de pagination que nous indiquerons (J. Habermas, 1973). D'une façon générale, nous avons rencontré bien sûr de nombreuses difficultés de traduction, en dehors des deux exemples discutés ici, et nous nous sommes efforcé d'en rendre compte d'une façon aussi détaillée que possible dans notre préface (57), à laquelle nous renvoyons le lecteur en tant que contribution à la « linguistique inductive de la traduction » dont il vient d'être question.

---

dans cette initiative à notre confrère Elmar Tophoven, l'éminent traducteur allemand de Claude Simon, Samuel Beckett et Nathalie Sarraute; « le projet Straelen » pourrait être un lieu privilégié pour accélérer la mise en œuvre de ce programme d'une linguistique inductive de la traduction ou traductologie appliquée, avec les bases matérielles et les prolongements institutionnels que cela suppose.

(57) « Jürgen Habermas — ou le défi scientifique et technique », in J. Habermas (1973), pp. VII-XLIX.

Cette préface a une double fonction, d'où son ampleur. Elle est à la fois une présentation philosophique de J. Habermas au public français et une « préface du traducteur »; seul, ce second aspect entre en ligne de compte ici. Nous y avons concentré la substance des habituelles notes du traducteur (*N.d.T.*), qui dès lors pouvaient être réduites à presque rien. Cette solution de la préface, que nous avons adoptée, nous apparaît bien meilleure pour la lisibilité du texte-cible dont, ainsi, la lecture n'est pas interrompue par des renvois répétés en bas de page. Quant au principe même des notes du traducteur, concentrées ou non en une préface (voire intégrées dans le texte lui-même, comme nous allons aussi en suggérer la solution), il faut bien dire qu'elles sont indispensables — sauf à ignorer délibérément les discrépances linguistiques et périlinguistiques, pourtant bien réelles, existant entre le texte-source produit au sein d'une culture autre et le texte-cible qu'est en mesure d'élaborer un traducteur pour son nouveau public. Ces écarts entre deux langues-cultures ne peuvent pas être comblés magiquement et, contrairement à ce que dit (avec trop d'humilité) Dominique Aury dans sa préface aux *Problèmes théoriques de la traduction,* il n'y a pas lieu de voir dans ces notes « la honte du traducteur » (G. Mounin, 1963, p. XI). Mais, bien sûr, il y a des limites à respecter et, dans notre préface à J. Habermas (1973), nous n'avons pas pu traiter en détail de toutes les difficultés de traduction rencontrées.

Le choix des deux exemples retenus correspond ici à la volonté d'illustrer notre théorème opposant connotations sémantiques et connotation sémiotique, dont il apparaît qu'elles s'interpénètrent, puisque c'est à un *continuum* que s'appliquent dans la réalité de la pratique les deux conceptualisations théoriques proposées. Mais, comme nous l'avons indiqué, ces applications du théorème principal conduisent à dégager d'autres théorèmes, la pratique étant en effet le lieu où se posent en même temps tous les problèmes qu'on ne peut dissocier qu'au niveau du discours théorique.

6.2.1. Notre premier exemple concerne la traduction de l'allemand-source *naturwüchsig*. L'équivalent dénotatif en français-cible eût été tout simplement *naturel* — si, justement, les connotations positives (ou neutres) du mot dans notre langue n'eussent fait contresens. Le terme allemand véhicule dans ce contexte les connotations *sémantiques* qu'y a sédimentées le fonctionnement sémiotique du discours opposant le pôle négatif du naturel, assimilé dans l'histoire aux mécanismes aveugles d'une économie de marché, au pôle positif du rationnel (économie planifiée). Si, comme cela arrive fréquemment dans une traduction, il avait fallu « faire la part du feu », c'est la connotation idéologique de l'allemand-source que nous aurions dû choisir contre la dénotation référentielle commune aux deux langues et nous aurions délibérément commis un « contresens (ou plutôt un *faux sens*) minimal » (cf. *inf.*, p. 244) en procédant ici à une « dissimilation » caractérisée : *naturwüchsig* aurait alors pu être traduit par « capitaliste »...

De toute façon, il convenait de procéder à ce que nous avons appelé une dissimilation (cf. *sup.*, p. 190). Nous avons eu recours à divers équivalents-cible syntagmatiques, dissimilatoires, comme : « naturel et incontrôlé » (J. Habermas, 1973, p. 93), « naturel et subi » (pp. 43 et 62), « ' naturel et anarchique ' » (p. 51), « resté (encore) naturel » (pp. 93 et 118), ou encore « naturel et spontané » (pp. 66 et 118, et cf. p. 101), « de façon naturelle et directe » (pp. 94 et 118). Nous ne nous sommes contenté de « naturel », tout court, que deux fois (pp. 80 et 152).

Encore avons-nous aussi utilisé parfois une solution hybride, qui ne neutralise que très partiellement les connotations du mot français, comme « de type naturel » (p. 80), etc. C'est là ce que nous appelons une *mise en locution* ou *syntagmatisation*. Le fait de sertir le terme dans une lexie contribue en effet à le démotiver en partie et, sinon à neutraliser les connotations, du moins à ralentir la lecture pour « laisser un temps de réflexion » au lecteur et faire jouer éventuellement la fonction sémiotique du contexte, voire l'anamnèse étymologique, etc. De même, pour traduire l'allemand-source *praktisch* — qui a chez J. Habermas un sens bien différent du français *pratique*, comme nous l'avons exposé dans notre préface (J. Habermas, 1973, pp. XXIX-XXXVI et *passim*) — nous avons aussi adopté différentes « mises en locution » globalisant notre traduction, comme « au niveau de la pratique » (p. 152), « au niveau pratique » (p. 150), « d'ordre pratique » (p. 152), etc. Il ne nous échappe pas que ce sont là des solutions presque désespérées... On pourra remarquer que, dans les exemples précédemment cités pour *naturwüchsig*, il nous est arrivé d'associer la procédure de syntagmatisation ou « mise en locution » à la dissimilation des éléments lexicaux utilisés dans les équivalents-cible (cf. tout particulièrement J. Habermas, 1973, p. 43).

Le mot-source étant paraphrasé par une périphrase, voire par plusieurs comme c'est le cas ici, on pourra parler de *péri-paraphrases* pour désigner le type d'équivalents-cible auxquels nous avons eu recours. Cette solution permet d'éviter la multiplication des notes du traducteur; elle consiste en fait à intégrer ces dernières dans le texte lui-même. Il s'agit là d'un cas particulier ou d'un corollaire, découlant d'un théorème plus général qui peut être formulé ainsi : dans certaines conditions, le traducteur se trouve dans la nécessité de procéder à ce que nous appelons des *incrémentialisations,* à des ajouts-cible au plan du signifiant et/ou au plan du signifié.

Dans les exemples invoqués, il y a eu allongements du texte, c'est-à-dire incrémentialisation au plan du signifiant; et, d'une façon générale, il convient d'admettre qu'une traduction puisse être plus longue que le texte original sauf impératif explicitement contraire, comme dans le cas des doublages (voire, pour d'autres raisons et différemment, des sous-titres) au cinéma. Il y a eu aussi des incrémentialisations au plan du signifié, ce qui est le plus important, et aura pu paraître discutable au vu des équivalents-cible proposés par nous pour l'allemand-source *natur-wüchsig.* C'était une nécessité de traduction, dans la mesure où nous étions contraint d'importer en français-cible des informations sémantiques supplémentaires, présentes dans l'allemand-source où elles sont sémantisées comme connotations, car elles s'avéraient thématiques dans le discours à traduire, c'est-à-dire tout à fait nécessaires à l'intelligibilité de ce qui faisait le propos de l'auteur-source. C'est ainsi que le traducteur tend à être souvent placé devant l'obligation de « paroliser » des éléments de langue-source, comme ici, voire de périlangue-source — c'est-à-dire de les intégrer comme incrémentialisations, au texte de la parole-cible qu'il produit.

A contrario, il y a des cas où les connotations sémantiques véhiculées par le mot-source sont moins importantes, voire inessentielles : le traducteur pourra alors, et devra même dans certains cas, renoncer à les traduire. Il y aura non pas incrémentialisation mais *entropie,* c'est-à-dire essentiellement déperdition d'informations, au plan du signifié. Mais, au plan du signifiant, il est aussi parfois licite d'envisager un allègement du texte, jugé trop redondant, si cette redondance peut être identifiée à des *habitus* de la périlangue-source qu'il convient de dissimiler.

A tout moment, le traducteur est placé devant cette alternative : incrémentialisation ou entropie. On aura noté qu'il faut faire là un *choix de traduction*. Nous avons dû opter et trancher le problème de savoir si la connotation sémantique signalée devait faire l'objet d'une incrémentialisation ou être vouée à l'entropie. Nous ne développerons pas ici plus avant cette problématique qui renvoie à une théorie de l'information rendant compte de la traduction comme d'un cas remarquable de la communication ou, ainsi que nous l'avons indiqué plus haut, comme « méta-communication » (58).

On pourrait aussi nous objecter que les différentes incrémentialisations paraphrastiques auxquelles nous avons eu recours en langue-cible font éclater l'unité spécifique du mot-source et le prive ainsi de la fonction terminologique qu'il pouvait avoir dans le texte original. Il n'est pas douteux qu'il y ait là, dans l'absolu, quelque inconvénient. Mais c'est en fait au coup par coup et dans la relativité concrète de chaque texte que ce genre de problème trouve les solutions qu'il faut se résoudre à accepter.

Avant tout — c'est un impératif catégorique de la pratique traduisante — il faut *que le sens « passe »*, quoi qu'il en coûte, et fût-ce au prix d'une telle distorsion, qui fait perdre au mot le visage connu et unique qu'il présente dans l'original. Or c'est bien à explorer l'aire sémantique propre du mot-source que s'attache la pluralité des équivalences que nous avons proposées. Comme se plaît justement à le répéter Daniel Moskowitz, *on ne traduit pas des mots mais des idées* (cf. J.-P. Vinay et J. Darbelnet, 1968, p. 37). En modulant les variantes-cibles de notre traduction, nous avons « rendu » l'idée dont est porteur le mot

(58) C'est dans le cadre d'une prochaine étude que nous en traiterons plus en détail, comme aussi de la *double énonciation* traductive, en nous contentant pour l'instant de ce qui est indiqué ici même et plus haut (cf. *sup.*, pp. 144, 149, 176 sq., etc.).

allemand, au travers des contextes qui en nuancent le sens (et en constituent pour ainsi dire l'effectuation sémantico-sémiotique); et nous sommes parvenu ainsi à un texte « lisse », qui satisfait à l'exigence cardinale de la *lisibilité*, c'est-à-dire d'une intelligibilité à fleur de texte.

Ensuite, nous avons pris assez souvent (J. Habermas, 1973, pp. 43, 51, 62, 66, 80, 93, 94, 118...) le parti de faire figurer en allemand et entre parenthèses le mot-source : (*naturwüchsig*). Nous avons même poussé le soin jusqu'à le faire trois fois dans la même page (p. 118), pour trois péri-paraphrases différentes en français-cible, donnant ainsi au lecteur l'occasion de soupçonner le problème. En dépit de ce qu'en pensent d'aucuns et à l'encontre de ce qu'imposent certains éditeurs (comme Gallimard pour la Bibliothèque de la Pléiade par exemple), nous nous faisons résolument l'avocat de ce procédé, dès lors bien sûr qu'on en maintient l'utilisation dans des limites quantitatives raisonnables, compatibles avec la lisibilité typographique du texte-cible.

C'est encore une façon d'éviter la multiplication des notes du traducteur. Bien plus, le mot allemand entre parenthèses peut être reconnu de ceux qui ne lisent le texte que dans sa traduction française mais sont assez « germanistes » pour souhaiter faire le lien entre ce qu'ils sont en train de lire et ce qu'ils savent déjà des concepts clefs (*Schlüsselbegriffe*) de la culture allemande, voire pour caresser l'ambition aventureuse de vérifier la traduction... (59). Ce procédé est aussi une façon de pallier l'inconvénient que comporte éventuellement l'éclatement en français-cible du mot-source : le terme allemand, en italiques, est un signal optique et les parenthèses où il vient s'intercaler atténuent l'effet minimal de freinage qu'il peut avoir sur le balayage oculaire de la lecture. Au reste, on aura remarqué que nous n'avons jamais manqué à faire figurer au sein de nos équivalences en français-cible le mot *naturel*, qui s'y trouve modalisé par des contextes péri-paraphrastiques faisant écho aux contextes-source aména-

(59) Sur cette épineuse question, cf. ici même, p. 91 sq., 227 sq. et *passim*...

gés dans le discours du texte original. On serait ainsi parvenu à concilier trois impératifs si souvent inconciliables : avant tout « faire passer le sens » dans son intégralité dissimilée, mais aussi assurer une lisibilité satisfaisante et, en même temps, permettre une *double lecture* en disposant des indices (*Wink*) qu'un lecteur plus cultivé est à même d'appréhender.

Surtout, c'est la question du *phénomène terminologique* qui se trouve posée avec un tel éclatement du terme-source (*naturwüschsig*) en plusieurs traductions-cible différentes. En fait, on a souvent tendance à s'exagérer l'importance et les difficultés de la terminologie en matière de traduction. Il existe une certaine idéologie « lexicaliste » spontanée qui fait croire à beaucoup de gens qu'une langue est une collection de mots, une « nomenclature », comme disait Saussure en montrant combien cette approximation est trompeuse (1972, p. 97 sqq.) ; comme on sait, certains linguistes ont même cru pouvoir limiter la sémantique à l'étude des mots et de leurs changements de sens. Cette idéologie de la nomenclature, qui méconnaît l'essentiel du fait linguistique, conduit aussi au *terminologisme* comme à sa caricature.

Il s'agit à la fois d'une surévaluation de la terminologie en soi et de l'illusion qui voudrait que la terminologie fût toujours fixée, comme par nature (φύσει), qu'elle obéisse à un découpage objectif, le même dans toutes les langues, et par conséquent qu'elle soit en principe aisément transcodable d'une langue à l'autre — pourvu qu'on dispose des compétences « techniques » nécessaires. Le problème terminologique posé au traducteur ne serait donc qu'un problème de savoir. Mais ce serait un problème excessivement difficile, dont la solution exigerait une connaissance parfaite et encyclopédique de la langue-source.

Cette *illusion terminologique* ne correspond en rien à la réalité. Tout d'abord, il ne suffit pas de connaître ou de chercher, le « mot juste » *en soi,* car il pourrait se faire qu'il n'existe pas en langue-cible. D'où a-t-on pris en effet que serait possible un simple *transcodage* des signifiants-source aux signifiants-cible, gagé sur la permanence quasi ontologique d'on ne sait quels atomes de signifié, sinon à une métaphysique substantialiste du

langage, implicite et totalement idéologique (cf. *sup.*, p. 67, etc.)!
Certes il y a des zones proprement terminologiques du langage
où les concepts signifiés sont universels et pour lesquelles il y a
des dictionnaires spécialisés. Mais il ne s'agit que d'un cas limite,
qui ne concerne que les sciences et les techniques, et encore
seulement les éléments de leur vocabulaire déjà bien acquis et
point encore dépassés. Pour ce qui est de la terminologie
vivante, celle qui est en cours de discussion et d'élaboration (60),
celle qu'on trouve dans les textes qui méritent d'être traduits, les
dictionnaires n'existent « pas encore ». Il y a aussi une
incertitude diachronique de la terminologie scientifique...

Dans la pratique, tout n'est pas aussi simple; il s'agit d'abord
pour le traducteur de reconnaître une unité terminologique
comme telle. A la limite, la question se pose pour chaque mot,
car on ne sait pas d'emblée de quelle terminologie il pourrait
s'agir. Ce premier problème inhérent au phénomène terminologique n'appelle pas une solution « technique » mais doit être re-
situé dans le cadre fondamental de la théorie de la traduction.

D'une façon générale, on peut dire que la traduction consiste
à exprimer « la *même* chose » dans une *autre* langue; c'est toute
l'ambiguïté de la notion d'équivalence. Nous proposons de
définir plus précisément la traduction comme une opération de
méta-communication assurant l'identité de la parole à travers la
différence des langues (cf. *sup.*, p. 15 sqq.). On remarque qu'en
l'occurrence la *langue* s'entend simultanément au sens saussurien
du stock des virtualités expressives dont dispose une communauté linguistique et au sens plus courant d'un idiome, de l'*une*
des langues du monde. La *parole* est le message propre du
locuteur, de l'auteur, qui met en œuvre la langue. Au terme de
cette interaction, il y a un texte — où *tout* est information (cf.
sup., p. 166 sqq.).

Pour chaque élément minimal d'information (*bit*), à quelque
niveau linguistique qu'elle se situe dans le texte-source, le
problème est donc de savoir *si* (en anglais *whether*, en allemand
ob) ladite information ressortit bien à la parole de l'auteur ou

(60) On retrouve là l'opposition entre discours *scientifique* et discours didactique qui est en jeu, cf. *sup.*, p. 73.

seulement à la langue-source dont il se sert. Dans le premier cas, il faudra « faire passer » l'information; dans le second cas, on pourra se contenter de mettre en œuvre les ressources qu'offre la langue-cible au mieux des exigences de l'écriture auxquelles obéit la rédaction d'un bon *texte*-cible. C'est encore une fois *au coup par coup* que le traducteur doit se poser cette question, de savoir-si... : nous l'appelons la question de la *quodité traductive*.

Il s'agit là du théorème fondamental de notre théorie de la traduction (61). C'est dans ce cadre général, à titre de conséquence à en tirer, qu'est décidable l'alternative ci-dessus indiquée entre incrémentialisations et entropie. A quoi répondent aussi la vieille idée ambiguë mais commode d'équivalence, la notion de « compensations » dans une traduction et le concept plus précis de dissimilation que nous avons proposé (cf. *sup.*, p. 190 et *passim*), mais aussi l'essentiel de notre méthode traductologique.

Dès lors, il ne reste plus qu'à déduire de ce théorème le simple corollaire d'une *quodité terminologique*. Il n'y a là que des cas d'espèce. Pour chaque unité linguistique dont l'identité est marquée en langue-source par la permanence d'une même forme du signifiant, et dont à ce titre la traduction fait difficulté en l'absence d'un équivalent superposable en langue-cible, le problème est *de savoir si* c'est bien un phénomène de parole essentiel au message à traduire ou seulement une contrainte immanente à la langue-source. La question est : est-ce terminologique? Il y a alors un choix de traduction à faire (62).

(61) Au point qu'on pourrait parler d'un *méta-théorème*, les autres n'en étant dans leur immense majorité que des « théorèmes dérivés », sinon des « corollaires » directs. La polarité sémiotico-sémantique des connotations n'est que le théorème principal et premier dans la présente étude, compte tenu de son angle d'attaque.

(62) Nous nous en tiendrons ici à ce seul aspect de la question; le problème de la *reconnaissance* des unités terminologiques est en effet le premier qui se pose et il commande tous les autres ainsi que les solutions qu'on peut y apporter. Les problèmes méthodologiques de la *quidité terminologique* seront traités ailleurs. Sur la question des terminologies techniques et scientifiques, il existe déjà une bibliographie indominable; et elle appellerait à elle seule encore tout un livre..

En effet, il est totalement exclu bien sûr de « terminologiser » l'ensemble de la langue-cible en concordance bi-univoque intégrale avec la langue-source. Le voudrait-on qu'on n'y parviendrait pas. La réinterprétation sémantique qui a fait, par exemple, du couple *entendement/raison* un équivalent traduisant en français-cible le binôme kantien *Verstand/Vernunft* (quitte à prendre quelque distance avec les acceptions cartésiennes d'*intellectus* et de *ratio*) est un cas de terminologisation traductive dont il est bien clair qu'on ne saurait, de proche en proche, l'étendre à toute la langue. Il faut à l'évidence que de tels néologismes sémantiques calquant les termes-source restent des cas particuliers. Ce travail terminologique d'une langue sur une autre n'est possible que dans la mesure où le traducteur peut faire fond sur le fonctionnement spontané de la communication (cf. *sup.*, p. 141 sqq.), dans cette langue naturelle qu'est sa langue-cible, pour investir quelques termes isolés d'un sens renouvelé grâce à l'agencement des contextes appropriés.

Aussi le traducteur est-il nécessairement *conservateur* en matière linguistique pour l'essentiel de son travail d'écriture traduisante (quitte à se montrer parfois plus audacieux quand il se trouve être devenu écrivain de « première main »). Certes, la traduction est « installation d'un nouveau rapport », comme le rappelle H. Meschonnic (1973, p. 311); mais il n'y a pas lieu d'en déduire, comme il le fait, qu'elle « *ne* peut *qu'*être modernité, néologie » (*ibid.* — c'est nous qui soulignons), qu'elle *ne* peut être *que* néologie et innovation. Au contraire, les néologismes du traducteur doivent pouvoir prendre appui sur une large base bien idiomatique et non marquée en langue-cible : il y a interaction entre les éléments thématiques d'une néologie qui doit rester quantitativement minoritaire, et les éléments opératoires d'un conservatisme linguistique qui doit rester massivement majoritaire en traduction pour permettre la mise en place des premiers. C'est aussi sous cette forme que joue la dialectique du *sémiotique* et du *sémantique* précédemment exposée (cf. *sup.*, p. 202 sq.).

Revenons-en à notre exemple, pour lui appliquer ce théorème de la quodité terminologique qu'il illustre et dont en fait, dans le cadre de la présente étude, il a été induit. L'allemand-source *naturwüchsig* ne prend une valeur « quasi terminologique » qu'en *langue*-source — pour ceux qui, germanophones ou quelque peu germanistes, y retrouvent la marque d'une tradition intellectuelle dont ils ont la compétence linguistique et périlinguistique, ainsi qu'il a été indiqué plus haut — mais non pas en parole. Dès lors, l'inconvénient était sans conséquence majeure de le faire éclater en plusieurs traductions-cible différentes. Ce n'était pas un *terminus technicus* dans le discours habermassien. Telle a été du moins l'interprétation qui a commandé notre choix de traduction (63).

Concluons maintenant. En l'absence d'un terme qui, en français-cible, eût satisfait à l'exigence idéale, très souvent irréaliste dans les faits et fondamentalement fantasmatique, d'un « mot à mot » concordant d'une langue à l'autre, il faut bien se résoudre à l'à-peu-près d'ajustements péri-paraphrastiques modulés, comme ceux que nous avons retenus. S'y refuser, ce serait confier au traducteur un message intransportable, parce qu'on aurait assimilé la traduction à un transcodage, cédant ainsi aux fantasmes de la mythologie babélienne et d'une hypnose obsessionnelle, tombée en arrêt devant les configurations singulières, contingentes et inépuisables du signifiant de la langue-source. Le reprocher au traducteur, c'est donc faire montre d'ignorance quant aux problèmes de la traduction et quant à la nature du langage.

Nous avons déjà fait plusieurs fois référence à cette idée, fausse, de la traduction comme *transcodage* (cf. *sup.*, p. 15 sq. et *passim*). C'est là méconnaître toute l' « épaisseur » proprement linguistique des langues mises en contact par la traduction, qui seraient assimilées à de simples *codes*. Le lexique se trouverait réduit à une nomenclature quasi terminologique, sans être en prise sémiotique sur la culture et l'histoire auxquelles il réfère (cf. *sup.*, p. 149 sq.); le jeu de la syntaxe serait abusivement restreint aux règles peu nombreuses et stricte-

(63) Mais il arrive aussi qu'on soit contraint de faire éclater même un terme-source qui a une valeur indéniablement terminologique. La traduction en français du mot *Öffentlichkeit* chez J. Habermas, par exemple, nous a mis dans cette obligation.

ment définies d'une combinatoire formelle transparente; et surtout il n'y aurait plus place pour l'idiomatique, les *habitus* phraséologiques, les sédimentations innombrables de la rhétorique et de la périlangue (culturelle, référentielle et comportementale)... sans parler des connotations. L'idée de transcodage consiste en somme à évacuer dans l'abstrait la réalité concrète des difficultés de traduction rencontrées dans l'expérience et tout ce qui fait de la traduction précisément une pratique et non une technique.

Finalement, ce serait verser une pièce de plus au dossier de « l'objection préjudicielle », à laquelle Georges Mounin, avant de s'y laisser prendre lui-même, avait su pourtant donner la réponse, dès la première phrase des *Belles infidèles,* son premier livre sur la traduction. Rappelons ce beau truisme, dont l'évidence se trouve si souvent obscurcie qu'il prend des allures de paradoxe et qu'il y a à le rappeler presque la matière d'un véritable théorème pour la traduction, ou plutôt d'un *axiome* (à proprement parler), dont les conséquences n'en finissent pas d'être méconnues alors qu'elles apporteraient la lumière sur tant de faux problèmes, et qu'en tout cas elles contribueraient notablement à éclairer la discussion menée ici (cf. *sup.,* p. 85 sqq.). « Tous les arguments contre la traduction se résument en un seul : elle n'est pas l'original » (G. Mounin, 1955, p. 7)!

Il y a là une illustration proprement « traductionnelle », et non plus seulement pédagogique, du concept de *quasi-perfection* que nous avons proposé pour thématiser non seulement le type d'objectifs qu'il convient de fixer à la traduction, dans l'ordre qui est le sien, mais aussi la dynamique asymptotique de la démarche qui y conduit le traducteur (cf. *sup.,* pp. 75 sq. et 41). En l'absence d'une solution meilleure, que nous n'avons pas trouvée, mais dont bien sûr nous nous empresserions avec gratitude d'accepter la suggestion éclairée..., il n'y a plus rien à objecter et toute discussion est vaine!

On nous pardonnera le ton un peu vif, et le tour apologétique d'un plaidoyer *pro domo,* qu'ont pris ces dernières lignes — sur des affaires dont on aurait pu penser que le bon sens y suffirait. Il faut avoir été traducteur, comme nous le sommes aussi, et avoir entendu ou lu les sottises plus ou moins malintentionnées qui courent sur les traductions pour mesurer à quel point la cause est encore loin d'avoir été entendue. On assiste au développement, dans certains milieux intellectuels et/ou journalistiques, d'une mode qui consiste à « éreinter » les traductions : c'est une façon de se donner à bon compte un faux-semblant de compétence et c'est assez souvent parfaitement injuste; mais, ce qui est sans doute plus grave, ces critiques irresponsables risquent ainsi de décourager bien à tort non seulement les traducteurs eux-mêmes mais aussi les éditeurs, pour qui les traductions sont des « produits » dont le prix de revient est plus élevé que la moyenne (cf. *sup.*, p. 91 sq.).

6.2.2. Venons-en donc rapidement à l'autre exemple annoncé. Toujours dans le même texte, nous avons eu à traduire le terme *kommunikativ* (cf. J. Habermas, 1973, p. XXXVIII et *passim*). Le mot français *communicatif,* dont le terme allemand est l'emprunt pur et simple, était à ce titre bien tentant comme retraduction (*Rückübersetzung*) de l'allemand-source en français-cible. Mais il nous est apparu qu'il fallait y renoncer pour ne pas mobiliser les connotations sémantiques qu'y ont sédimentées des tournures françaises comme « un rire communicatif », etc. La survenue adventice, et indûment « incrémentielle », de telles connotations eût été une gêne, un frein à la lecture et un obstacle à l'intelligibilité immédiate. Par ailleurs, le mot allemand a chez J. Habermas une valeur indéniablement terminologique, tout à fait essentielle; c'est même le concept clef sur lequel est centré l'ouvrage auquel il travaille actuellement et dont il vient de nous confirmer la parution prochaine.

Au vrai, le problème posé au traducteur était celui d'une connotation *sémiotique*. C'était donc au texte lui-même d'en faire émerger le contenu sémantique. Le lecteur n'avait qu'à en apprendre le sens comme nous l'avions fait nous-même, comme le traducteur, en lisant le livre — dans l'original ou, justement, dans la traduction française que nous lui proposions. La signification du terme allait de soi : il suffisait, comme on dit parfois, de « laisser travailler le(s) texte(s) ». La connotation sémiotique était assez transparente dans le fonctionnement du texte pour assurer, comme d'emblée, le remplissement d'un signifié à un signifiant-cible qu'il ne nous restait plus qu'à trouver, une fois écartées les connotations perturbatrices du français *communicatif.*

Très souvent, nous avons tout simplement employé des périphrases nominalisantes construites autour du substantif *communication,* moins connoté en français-cible (64). Mais les contraintes stylistiques qui commandent l'ajustement syntagmatique des contextes rendaient parfois cette solution impraticable, si l'on voulait éviter les « lourdeurs » imputables à certaines traductions, rédigées en un français « dialinguistique » qui mériterait de s'appeler « le traduit-de-l'allemand ». Au reste, il nous paraissait souhaitable aussi de marquer ce concept, thématique chez J. Habermas, d'un index terminologique. Pour y parvenir, il nous a fallu seulement nous résoudre à traduire par l'un de ces néologismes inflationnistes dont les puristes n'ont pas tort de fustiger la prolifération excessive de nos jours : nous avons eu recours au « français » *communicationnel,* et même parfois utilisé le concept de *communicationalité* (65).

Il est à remarquer que le problème n'était aussi simple ici que parce que *kommunikativ* n'a pas un lourd passé connotatif, ni chez J. Habermas ni chez d'autres, et parce que notre traduction était la première en français de cet auteur. Dans son prochain livre, que nous venons d'annoncer, il se posera déjà en des termes un peu différents : dans le cadre du discours habermassien, la connotation sémiotique du terme est en effet en voie de sémantisation et, pour ce livre, le traducteur devra tenir compte du précédent établi par notre propre traduction de 1973. Il y a là une illustration de l'interférence déjà notée entre connotation sémiotique et connotations sémantiques (cf. *sup.,* p. 202 sq.).

Il en est de même, comme on vient de le voir, pour l'exemple de *naturwüchsig.* On peut y observer comment ce qui avait été

(64) Notons au passage que l'allemand-source *Kommunikation* nous a semblé parfois devoir être traduit en français-cible par « le dialogue » (cf. J. Habermas, 1973, p. XLV et *passim*).

(65) Ce qui au demeurant revenait peut-être, il est vrai, à légèrement « surterminologiser » en français-cible. Si bien qu'eu égard au phénomène terminologique, nos deux exemples représenteraient deux formes de discrépance interlinguistique : la traduction de *naturwüchsig* étant une sous-terminologisation entropique et celle de *kommunikativ* une surterminologisation incrémentielle.

initialement une connotation sémiotique chez Marx est devenu une connotation sémantique chez d'autres, en allemand-source, pour à nouveau revêtir la fonction d'une connotation sémiotique dans le français-cible de notre traduction. Les exemples pourraient être multipliés. Mais on ne perdra pas de vue que, dans toutes ces applications, le théorème de l'opposition entre connotations sémiotique et sémantique permet seulement de conceptualiser ce qui dans la réalité des textes et dans la pratique traduisante est un continuum, que le traducteur devra à chaque fois positionner par rapport à ces deux pôles d'analyse théorique, au terme d'une interprétation du texte-source dont procéderont ensuite ses choix de traduction en langue-cible.

Qu'on doive procéder à un tel arbitrage conceptuel des connotations, que devant l'obligation de faire éclater un terme-source en plusieurs traductions-cible différentes il faille se poser la question de sa quodité terminologique, qu'on soit amené à consentir à des incrémentialisations ou à un certain coefficient d'entropie, qu'on ait à mettre au point le détour d'une dissimilation, etc. — à tout moment, c'est un problème de quodité traductive qui se trouve posé et la solution en passe par des *choix de traduction,* où le traducteur doit nécessairement opter en fonction d'une interprétation qu'il est condamné à faire du texte qu'il traduit. Nous autres traducteurs, nous pouvons reprendre à notre compte la formule sartrienne : « nous sommes condamnés à être libres ».

L'idée d'une traduction dont soit exclue toute interprétation est totalement fantasmatique car elle implique que les langues seraient assimilables à des codes (*stricto sensu*), la traduction devenant un simple transcodage. C'est ce que nous appelons l'illusion de la transparence traductive, corollaire de l'idéologie régnant sur la conscience linguistique spontanée et préréflexive qui est celle du sens commun, et dont nous avons déjà fait la critique. S'il est vrai que certains, et même justement parmi les meilleurs, opposent si souvent — et avec quelle vigueur! — la rigueur d'une bonne traduction au dilettantisme d'une pure interprétation, voire d'une simple « adaptation », il n'en reste pas moins qu'il faut n'y voir qu'une formule, l'expression d'une réaction d'impatience devant les mauvaises traductions et condamnant les excès où certains se laissent porter. Prise à la lettre et poussée jusqu'au bout de ses conséquences, une telle formule n'a pas de sens (cf. *sup.*, pp. 20 et 104).

Mais cette interprétation qui incombe au traducteur est d'un ordre particulier : à son propos, nous parlons d'*interprétation minimale,* au sens où il y a donc un minimum d'interprétation dont aucune traduction ne peut faire l'économie, mais aussi au sens où il ne s'agit pas de se risquer à la grande synthèse d'une totalisation compréhensive de l'œuvre. Sauf quand il est en même temps préfacier et spécialiste, le traducteur n'a pas à se transformer en commentateur : il lui faut « seulement » accompagner le mouvement d'une écriture à laquelle il aura à donner la réplique. Il est le tâcheron d'une interprétation « en miettes ».

Encore une fois, il travaille au coup par coup — à coups d'interprétations *ponctuelles,* circonstanciées aux accidents du texte-source et attentives à expliciter les stratégies de communication (cf. *sup.*, p. 141 sqq.) qu'ils recèlent pour en préserver les richesses mais aussi les éventuelles ambiguïtés polysémiques dans le texte-cible. Il lui arrive d'envier les libertés du commentateur auquel il est loisible de prendre de la hauteur pour embrasser l'ensemble, quitte à ne pas y regarder de trop près dans le détail; mais lui, en tant que traducteur, il doit faire du « rase-mots », si l'on peut dire. Ses interprétations ne portent que sur le fonctionnement de la connotation sémiotique, circonstanciée aux détails du texte, pour y déterminer les « effets de sens » ou réalisations sémantiques des mots dans leurs contextes, en les re-situant au sein des unités de traduction qu'elle a permis de définir (66).

En somme, il y a un *destin herméneutique* de traduire, qui n'est autre que le déterminisme sémiotique des unités séman-

(66) Encore une fois, le traducteur n'est qu'un sémioticien « appliqué » ou « appliquant » (cf. *sup.*, p. 209). En reprenant l'image de D. Aury, pour qui « dans l'armée des écrivains, nous autres traducteurs, nous sommes la piétaille » (G. Mounin, 1963, p. VII), disons que « nous » y sommes voués à une guerre d'escarmouches et d'avant-postes, voire parfois d'arrière-garde..., mais tenus à l'écart des grandes batailles.

tiques. La traduction est une méta-communication qui passe nécessairement par la médiation de la subjectivité du traducteur, qui fait dès lors figure d'*interprète*, à tous les sens du mot. Les fausses assurances du phénomène terminologique n'y échappent pas elles-mêmes, comme on l'a vu.

Ce qui est vrai pour le texte-source l'est aussi pour l'écriture-cible. C'est ainsi qu'il y a une dialectique de réciprocité entre les deux phases, pourtant bien distinctes, de l'opération traduisante : *lecture-interprétation* et *réécriture*. La lecture ou réception (*Rezeption*) du texte-source en est une interprétation qui ne s'effectue complètement que dans et par l'explicitation (*Auslegung*) d'une écriture, qui produit un sens-cible conditionné par les contraintes coextensives à la mise en œuvre en langue-cible avec ses composantes périlinguistiques. En quoi réside le « cercle herméneutique ». Ce sens advenu au terme de son écriture, il reste au traducteur à le mesurer aux exigences du texte-source grâce à un mouvement de re-lectures critiques assurant le *feedback*.

Cette explicitation herméneutique du texte-source dans la traduction-cible est une incrémentialisation « minimale » et incontournable. Ainsi comprend-on mieux que pour certains textes difficiles, en philosophie par exemple, il soit si précieux d'en lire aussi les bonnes traductions dans les langues que l'on connaît, lors même qu'ils ont été écrits dans notre langue maternelle. Combien de nos amis allemands ne lisent-ils pas Kant ou Hegel en français aussi? et nous sommes nous-même bien heureux de pouvoir lire J. Lacan en allemand aussi...

Les traductions continuent ou achèvent les textes-source, dont elles sont pour ainsi dire l'*exécution* — certaines en mauvaise part, il est vrai, comme s'il s'agissait de « l'exécution » d'un texte « condamné », mais aussi combien d'autres au sens éminent où un grand interprète « exécute » un morceau de musique! Il faudrait enfin cesser de l'ignorer et de réduire le traducteur, qui « joue les utilités », au rôle d'un scribe subalterne. Ce serait une justice à lui rendre, mais ce serait aussi prendre conscience de ce qu'on fait réellement quand on (ne) lit (que) des traductions et l'on n'en resterait pas ainsi naïvement à

« l'illusion de la transparence traductive ». Dans la lecture des textes étrangers, le traducteur est un tiers qui, en quelque sorte, « tient la chandelle »... Il convient d'accepter de voir en lui le *co-auteur* ou *réécrivain* qu'il lui arrive si souvent d'être, pour le plus grand bien de l'œuvre traduite. « Le devoir et la tâche d'un écrivain sont ceux d'un traducteur » écrivait Marcel Proust, dont on sait qu'il a été lui-même traducteur (de Ruskin) : à être renversée, cette phrase ne perd pas son sens, bien au contraire !

6.3. Un exemple négatif

Pour faire pièce au triomphalisme auquel cèdent trop souvent les théoriciens de la traduction, et ce d'autant plus facilement qu'en règle générale ils ne sont guère traducteurs eux-mêmes..., nous voudrions clore maintenant la présente étude sur deux exemples négatifs. L'un et l'autre, à la différence des deux précédents, ils ne seront pas tirés de notre pratique de traducteur. Le premier de ces exemples négatifs serait plutôt tiré de notre non-pratique de traducteur ou encore de notre pratique de non-traduction. Nous l'empruntons encore une fois au domaine de la philosophie allemande.

Soyons plus clair : nous entendons donner ici un écho au problème que nous nous étions posé au sujet de la traduction d'un livre de Theodor Wiesengrund-Adorno, envisagée un moment chez un éditeur de langue française et pour laquelle on nous avait pressenti. Il s'agissait du *Jargon der Eigentlichkeit* (Th. W. Adorno, 1965), où l'auteur s'en prend au langage heideggerien et, au-delà, à toute une tradition intellectuelle de langue allemande au sein de laquelle, à l'en croire, s'inscrit l'œuvre du philosophe Martin Heidegger. Nous avons abordé ailleurs le problème philosophique posé par ce livre, dans le cadre d'une étude intitulée « Adorno *contra* Heidegger » (67) et

(67) J.-R. Ladmiral (1975*a*). Cet article modeste s'est trouvé controversé, bénéficiant de l'honneur douteux d'appeler les critiques d'un J. Lacoste. Ce dernier semble tout ignorer du *Jargon der Eigentlichkeit,* dont notre article ne se voulait qu'une « traduction épigonale » (au sens que nous définissons plus bas); apparemment, il

nous n'en reprendrons ici que ce que nous y avions dégagé à titre de conséquences pour une théorie de la traduction, comme élément d' « application » (cf. J.-R. Ladmiral, 1975*a*, p. 229 sq. et *passim*).

Ainsi que le précise le sous-titre (*Zur deutschen Ideologie*) que lui a donné son auteur, le *Jargon der Eigentlichkeit* se présente comme une contribution à l'analyse critique de cette nouvelle mouture de l'Idéologie allemande que sont censés produire Heidegger et les épigones plus ou moins médiocres qui lui font cortège. Il n'est guère possible de ne pas entendre les connotations marxistes sur lesquelles joue un tel sous-titre; mais en même temps, conformément à l'esprit « freudo-marxiste » de l'Ecole de Francfort, Adorno mobilise les éléments d'une critique psychanalytique. C'est ainsi qu'il tend à montrer que le *Jargon* qu'il prend pour cible ne représente rien de bien nouveau et qu'en réalité il orchestre seulement des thèmes idéologiques très anciens et réactionnaires, rationalisant des affects *archaïques* et réactionnels.

En outre, et c'est plus directement en rapport avec le problème qui nous occupe ici, la « critique idéologique » (*Ideologiekritik*) à laquelle se livre Adorno prend le chemin d'une analyse linguistique (*Sprachkritik*), c'est-à-dire d'une critique stylistique aux termes de laquelle il s'attache à débus-

---

n'a pas non plus vraiment lu l'article qu'il critique puisqu'il lui a échappé que nous y annonçons une suite, complémentaire et aussi conflictuelle, « Heidegger *contra* Adorno »; et il n'a pas compris non plus comment on pouvait être à la fois adornien et heideggerien, comme nous y faisions profession de l'être. Sur le sens philosophique et traductologique qui peut être dégagé de cette polémique, en elle-même un peu dérisoire puisque née d'un contresens et d'une inculture étalée involontairement à l'occasion d'un compte rendu journalistique et superficiel, cf. les pertinentes mises au point de M. B. de Launay (1976). Quant au titre du livre de Th. W. Adorno (1965) lui-même, il pourrait être traduit en français par *Le Jargon de l'authenticité;* mais, conformément à l'usage, nous ne le citerons qu'en allemand (quitte à employer l'abréviation *Jargon...*), en l'absence d'une traduction française publiée...

quer le fonctionnement idéologique des connotations mises en œuvre dans les discours qu'il critique (68). Pour ce faire, il trempe d'ailleurs sa plume de pamphlétaire dans le vitriol, jusqu'à l'injustice. Mais, encore une fois, ce n'est pas le lieu de faire la part des choses quant au problème de fond. Notre propos ici est seulement celui du traducteur — du traducteur, qu'en l'occurrence nous n'avons pas voulu être !

Pour commencer, l'écriture adornienne pose à la traduction d'immenses difficultés. On pourra en prendre la mesure à consulter les travaux de Marc Jimenez (69), qui a eu le courage d'essuyer les plâtres, et plus encore à voir les retards accumulés par plusieurs traductions françaises de Th. W. Adorno... Une telle difficulté suffirait à décourager le traducteur. Mais telle n'était pas la raison de notre abstention et nous fuyons si peu, quant à nous, devant cette difficulté qu'au moment où nous écrivions ces lignes, nous travaillions parallèlement à la traduction des *Minima Moralia* du même auteur, dont nous sommes en mesure d'annoncer la parution très prochaine en français (Th. W. Adorno, 1979).

S'agissant du *Jargon der Eigentlichkeit,* il se posait un problème tout à fait particulier, et qui nous a paru « pratiquement » insoluble. Dans ce livre, l'argumentation polémique

(68) La traduction française de l'allemand-source *Ideologiekritik* par « critique idéologique » n'est qu'une approximation, suffisante ici ; en soi, il vaudrait mieux parler de *critique de l'idéologie,* voire de *critique des idéologies* — cf. J.-R. Ladmiral (1975a), pp. 231 et 212 sq. Plus généralement, on trouvera aussi dans cet article, « Adorno *contra* Heidegger », les éléments commentés d'un fichier de traducteur, à verser au dossier de la linguistique inductive pour la traduction dont il a été question plus haut (cf. *sup.,* p. 214 sq.), au même titre que des *Notes du traducteur* comme notre Appendice I (cf. *inf.,* p. 249 sqq.), etc.

(69) Cf. sa traduction de la *Théorie esthétique* d'Adorno, parue chez Klincksieck — mais aussi ses études sur Adorno (dans la collection 10-18, nos 759 et... 933). Comme traducteur, il avait été à vrai dire devancé par Hans Hildenbrand et Alex Lindenberg qui ont traduit la *Philosophie de la nouvelle musique* et l'*Essai sur Wagner,* l'un et l'autre parus chez Gallimard ; on mesure là quelles difficultés ont rencontrées les traducteurs...

d'Adorno consiste à montrer que le discours philosophique qu'il critique chez Heidegger, comme chez d'autres, connote en fait massivement tout le contexte culturel et idéologique de l'Allemagne nazie. On trouvera d'ailleurs les éléments d'une argumentation convergente chez Robert Minder (70), notamment dans la controverse qui l'a opposé à Jean Pierre Faye au sujet de la traduction de l'allemand-source *völkisch* chez Heidegger...

Dès lors, la traduction se trouvait confrontée à une échéance intenable. Avant même de rendre en français le message (la parole) d'Adorno, il lui faudrait avoir importé dans notre langue tout cet univers de connotations historiquement, géographiquement et linguistiquement situées. Elles constituent en effet le présupposé topique, implicite mais bien présent pour le lecteur allemand à l'arrière-plan du fonctionnement linguistique de l'original; c'est sur elles que fait fond le commentaire critique d'Adorno.

En termes linguistiques : le thème (*topic*) du message prend les dimensions de tout une culture-source et s'y dilue jusqu'à se perdre complètement puisqu'à de rares exceptions près — pour ceux qui ont assez de culture allemande, et qui auront donc pu lire le *Jargon der Eigentlichkeit* en allemand... — elle est, par définition, ignorée des éventuels lecteurs-cible francophones; du coup, le « propos » (*comment*) d'Adorno devient inintelligible, ou plutôt « imperceptible ». La logique de la proposition se dilate aux dimensions de tout une « langue-culture » et d'un énoncé dès lors intransportable; on pourrait dire qu'elle fait comme la grenouille de La Fontaine : elle s'enfle si bien qu'elle en crève! L'unité de traduction à considérer ici n'est pas le mot bien sûr, ni la phrase, ni même le livre tout entier, mais l'ensemble du contexte culturel et historique au sein duquel s'inscrit ce dernier. C'est dire qu'avec ce connotateur maximal,

(70) Cf. R. Minder (1972) ainsi que J.-R. Ladmiral (1975*f*). Quant aux traductions de Heidegger elles-mêmes, elles ont déjà fait l'objet de quelques polémiques et il existe d'ores et déjà sur la question un certain matériel bibliographique; nous y reviendrons en détail dans une prochaine étude (qui complètera J.-R. Ladmiral, 1975*a* et 1975*f*).

on touche aux limites de la traduction et à l' « intraduisible ».

Du point de vue général de la théorie de la traduction, on remarquera que l'intraduisibilité invoquée ici à l'appui de notre refus de traduire le *Jargon...* de Th. W. Adorno n'est donc pas lié à l'équation personnelle du traducteur, quel qu'il soit. Mais ce n'est pas non plus une pièce de plus à verser au vieux problème académique de l'objection préjudicielle (cf. *sup.,* p. 85 sqq.). Si c'est à une conclusion aporétique qu'a abouti ce dialogue sur la traduction, ce n'est pas dans l'absolu et au niveau des principes, mais au terme d'une exploration de la « situation de discours » réelle qui commandait le fonctionnement sémiotique et sémantique du texte-source.

Nous n'avons fait en cela qu'obéir au « réflexe normal du traducteur » qui est bien non seulement « de se documenter » (D. Moskowitz, 1972, p. 114) mais aussi, plus généralement, d'analyser l'ensemble des conditions qui président à l'énonciation du texte à traduire; et ce n'est que quand « il a parfaitement précisé la situation décrite par le texte original (qu') il entame la rédaction de sa traduction » (*ibid.*). Ce qu'ici D. Moskowitz ne précise pas, mais qui est bien implicitement dans la logique de ce qu'il dit, c'est qu'il s'agit d'une analyse *différentielle* (ou « dissimilatoire ») des conditions d'énonciation du texte-source, au regard et en vue de celles qu'il conviendra de définir pour le texte-cible. Encore une fois, la traduction est une méta-communication, une *double* énonciation, qui met en jeu deux stratégies de communication spécifiques (cf. *sup.,* p. 144), censées déboucher sur deux messages « équivalents » (cf. *sup.,* p. 224).

En l'occurrence, cette analyse conduisait le traducteur pressenti à conclure que la traduction du *Jargon der Eigentlichkeit* était *pratiquement* impossible. Pratiquement et non pas théoriquement, c'est-à-dire concrètement parce que, dans le cas précis de ce livre, pour que la traduction puisse compenser ce que nous avons appelé « l'entropie des connotations » (J.-R. Ladmiral, 1975*a*, p. 219), il aurait fallu consentir à de telles incrémentialisations que le texte-cible en eût été allongé, et alourdi de notes du traducteur, dans des proportions qui eussent largement excédé les limites de ce qu'il était raisonnable d'envisager.

Au reste, cette quasi-intraduisibilité de fait est une donnée *historique :* elle est liée à l'absence en français-cible des facteurs périlinguistiques d'un contexte culturel qui fait le « supposé » nécessaire des analyses adorniennes. A ce titre, elle n'est en principe que provisoire, car ces conditions pourraient changer. On peut imaginer qu'il existera un jour des traductions françaises, non pas seulement pour l'œuvre de Heidegger, mais aussi pour l'intégralité de celle de Karl Jaspers, et aussi pour les livres de O. F. Bollnow, de F. Gundolf, etc. En fait, même dans cette éventualité future, la traduction du *Jargon der Eigentlichkeit* serait encore une affaire délicate, car il resterait tous les épigones de seconde ou troisième zones, tous les plumitifs donnant dans le *Kulturpessimismus* d'avant-guerre et toute la production idéologique du IIIe Reich : tout cela ne sera assurément jamais traduit en français. Or c'est surtout cette « sous-littérature » qui rend convaincantes les ironies polémiques d'Adorno, c'est elle qui a le plus contribué à discréditer les connotations critiquées chez Heidegger. Et puis, c'est moins sur l'allemand-source de ces textes que sur le français-cible de leurs traductions qu'aurait à faire fond une version française du *Jargon der Eigentlichkeit* (71)!

C'est donc pratiquement que, pour cette traduction, « le jeu n'en vaut pas la chandelle » (pour reprendre la métaphore, à la limite du bon goût, dont nous nous sommes servi quelques pages plus haut...); et on voit aussi que la réalité des conditions *a posteriori* d'impossibilité historique de ladite traduction tend à s'hypostasier en invariant géo-culturel. Mais, à vrai dire, il y avait sans doute aussi à l'arrière-plan de notre refus de « sauter l'obstacle » d'autres raisons, subsidiaires. Ces dernières ne concernent pas tant les conditions de l'énonciation traductive,

(71) Cf. J.-R. Ladmiral (1975*a*), p. 229. Nous ne développons pas plus avant cette question, qui est une illustration *a contrario* de la problématique plus générale de la traduction dans l'histoire, à laquelle nous consacrerons une prochaine étude.

dont il vient d'être question, que les *conditions de production* matérielles du traducteur.

Si nous avons parlé plus haut de la difficulté de l'écriture adornienne, ce n'est pas seulement parce que la compétence du traducteur est en jeu, c'est aussi et surtout parce qu'il se pose un problème de *rentabilité*. Au vrai, la « rentabilité » dont il s'agit doit s'entendre en un sens élargi : compte tenu des tarifs pratiqués, même dans les meilleurs conditions, il ne peut s'agir de rentabilité au sens strict d'un rapport satisfaisant entre le nombre d'heures de travail investies et la somme d'argent reçue aux termes du contrat. La traduction philosophique, qui nous fournit la matière de l'exemple discuté ici, est en effet ce qu'on appelle une traduction « littéraire » et non pas une traduction « technique », ce qui d'une certaine façon est paradoxal mais correspond en fait essentiellement à un clivage d'ordre économique : la traduction philosophique est une traduction dite littéraire, parce qu'il s'agit d'un livre, paraissant chez un éditeur, avec en principe la mention du nom du traducteur, et surtout parce qu'elle est rétribuée selon le régime des droits d'auteur, beaucoup moins bien (ou : plus mal) que la traduction technique (cf. *sup.*, p. 14).

Le rendement de l'opération étant donc assez faible, on se demande comment il peut se faire que les traductions littéraires voient le jour, et qu'il y en ait de bonnes. C'est qu'assez souvent la traduction littéraire est un métier d'appoint, qui vient seulement compléter d'autres ressources. Daniel Moskowitz oppose deux sortes de traducteurs : les *mercenaires,* au nombre desquels il se compte, et les *esthètes,* dont nous sommes. Les « techniques » sont des mercenaires travaillant au rendement réel, alors que les « littéraires » sont assez souvent les esthètes pour qui la traduction est en partie et en quelque manière une fin en soi (au sens où les considérations de rendement ne sont pas en elles-mêmes déterminantes). Ainsi, pour les traductions du domaine de la philosophie et des sciences humaines, ce sont le plus souvent des universitaires qui s'y investissent en prenant sur leur temps de travail imparti à la recherche, déjà indirectement rémunéré.

Le traducteur est alors un médiateur spécialisé, en règle générale un spécialiste du domaine et de l'auteur qu'il traduit; c'est pourquoi il est aussi souvént préfacier du livre qu'il « donne au public ». Il prend un intérêt personnel à son travail. A quoi viennent s'ajouter des éléments de rentabilité secondaire. La traduction étant une école incomparable pour la rigueur intellectuelle et pour l'écriture, celui qui s'y soumet pourra en attendre un bénéfice pour sa formation. Il y trouve par là aussi des gratifications narcissiques, ambivalentes : il s'identifie dialectiquement à l'Auteur-source, il « se fait connaître » un peu, il fuit devant sa propre écriture... On touche là encore à la psychanalyse du traducteur. Et puis, ce type de traduction de haut niveau, spécialisée et commentée, est une activité publicataire qui peut avoir une certaine rentabilité universitaire (*publish or perish!*) encore que, dans son ensemble, la communauté universitaire ne soit guère consciente du problème des traductions, de leur nécessité, de ce qu'elles représentent, des conditions qu'elles requièrent, des compétences qu'elles mettent en œuvre, etc.

Mais tout cela signifie aussi que de tels traducteurs font ce travail *en plus,* parallèlement à ce qui reste leur véritable métier, l'enseignement et la recherche. D'où l'accumulation des retards, endémiques dans ce domaine; avec bien sûr quelques « surprises », surprise heureuse d'abord de voir une traduction paraître si tôt et puis, bien souvent, surprise ou stupeur devant un texte-cible illisible et fourmillant de contresens! Au reste, la lenteur n'exclue pas toujours de telles surprises... Quant à ce problème, l'auteur de ces lignes n'échappe pas à la règle et — pour ne pas parler des autres... ni de ces « Arlésiennes » de la traduction, dont on ne manque pas de s'irriter dans les milieux de l'édition (72) — les *Minima Moralia* d'Adorno, que nous

(72) Sans compter qu'il y a aussi des éditeurs qui, dit-on, prennent des « options » et « gèlent » les traductions, en attendant que l'intérêt de leur public-cible soit assez manifeste, assez « mûr », pour être sûrs de rentabiliser la publication, plus coûteuse pour un livre traduit que pour un texte original. Toujours au chapitre des retards : on a

traduisions (avec Eliane Kaufholz) et dont nous venons d'annoncer la très prochaine publication, auraient bien mérités d'être traduits plus vite.

Toute cette situation a de quoi faire hésiter le traducteur, même « esthète », avant de s'engager. Pour revenir à l'exemple qui nous occupe, la décision négative que nous avons prise concernant le *Jargon der Eigentlichkeit* était aussi un peu conditionnée par cet état de choses et par la considération suivante : tant qu'à faire d'affronter l'immense difficulté qu'il y a à traduire Adorno et d'y investir tout le temps que cela représente, autant le faire pour les seuls *Minima Moralia,* où J. Habermas (1974, p. 234) voit à bon droit « le chef-d'œuvre » de cet auteur, plutôt que pour un livre moins important — et encore !...

A vrai dire, c'est surtout à titre documentaire que viennent d'être évoquées ces dernières considérations subsidiaires de « rentabilités » : économique, psychologique et pédagogique, universitaire... Elles nous ont fourni l'occasion de jeter un regard à la dérobée du côté de l'Atelier du traducteur, dans l' « arrière-cuisine » des conditions de production où il travaille, pour informer le lecteur des réalités qui conditionnent la mise au point de ce produit linguistique qu'est une traduction. Cette mise en lumière des infrastructures de la production traduisante contribue aussi à une critique de l'illusion de transparence traductive qui en est la trompeuse superstructure idéologique.

Mais la vraie raison de notre hésitation devant le *Jargon der Eigentlichkeit* tenait quand même essentiellement dans ce que nous avons appelé les conditions *a posteriori* d'intraduisibilité

---

beaucoup déploré ceux qu'ont pris les traductions françaises des travaux de l'Ecole de Francfort ; et on assiste actuellement à un certain déblocage de la situation, avec la publication accélérée de nombreux livres, non seulement de H. Marcuse (voire de E. Fromm), mais aussi de J. Habermas, de Max Horkheimer, de W. Benjamin... et même de Th. W. Adorno ; mais il faut bien voir que la mise en traduction remonte au maximum à quelques années (et, en outre, ces publications ne voient le jour maintenant qu'en partie grâce aux subsides accordés aux éditeurs par les services culturels ouest-allemands d'*Inter Nationes*).

historique d'un texte où les connotations sémiotiques mobilisées ne pouvaient faire l'objet d'une sémantisation en langue-cible et renvoyaient à un connotateur maximal, intransportable d'une langue à l'autre. Disons seulement que les considérations annexes de rentabilité n'y apportaient qu'un renforcement matériel, un surplus de motivation psychologique permettant de résister à la tentation de l'impossible; celle-ci restait grande en effet, de se mesurer à un texte « intraduisible », en dépit et en « raison » même de l'évidence des analyses intellectuelles qui marquaient ici les limites de la traduction.

Au terme de ce cheminement qui nous a conduit à ne pas nous engager dans une impasse, nous voudrions conclure sur la pirouette rhétorique d'une double paraphrase de Molière et de Nietzsche, dont on voudra bien nous pardonner la bouffonnerie : et voilà pourquoi nécessairement, concernant le *Jargon der Eigentlichkeit,* la traduction est muette! et pourquoi nous n'avons pas traduit un si bon livre! Nous y ajouterons un jeu de mot. Une fois prise la mesure de cette intraduisibilité relative, il ne nous restait plus qu'à prendre la voie de ce que nous avons appelé une *intraduction* — au double sens, non seulement donc d'une « non-traduction » (avec *in-*privatif), mais aussi d'une introduction *ersatz* de traduction, c'est-à-dire d'une paraphrase parasitant le texte que nous avions renoncé à traduire (cf. notre préface à J. Habermas, 1973, p. XLIX). Tel était bien aussi le sens de la notion de *traduction épigonale,* présentée et représentée par notre étude sur « Adorno *contra* Heidegger » (J.-R. Ladmiral, 1975*a,* cf. p. 230) : donner un aperçu de ce que recèle le livre d'Adorno, dont on n'est sans doute pas près de voir paraître une traduction française.

Quant au problème des connotations qui nous a occupé plus spécialement, on a noté ici la même interférence que dans les deux exemples précédents. Les connotations sémiotiques initiales du contexte culturel et idéologique de l'Allemagne nazie étaient en voie de sémantisation dans les discours critiqués par Adorno. Leur traduction française n'est à l'évidence pas en mesure de jouer sur les mêmes connotations sémantiques. Mais elle ne peut pas non plus mettre en œuvre les connotations sémiotiques qui « compenseraient » au niveau de la parole ce qui est absent dans la langue-cible car, à la différence de ce qui se passait pour le terme *kommunikativ* dans le livre de J. Habermas, ce n'est pas à partir d'un fonctionnement sémiotique immanent au texte du livre d'Adorno que peut émerger le sens : c'est sur la base d'un corpus de textes et d'une intertextualité qui lui sont extérieurs et en excèdent par trop les bornes.

6.4. La bonne Parole et le mot juste

Ainsi l'exemple du *Jargon...* nous donne-t-il l'occasion d'un raisonnement par l'absurde (*a contrario*) sur les conditions de possibilité de la connaissance par la traduction. Après cette dialectique négative de l' « intraduction », nous voudrions enfin conclure sur un autre exemple de traductologie négative. Nous avions en effet annoncé un autre exemple, négatif comme le précédent, qui ne sera pas tiré de notre propre pratique de traducteur, mais emprunté cette fois-ci à Eugene A. Nida et Charles R. Taber (1969). Il s'agit de donner la parole à d'autres, eux-mêmes théoriciens et praticiens de la traduction biblique, plus objectivement et au-delà de l'idiosyncrasie subjective de notre pratique personnelle, qui risque de fausser les choses en vertu d'une sorte d'harmonie préétablie entre théorie et pratique, et ce, dans l'esprit de la « linguistique inductive » pour laquelle nous avons plaidé (cf. *sup.*, p. 214 sq.). Il en sera donc comme des exemples qui viennent d'être utilisés et discutés ici : ce sont autant d'*applications* illustrant le théorème principal des connotations sémiotique et sémantique (cf. *sup.*, p. 196 sqq.) mais ils permettent aussi, par contre-coup, de dégager d'autres *théorèmes* pour la traduction, c'est-à-dire à chaque fois la maxime particulière d'une recommandation pour la pratique traduisante, inductivement généralisable.

Conformément au « terrain » propre d'application qui est celui de E. Nida et de Ch. Taber, ce dernier exemple est tiré du *Nouveau Testament*. Dans l'Evangile selon saint Jean (II, 4 et XIX, 26), l'original grec γύναί (vocatif de γυνή) a d'abord été traduit littéralement par *woman* dans l'anglais-cible de la

King James Version, comme y conduisait la signification dénotative immédiate du terme-source. Mais quand on sait que, tout particulièrement au vocatif, le mot grec comporte des connotations sémantiques positives marquées de respect et d'affection (73), on comprend que la *New English Bible* ait choisi de traduire par l'anglais-cible *mother.*

Le théorème illustré par cet exemple est qu'en l'absence d'un terme-cible qui serait, sur le plan sémantique (ou par quelque biais sémiotique), strictement équivalent au mot qui fait problème dans le texte original, le traducteur est parfois amené à *choisir la connotation contre la dénotation* et à consentir consciemment, dans le cadre de la stratégie de « *quasi*-perfection » qui est la sienne (cf. *sup.,* p. 227...), à ce que nous pourrions appeler un *contresens minimal.* C'est l'éventualité que nous avions envisagée un instant pour traduire l'allemand-source *naturwüchsig,* qui serait devenu en français-cible « capitaliste » si nous n'avions trouvé le biais sémiotique incrémentiel des périparaphrases énumérées plus haut (cf. *sup.,* p. 218). C'est à peu près ce qu'en viennent à penser E. Nida et Ch. Taber en soulignant qu' « en grec, γύναι a une valeur connotativement plus favorable que *woman* » et que, par conséquent, la traduction par *mother* est « connotativement plus appropriée » (1969, p. 94 sq.).

Au reste, leur choix de traduction se soutient d'une étude statistique menée dans l'esprit des méthodes de mesure sémantique (cf. Ch. Osgood *et alii,* 1957) : pour un échantillon de soixante locuteurs de l' « anglo-américain », il a été établi que, globalement, le mot *mother* a des connotations très nettement positives alors que le mot *woman* est « plutôt neutre » quant à ses connotations. Sans doute, E. Nida et Ch. Taber sont-ils fondés à extrapoler et à postuler la validité de ces données pour les termes correspondants aux yeux des locuteurs francophones.

---

(73) Comme toujours la phénoménologie des connotations doit rester nuancée et il est vrai que le vocatif peut être lui-même pris parfois en mauvaise part. Cela dit, l'analyse de E. Nida et Ch. Taber touche juste pour l'essentiel.

A propos de l'allemand, remarquons que l'on disposerait bien d'un doublet connoté, à côté du terme connotativement « neutre » *Frau* ; mais ce serait des connotations péjoratives que mobiliserait *Weib* en allemand moderne. Une telle dyssymétrie des connotations est un bon exemple illustrant la contingence du découpage opéré par la sémantique de chaque langue entre ses unités lexicales ce qui, encore une fois, rend irréalisable le programme fantasmatique d'une concordance bi-univoque rigoureuse entre deux langues (cf. *sup.*, p. 226 sq. et *passim*). D'où bien des difficultés de traduction et, donc, l'obligation parfois d'opter pour « le contresens minimal ».

Mais, dira-t-on, pourquoi avoir annoncé un exemple négatif alors que la présente application semble si bien incarner le précieux théorème qui en est induit ? C'est tout simplement qu'à bien regarder le texte, on se prend à douter de la pertinence des raisons invoquées : c'est en fait précisément à sa mère, à Marie, que s'adresse le Christ dans les deux passages cités par E. Nida et Ch. Taber, si bien qu'à la réflexion on n'aurait peut-être pas tant choisi la connotation contre la dénotation qu'on n'aurait en dernière instance fait que céder à ce que nous avons appelé « l'obsession du référent » (cf. *sup.*, p. 164 sq.) ! Dès lors, semble-t-il, tout serait à refaire, puisque l'exemple contredirait le théorème qu'il était censé illustrer...

Aussi est-ce bien un exemple de « traductologie négative » qui vient d'être donné — et qui, un peu comme la théologie du même nom, semblerait ressusciter de très vieux interdits hérités du judaïsme — au même titre que la dialectique négative que nous avons développée pour la (non-)traduction d'Adorno. Mais on se souviendra aussi d'un passé plus récent, celui de notre enfance scolaire, où l'on nous disait bien qu'en géométrie « on apprend à raisonner juste sur des figures fausses ». Si l'exemple est mal choisi, le théorème que nous en avons dégagé n'en conserve pas moins toute sa validité ; c'est seulement dans l'organisation démonstrative de leur discours théorique que les deux traducto-logues biblistes ont peut-être failli, et ils ne manquent pas à nous donner ailleurs des exemples d'application plus convaincants.

Ainsi en est-il du bel exemple de traduction en thaï-cible qu'ils proposent aussi (E. Nida & Ch. Taber, 1969, p. 97). Il concerne le verset de l'Evangile selon Saint Jean qui nous est connu sous la forme : « Dieu a tant aimé le monde qu'il a donné son Fils unique, afin que quiconque croit en lui ne périsse point, mais qu'il ait la vie éternelle » (III, 16). Traduit de façon grossièrement dénotative en thaï, il prendrait à peu près la valeur suivante : « Dieu a tellement convoité ce monde matériel qu'il a envoyé son Fils unique, afin que quiconque est suffisamment dupe pour croire en lui soit condamné à exister pour toujours et à ne jamais avoir la chance de mourir » — si l'on en croit nos deux auteurs — et ce en raison des connotations sémantiques que le bouddhisme a attaché en thaï aux termes *monde* et *vie éternelle* et à cause de la connotation sémiotique que le contexte confère à *croire*. Ce n'est plus le « contresens minimal » d'une traduction connotative, comme dans le théorème que nous venons de proposer, ce serait plutôt à un contresens maximal que conduirait une telle traduction, commandée par l'obsession du... dénoté! Remarquons la pertinence déterminante de la composante périlinguistique d'une langue-culture donnée, ici thaï-bouddhiste(-cible). Précisons enfin que la distinction entre connotations sémantiques et sémiotiques est ici introduite par nous; elle n'est pas dans le texte de E. Nida et Ch. Taber; mais le théorème de la polarité sémiotico-sémantique des connotations s'y appliquait tout naturellement et y trouve un élément de validation. Quant à l'exemple lui-même et aux analyses dont il se soutient, l'ensemble paraît tout à fait convaincant; et en tout cas, ce n'est pas avec les connaissances qui sont les nôtres en thaï que nous nous risquerons à en entreprendre la critique...

7. Epilogue

Mais dans l'esprit de tels exemples bibliques, voyons-là un indice (*Wink*) qui nous rappelle à la vanité des choses humaines. En péchant ainsi « par défaut », le mauvais exemple que nous venons de donner pour illustrer le théorème du « contresens minimal » fait écho à la leçon de finitude interdisant, pour le *Jargon der Eigentlichkeit,* de transgresser « par excès » les limites de la traduction, au terme d'une casuistique aporétique que nous avons exposée si en détails que certains seront peut-être tentés d'y voir de la complaisance mise à étaler une « modestie » dont nous nous ferions vanité. Ainsi parla l'Ecclé-siaste, qu'en dépit des suggestions de H. Meschonnic (1970, pp. 132 et 135) nous traduirons avec les mêmes mots dont s'était servi saint Jérôme : *vanitas vanitatum, omnia vanitas!*

Cette rencontre de mot dicte à ce vicaire que doit rester le traducteur le principe cardinal et incommode de sa morale de travail : *être et savoir disparaître.* Mais c'est à vrai dire une leçon de prudence paysanne, plus encore que de modestie personnelle, que théoriciens et praticiens auront à tirer de cette Sagesse, immémoriale comme Babel et la traduction elle-même. Le théoricien devra s'arracher aux prestiges de la contemplation éthérée et triomphaliste des idées linguistiques et retourner dans cette Caverne qu'est aussi l'Atelier du traducteur pour gagner, comme un praticien du métier, le pain quotidien de ses traductions à la sueur de son front, c'est-à-dire dans l'inachèvement perpétuellement reconduit des trouvailles ponctuelles qu'il engrange après que son labeur les eut exprimées d'un fonds rebelle, au rythme des travaux et des jours...

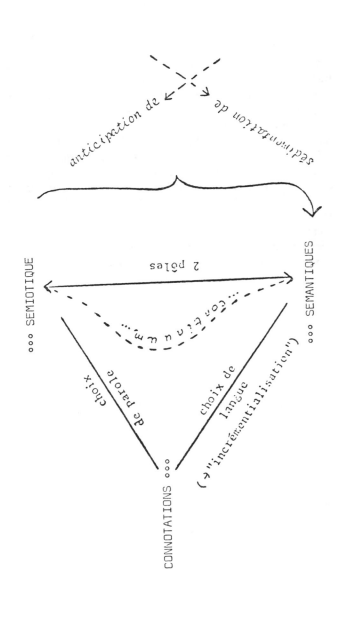

NOTE SUR LE DISCOURS PSYCHANALYTIQUE

Sous ce titre, nous nous sommes contenté de republier la Note du traducteur *(N.d.T.) dont nous avions fait suivre la première édition de notre traduction du livre de Erich Fromm,* La Crise de la psychanalyse : *E. Fromm (1971), pp. 283-290. Ce texte (qui n'a pas pu figurer dans la deuxième édition, « en poche »` rassemble quelques éléments du fichier de travail de traducteur. C'est en quelque sorte un document « traducto*graphique », *une de ces contributions partielles et ponctuelles que la* linguistique inductive de la traduction *ou traductologie appliquée (cf.* sup., *p. 214 sq.), voire la lexicographie peuvent attendre des traducteurs — cf. aussi : E. Fromm (1969), p. 35; J.-R. Ladmiral (1971), p. 163 et* passim *(en notes); J. Habermas (1973), pp. VII-XLIX; J.-R. Ladmiral (1975a), p. 230 sqq., etc.*

C'est essentiellement des problèmes de traduction que nous traitions dans cette Note *— après avoir signalé rapidement l'appartenance initiale de Erich Fromm à l'Ecole de Francfort, regroupée autour de Max Horkheimer, et après avoir rappelé que* La Crise de la psychanalyse *est (selon une habitude couramment admise en Allemagne et dans les pays anglo-saxons) un recueil d'articles, rassemblant des textes de dates fort différentes, la plupart rédigés en anglais directement et deux d'entre eux, plus anciens, remontant à la période allemande, avant l'exil américain devant la montée du nazisme.*

... Pour la traduction elle-même, nous avons considéré que, s'agissant d'un texte scientifique, il fallait préférer l'exactitude à l'élégance, voire à la légèreté. Nous n'avons francisé la syntaxe de Erich Fromm qu'assez rarement. Pour le lexique, et dès qu'il s'agissait de problèmes *terminologiques,* nous nous sommes fait une règle de ne rien inventer. Chaque fois que c'était possible, nous avons adopté les concordances proposées par le *Vocabulaire de la psychanalyse* de J. Laplanche et J.-B. Pontalis (1968), qui mérite de faire autorité.

Mais tous les problèmes de traduction posés par un texte comme *La Crise de la psychanalyse* ne sauraient se réduire à l'emploi d'une terminologie juste et reconnue. Les choses sont plus complexes, car il s'agit d'un texte qu'on peut dire doublement *engagé.*

Comme auteur, comme chercheur, comme psychanalyste, Erich Fromm assume et revendique une responsabilité *politique* et humaine : la psychanalyse n'est pas « désintéressée » ou neutre, pas plus que toute science. Sinon, comment pourrions-nous parler de *freudo-marxisme?* et comment pourrait-on espérer dépister la dimension idéologique de la théorie et de la pratique analytique?

Ce livre est aussi un discours engagé sur un « front *scientifique* » : c'est une contribution, polémique comme toute contribution scientifique, au débat psychanalytique. C'est pourquoi c'est une parole signée au rebours de l'anonymat didactique (cf. *sup.,* p. 73) où l'auteur (au sens fort de ce mot) prend ses risques, aussi en matière terminologique (comme en témoigne par exemple ce qui concerne les théories de l'analité).

Plus généralement, la nature du discours psychanalytique fait que la traduction ne peut pas être, ici moins qu'ailleurs, le simple *transcodage* d'une terminologie à une autre, tel qu'à chaque terme-source correspondrait un terme-cible de façon bi-univoque et en quelque sorte automatiquement. Cette permutation d'un signifiant-source à un signifiant-cible garantie par la constance du signifié scientifique ne représente pas un programme réalisable, au moins intégralement, pour autant que le langage de la psychanalyse ne se réduit pas à une terminologie où toute connotation serait désamorcée. La diversité des registres où la psychanalyse a puisé son vocabulaire est fort grande : théorie de l'énergie, biologie, neurologie, psychologie « classique », mythologie ou même langage des institutions... Et la préoccupation socio-politique de l'auteur vient ici ajouter la dimension du langage marxiste. Il s'ensuit tout un foisonnement de connotations qu'il ne saurait être question pour le traducteur d'arbitrer. Le discours scientifique de la psychanalyse a ceci de commun avec le discours poétique qu'il convient d'y intégrer la connotation à la dénotation quand on entreprend de le traduire (cf. *sup.*, p. 115 sqq.).

Or, si le découpage sémantique et dénotatif de chaque langue lui est spécifique, ceci est encore plus net au niveau des connotations. Dès lors le problème se complique considérablement, d'autant que nous avons en l'occurrence *trois* langues « en contact » : à l'anglais *langue-source* et au français *langue-cible*, il faut en effet ajouter l'allemand qui est ici ce qu'on pourrait appeler la *langue-origine*, non seulement parce que Erich Fromm a écrit lui-même en allemand certains des articles ici traduits de l'anglais, mais aussi parce que Freud reste la référence primordiale, le seul Auteur (*auctor*) de la psychanalyse, celui qui fait autorité. En effet, on trouve aussi chez Erich Fromm l'effort d'un retour à Freud : la démarche freudo-marxiste ne consisterait pas tant à « dépasser » Freud ; elle montrerait plutôt que s'il y a crise de la psychanalyse, ce n'est pas parce que la méthode freudienne serait en défaut mais surtout parce que la psychanalyse en est venue à y manquer, à cesser de l'appliquer de façon correcte et rigoureuse. Plus encore que le marxisme, la psychanalyse est une science qui « parle allemand » — pourrait-on dire en paraphrasant Heidegger pour qui la Philosophie « parle grec » — en dépit de toute l'immense production anglo-saxonne.

C'est ce qui nous a fait porter un grand intérêt à ceux des articles de Erich Fromm dont une première version allemande était accessible, et qui nous a amené dans ce cas à tenir compte du texte allemand autant que du texte anglais, synthétiquement, quand ils se trouvaient diverger, ne fût-ce que sur un détail. Inversement, mais dans une moindre mesure, la traduction anglaise de Freud et ses interprétations sont elles-mêmes éclairantes, qu'il s'agisse de la prestigieuse *Standard Edition* ou que l'auteur y ait mis sa propre marque : les exigences du contexte théorique nous ont conduit à en tenir compte dans la traduction des citations par exemple. Par ailleurs le passage de l'allemand à l'anglais et au français exigeait bien sûr certains « allègements » syntaxiques ou stylistiques. Mais il entraînait aussi sur le plan lexical quelques fléchissements : le concept de *prolétariat* en vient à disparaître du texte anglais, par exemple. On constate aussi un certain nombre de flottements d'ordre terminologique, à propos de all. *Trieb* notamment, mais c'était le propre de la fameuse « balance du traducteur » (que la langue-cible soit ici le français, ou l'anglais lui-même) d'écarter l'ambiguïté grâce aux ressources du contexte.

Au demeurant, ces problèmes spécifiques de traduction sont, eux aussi, une conséquence des conditions du discours psychanalytique. Le propre de l'expérience analytique, et du langage auquel elle donne lieu, est de s'instaurer par référence exclusive, et en quelque sorte « circulaire », à un univers de discours qui l'institue autant qu'elle la fonde. La psychanalyse et, particulièrement, ses élargissements freudo-marxistes se trouvent donc dans la redoutable situation d'avoir à démasquer la double subversion de l'idéologie et de la rationalisation, tout en restant dans les limites de leur propre champ. Il s'agit en effet d'un *métalangage* — où, en termes linguistiques, il n'y a d'autre référent que le signifié lui-même.

Bien plus, à la différence des autres discours théoriques qui s'assignent des significations transparentes par décrets terminologiques, le référent signifié par la psychanalyse est le langage même de *l'inconscient,* c'est-à-dire le non-dit, voire le non-sens. La réalité référentielle qui est ici intentionnée n'est ni d'ordre purement et simplement fantasmatique ou illusoire ni réalité matérielle. Freud parle de « réalité *psychique* » : mais le statut problématique de cette nouveauté « ontologique » n'est gagé que sur le discours même de la psychanalyse. Par quoi sont en quelque manière réhabilité l'à-peu-près linguistique et récusée l'ambition terminologique. « L'attention flottante » bien connue des psychanalystes manifeste, en particulier, cette difficulté théorique sur le plan pratique.

C'est en fonction de ces différents problèmes qu'ont été opérés les choix de traduction. Nous avons refusé de céder à la tentation terminologique, au « terminologisme » (cf. *sup.*, p. 222 sqq.). Même le suffixe adjectival en -*al* renvoie moins à des termes « techniques » qu'à une sédimentation lexicale de la connotation dominante du discours : fr. *libidinal* traduit angl. *libidinous* (all. *libidinös*); l'adjectif *objectal* est préférable en français aux substantifs composés qu'on trouve en anglais et en allemand mais qui sont trop lourds et peu maniables en français-cible. C'est dans chaque environnement contextuel particulier que nous avons proposé nos solutions limitées à des problèmes qui restent bien sûr posés au niveau théorique. Le manque de place nous interdit de donner plus que quelques exemples.

Si, par un décret terminologique de l'anglais des psychanalystes, angl. *love* traduit ce que Freud appelle *Liebe,* la traduction française par *amour* pouvait sembler parfois impossible : pouvait-on parler par exemple de « l'amour éprouvé par l'enfant pour ses selles »? C'est pourtant la solution à laquelle nous nous sommes régulièrement rallié. Dans le contexte psychanalytique, il faut entendre « amour » au sens très large d'une énergie psychique fondamentale, recouvrant la simple « affection pour » et la fonction physiologique autant que le sens courant plus déterminé et connu. (Cet élargissement de sens est au demeurant plus net encore dans les traductions d'Empédocle où le mot prend les dimensions cosmiques de la Physis. Freud n'est au reste pas sans relation avec Empédocle.) Le même problème se pose pour l'anglais *friendly,* qui traduit all. *freundlich,* concurremment avec angl. *loving.* Le caractère à la fois général et fondamental du concept aurait réclamé que nous employions plus souvent le « philosophème » français *positif* (« attitude positive par rapport à l'objet » par exemple) mais le contexte a parfois rendu cette traduction peu praticable.

Le concept freudien de *Trieb* (avec l'adjectif *triebhaft,* ou les composés en *Trieb...*) devrait, dans le cadre d'une terminologie cohérente et rigoureuse, être traduit par le néologisme français *pulsion* (avec l'adjectif *pulsionnel*), comme on a tendance à le faire maintenant, notamment depuis les énergiques remarques de J. Lacan. En quoi on ne sacrifie pas à un substantialisme étymologisant, car il s'agit de bien dissimiler les deux termes du couple morphosémantique *Trieb : Instinkt*. Le second se distingue du premier par son absence de souplesse et son ancrage héréditaire et se comprend par référence aux théories de l'instinct animal (l' « instinct » s'opposant notamment aux *tendances*, acquises, de la psychologie « classique »). Le « *Fremdwort* » (cf. *sup.*, p. 79 sqq.) fournissant à l'allemand des doublets, il y avait ici une disponibilité terminologique dont Freud s'est servi (sans la thématiser comme telle, notons-le). Dans ces conditions, l'usage d'un néologisme en français était tout à fait justifié. Mais on ne pouvait traduire « sozialer Trieb » que par « instinct social » (« pulsion sociale » risquant même de faire contresens) comme le voulait au demeurant l'anglais « social instinct ». Plus généralement, le doublet *instinct : drive* n'est pas utilisé en anglais de façon systématique. Il ne nous appartenait pas de réintroduire dans le texte d'Erich Fromm la cohérence formelle d'une terminologie. Il faut ajouter en outre que la « pulsion » freudienne rejoignait ici la « passion » de l'anthropologie marxienne. En définitive cette question du *Trieb* n'a pas l'importance qu'on a dite car le contexte écarte en règle générale toute ambiguïté — et puis ce ne serait pas le premier cas de polysémie, même dans le cadre d'une terminologie scientifique. Si l'adjectif français *instinctif* était impossible, nous n'avons pas systématiquement éliminé *instinctuel* au profit de *pulsionnel* (cf. *sup.*, p. 91 sq.).

Le français *tendance* nous a servi à traduire angl. *striving*, c'est-à-dire la catégorie freudienne de *Strebung :* il nous a paru en effet préférable d'éviter fr. *aspiration*, trop « psychologique » — bien qu'il puisse parfois apparaître justifié. Pour les mêmes raisons, nous avons proposé cette seule et unique traduction à ce que Erich Fromm appelle *endeavours, aspirations* ou même, dans certains cas, *drives*. Il était de même difficile de traduire autrement *trend* et *tendancy*. Il nous est arrivé d'utiliser fr.

penchant quand le connoté psychologique et en quelque sorte conscient était assez net. Par la force des choses, nous sommes donc très loin, on le voit, de l'idéal d'une concordance biunivoque prôné par certains en matière de vocabulaire dans la traduction (cf. *sup.,* p. 166 sq.).

Ce que Freud appelle *Angst* subit un clivage sémantique dès qu'on passe à l'anglais ou au français : d'une part l'*angoisse,* flottante, comme symptôme et d'autre part le phénomène psychologique de la *peur,* crainte circonstanciée à un objet. Nous nous sommes contenté de suivre les choix de Erich Fromm, qui n'a pas toujours eu recours au compromis, ingénieux mais en même temps maladroit et peu pratiquable, de angl. *anxiety.*

Pleasurable a été traduit par fr. *agréable* quand « *générateur de plaisir* » était stylistiquement impossible, mais on a préféré souvent cette seconde traduction puisqu'elle correspond mieux aux composés en *Lust...* de Freud qui sont à l'arrière-plan. *Character trait* ne pouvait être traduit par « trait de caractère » qui fait contresens, alors que fr. *trait caractériel* permet de rendre le connoté psychanalytique. *Life* a été traduit par fr. *existence* ou *vie* selon les contextes, selon qu'il s'agissait du sens « biographique », c'est-à-dire individuel ou historique, ou du sens biologique de ce mot.

On a employé *psychologie sociale* et *psycho-sociologie* indifféremment, c'est-à-dire en n'obéissant qu'à des considérations « stylistiques » : si la première expression est la plus courante comme la plus « moderne » et représente une traduction plus immédiate de l'anglais (et de l'allemand), on ne peut former d'adjectif que sur la seconde. On a par contre distingué *psychologie individuelle,* qui correspond à une visée « épistémologique » de l'objet (à connaître), et *psychologie personnelle,* qui renvoie à la relation thérapeutique (et interpersonnelle) avec le « sujet », avec le malade.

Rationalisierung/rationalisieren a chez Freud le sens d'une explication-justification *a posteriori* (pseudo-)rationnelle (et « idéologique »). C'était déjà le sens de l'anglais *to rationalize.* Nous aurions volontiers rendu en français cette spécificité sémantique par l'artifice orthographique *rationalization/rationalizer*. Mais il ne semble pas que cette proposition doive être retenue.

Certaines difficultés de traduction n'étaient pas propres au discours psychanalytique ou même marxiste. C'est ainsi que l'anglais (*urban*) *middle class* a été traduit en français par *classes moyennes* ou *petite-bourgeoisie* selon le niveau d'analyse. *Planning* a un sens large et spécifique, on ne pourrait trouver d'équivalent français unique puisqu'il s'agissait de *planification*, de *prospective* ou de *rationalisation* (au sens économique de ce terme), voire d'*organisation*...

Un mot comme angl. *scholarly* pouvait être difficilement traduit par fr. *savant* malgré les « sociétés savantes », les « éditions savantes »... On a préféré fr. *scientifique*, qui (avec ou sans guillemets) est de plus en plus employé en français avec le sens large de l'allemand *wissenschaftlich*, comme le montre l'extension nouvelle acquise par des expressions comme celle de « publications scientifiques » (cf. *sup.*, p. 107 sq.). Le sens traditionnel, avec sa limitation positiviste aux sciences exactes, ne s'en est pas trouvé par là abandonné et l'on pouvait traduire angl. *scientific* — all. *naturwissenschaftlich* — par fr. *scientifique*, bien qu'on n'assiste pas au même élargissement de sens du mot anglais en dépit de tout ce que le système universitaire américain doit à l'Université allemande. Le contexte suffit à retirer toute ambiguïté à ce double sens que nous accordons au mot français.

Le « radicalisme » n'étant pas une tradition du parlementarisme anglo-saxon, *radical* ne pouvait traduire en français son correspondant anglais qu'au prix d'un net « adoucissement » du sens. Il y a été porté remède grâce à un certain nombre de périphrases destinées à mieux marquer la dimension politique et la vigueur contestataire du mot anglais. Bien sûr, on a le plus souvent préféré fr. *affectif* à *émotionnel* pour traduire angl. *emotional* — fr. *émotionnable* étant irrecevable. Pour angl. *empirical*, il convenait de préférer fr. *empirique* à *expérimental*...

Ne voulant pas réécrire le texte de Erich Fromm, nous n'avons pas cru devoir éviter certaines étrangetés stylistiques (comme, par exemple, l'alternance du *je* et du *nous* quand l'auteur parle en son nom propre). Certaines d'entre elles sont propres au discours psychanalytique : une expression comme « les forces intellectuelles et affectives » s'explique par le « dynamisme » inhérent à la théorie analytique. Certaines lourdeurs ou d'apparentes incohérences viennent aussi de ce que le traducteur était en présence de plusieurs couches du texte anglais lui-même : il fallait tenir compte des corrections de l'auteur, mais la volonté de faire paraître l'édition française en même temps que l'édition américaine de ce livre imposait une révision rapide. On n'a ainsi pas pu éviter quelques disparates (le péché capital des traductions littéraires...). Enfin, tant pour le français que pour l'anglais, le substrat allemand a parfois fait violence à la langue.

Appendice II :

GUIDE DE LECTURE

Ce dernier texte est notre « Introduction » au numéro de la revue Langages *sur la traduction : J.-R. Ladmiral (1972), pp. 3-7. S'agissant d'une présentation générale des différentes contributions de ce numéro — au nombre desquelles figurait une première version de notre étude sur la traduction et l'institution pédagogique, cf.* sup., *p. 23 sqq. — augmentée de quelques éléments d'introduction bibliographique au problème, il nous est apparu qu'il était utile de faire figurer ces quelques pages au sein du présent volume. Nous avons légèrement remanié ce texte, pour l'harmoniser avec le reste, et notamment nous l'avons complété en notes de quelques précisions bibliographiques récentes.*

G. Mounin (1963, p. 10 sqq., etc.) regrettait que les traités ou manuels de linguistique ne comportassent point de chapitre consacré aux problèmes de la traduction. De ce point de vue, la situation n'a pas fondamentalement changé. Pourtant, la traduction mérite l'attention du linguiste : elle occupe dans le champ linguistique une place à la fois importante et particulière. S'il est vrai, d'ailleurs, que le discours didactique tenu par les manuels de linguistique générale (A. Martinet, H.-A. Gleason, J. Lyons, etc.) ne traite pas thématiquement, ou même pas du tout de la traduction (1), cela ne signifie pas que les linguis-

(1) Le *Dictionnaire encyclopédique des sciences du langage* de O. Ducrot et T. Todorov (1972) ne fait même pas figurer la *traduction* dans son Index.

tes se soient définitivement désintéressés de ce vaste champ d'études, bien au contraire.

La difficulté qu'il y a à donner sur le sujet une *bibliographie* « raisonnable » tient à ce qu'on oscille entre deux extrêmes — dont l'un atteste justement que depuis plusieurs années on assiste à une telle multiplication des recherches sur les problèmes de la traduction que cette dernière se trouve au principe d'une activité publicataire foisonnante et excessivement difficile à dominer (2). Mais il s'agit de tout un nuage de contributions ponctuelles et très spécifiées; en tant que discours scientifique, elles sont fragmentaires, datées et provisoires, épistémologiquement situées par rapport à certains « fronts scientifiques » qui correspondent eux-mêmes à des échéances historiques (scientifiques ou extra-scientifiques).

La constitution de la traduction en sous-discipline autonome sinon indépendante de la linguistique devrait aider à la constitution d'équipes d'enseignants-chercheurs spécialisés qui soient en mesure dans un premier temps d'organiser systématiquement la « réception » de ces informations scientifiques et d'en faire un *bilan didactique* (susceptible à son tour d'être réinjecté dans la didaxie linguistique générale); dans un second temps (peut-être simultané), il s'agira d'entreprendre une véritable *synthèse théorique* ou *scientifique* qui permettra d'articuler de façon systématique et exhaustive ce domaine d'autant plus vaste qu'il est éparpillé, d'élaborer les hypothèses et concepts théoriques spécifiques nécessaires et de fonder ainsi une *science de la traduction* qui soit une branche à part entière de la linguistique, elle-même élargie et approfondie (3).

L'obligation de choisir entre les deux *extrema* bibliogra-

(2) On n'aura pour s'en convaincre qu'à se reporter aux travaux de K.-R. Bausch, K. Klegraf et W. Wilß (1970 & 1972) et de H. van Hoof (1973). Il est clair qu'une entreprise bibliographique de ce genre serait déraisonnable dans le cadre restreint d'un numéro de revue ou d'un ouvrage comme le nôtre.

(3) La réalisation d'un tel programme semble plus avancée au sein de l'Université allemande, qui offre à cet égard des bases institutionnelles plus favorables; l'expression allemande de *Übersetzungswissen-*

phiques impose de renoncer à l'ambition d'un *maximum* indominable de références ponctuelles au profit de la sélection, minimaliste, d'une « bibliographie sommaire », qui pour une fois mérite bien son nom.

Dans ses *Problèmes théoriques de la traduction*, toujours cités, G. Mounin propose moins une théorie scientifique de la traduction qu'un discours pédagogique sur elle : son livre est un excellent « cours de linguistique générale » mais il nous apprend peu de chose sur la traduction elle-même (4). Joliment intitulé et d'une écriture encore littéraire, *Les belles infidèles* (G. Mounin, 1955) est un livre suggestif et mériterait, au moins autant que les *Problèmes...*, une réédition qui se fait attendre. Mais, dans ces deux livres, G. Mounin reste prisonnier de ce que nous appelons la problématique, métaphysique, de *l'objection préjudicielle :* la traduction est-elle possible? Sa réponse, affirmative, commande une argumentation de nature apologétique : il s'agit de fonder en raison linguistique la *traduisibilité* et d'établir que la traduction est bien une « opération linguistique » (cf. *sup.,* p. 76 sq. et, bien sûr, p. 87 sqq.).

Cette attitude défensive correspond à un âge déterminé de la science linguistique où le dogmatisme méthodologique, les exclusivismes d'écoles, l'*a priori* anti-sémantique et, plus généralement, l'illusion rétrospective d'une épistémologie positiviste faisaient que le domaine de la traduction se trouvait implicitement rejeté au-delà des frontières épistémologiques, vers les marches du non-linguistique ou de la « métalinguistique »; la traduction était dès lors « un *art* et non une science » (5) en vertu d'une métaphysique esthétisante, corrélative du positivisme et inconsciente d'elle-même comme c'est le propre du phénomène idéologique. Georges Mounin tient le discours

---

schaft consacre cette autonomie — la « science » prenant ici le sens didactique d'une *discipline* (cf. *sup.,* p. 107 sq. et J.-R. Ladmiral, 1971, p. 161 sqq.).

(4) On leur préférera, du même auteur, *Teoria e storia della traduzione* (G. Mounin, 1965).

(5) C'est à une formule analogue que s'arrête aussi un E. Cary (1956, etc.).

défensif et apologétique de l'hérésie qui consiste à réintroduire la traduction au sein même de ce discours dominant.

Les 36 *Propositions pour une poétique de la traduction* d'Henri Meschonnic tiennent au contraire le discours iconoclaste de la rupture. Sa poétique de la traduction se donne la dimension prophétique d'une coupure épistémologique qui s'inscrit dans le cadre d'un « combat idéologique ». Le mouvement de libération des traducteurs est nécessairement lié à une réhistoricisation de la traduction comme procès textuel de « décentrement » non seulement interlinguistique mais aussi interculturel. Il n'y a pas plus de traduisibilité en soi que de résidus essentiellement « intraduisibles » : la « traductibilité » est le résultat d'un travail qui a ses conditions de production déterminées. Ces Propositions sont comme les nervures d'une *auto-réception didactique* de sa poétique de la traduction (6).

En langue française, outre les travaux déjà cités, il faut signaler le livre de J.-P. Vinay et J. Darbelnet (1968), ainsi que l'excellente contribution consacrée à « La traduction humaine » par J.-P. Vinay (1968*b*) in A. Martinet (1968*b*), et finalement quand même aussi A. Malblanc (1966).

Mais, une bonne part de la littérature « scientifique » de base concernant la traduction est en anglais. Dans la perspective minimaliste adoptée nous citerons seulement : E. A. Nida (1964), J. C. Catford (1967), ainsi que E. A. Nida et Ch. R. Taber (1969). On peut y ajouter des volumes collectifs comme ceux de R. A. Brouwer (1966), de W. Arrowsmith et R. Shattuck (1966), etc. (7).

(6) Elles sont parues d'abord dans notre numéro de *Langages* consacré à la traduction — in J.-R. Ladmiral (1972), pp. 49-54 — avant d'être reprises in H. Meschonnic (1973), p. 305 sqq. et c'est dans cette dernière édition que nous les citons dans le présent ouvrage.

(7) Depuis la parution de J.-R. Ladmiral (1972), il a été publié de nombreux travaux sur la traduction. Avant tout, il faut signaler la traduction française récemment parue du beau livre de G. Steiner (1978), qui concerne la traduction littéraire. Mentionnons aussi A. Ljudskanov (1969), W. Wilß (1977), différents numéros de revues comme les *Etudes de Linguistique Appliquée* (n° 12 et n° 24), *Change* (n° 14 et n° 19)...

Alors qu'une théorie de la traduction pourrait sembler exiger que soient remises en question et « dépassées » la distinction classique entre dénotation et connotation (cf. *sup.*, p. 115 sqq.) et, au-delà, la *dichotomie sémantique/stylistique*, Ch. R. Taber (1972) accepte d'en faire le binôme qui articule sa contribution à ce numéro. Comme E. A. Nida, il adopte les postulats de la linguistique générative transformationnelle. « Traduire le sens » demande une analyse régressant au-delà des structures de surface jusqu'aux structures sémantiques et à leurs différentes composantes. « Traduire le style » est l'enjeu principal, mais c'est aussi l'entreprise la plus délicate pour autant que la nature des « valeurs stylistiques » à transcoder reste difficile à déterminer scientifiquement et qu'elles sont elles-mêmes codées à plusieurs niveaux.

Pour sa « théorie linguistique de la traduction », J. C. Catford partait de considérations pédagogiques. Il était en effet nécessaire que cette porte fût fermée. Une analyse de « la traduction dans l'institution pédagogique » (cf. *sup.*, p. 23 sqq.) était l'occasion de se déprendre des conceptions scolaires qu'a inculquées à chacun de nous l'expérience passée des enseignements de langues vivantes et « mortes »; le fait qu'à ce niveau justement la traduction voie son insertion contestée était une raison de plus d'entreprendre cette « archéologie didactique ». Le dépassement de la méthode grammaire-traduction dans la pédagogie des langues est corrélatif en effet d'un « oubli », en fin de compte récent, de la préoccupation explicite de traduire qui a longtemps marqué les grammaires traditionnelles, la logique métalinguistique s'y trouvant complétée de résidus ou *excursus* idiomatiques; au point qu'on serait tenté d'interpréter l'intérêt qui se manifeste pour la linguistique contrastive un peu comme une réminiscence.

Une fois écartée la « traduction pédagogique », il convenait de fermer une seconde porte pour que soit assigné le champ de la traduction *stricto sensu :* celle de la *traduction automatique* (8). La porte est doublement fermée sur ce qui est présenté comme

(8) Cf. le « Que Sais-Je? » de E. Delavenay (1963), ainsi que G. Mounin (1964), etc.

une impasse : M. Gross (1972) dresse un bilan négatif et récent de cette espérance déçue qui fait dès lors figure de coûteuse utopie phantasmatique et techniciste, réchappée de la mythologie babélienne. J.-M. Zemb (1972) ne se résout pas aussi facilement à abandonner l'idée d'une machine à traduire — qui pourrait être « non polluante » et même épurer l'*ordo* informatif des ambiguïtés adventices du *numerus* appositionnel. Le traducteur est appelé à recourir aux sécurités relatives d'une vérification partielle de ses choix grâce aux procédures d'un calcul proposi- tionnel et à la logique du discours qui se trouve ainsi indiquée. Concurremment, il est attendu de la pratique traduisante qu'elle régénère la théorie linguistique que son positivisme déjà noté tend à rendre squelettique (9).

Cette perspective rationaliste de formalisation ne dispense pas, bien au contraire, de thématiser ce que nous appelons la *périlangue*, culturelle, contextuelle et situationnelle. C'est ce que fait J. Fourquet (1972) en relation avec ses préoccupations concernant le *plan du signifié* dont les chaînes parlées sont un codage en unités discrètes de signifiant. La métaphore du train d'ondes T.V. auquel est provisoirement assimilé le message à traduire, c'est-à-dire à reconstituer sur un écran de lecture, rapproche la traduction de la géométrie des projections : les signifiants sont la projection linéaire du signifié, mais le plan du signifié renvoie lui-même à tout un espace extra-linguistique ou *contexte* au sens élargi que les linguistes anglo-saxons donnent souvent au mot (10). M. Pergnier (1972) analyse les condi- tions et les conséquences sociolinguistiques de la traduction

(9) Sur le « logicisme » de la linguistique zembienne, cf. les indications bibliographiques que l'auteur donne lui-même in J.-M. Zemb (1972), p. 87; voir aussi sa grammaire contrastive ou plutôt « comparée » du français et de l'allemand : J.-M. Zemb (1978).

(10) Ce serait la tâche d'une *stylistique* de l'articulation entre le plan du signifié et le référent situationnel (telle que l'a indiqué J. Fourquet), dépassant la dichotomie sémantique/« stylistique » traditionnelle. Ce faisceau de questions désigne l'un des « aspects de la traduction » qui mériteront une étude systématique.

comme procès linguistique et périlinguistique. Parallèlement, R. Thieberger (1972) insiste sur la nécessité de circonstancier la traduction à son public allocutaire puisqu'aussi bien chaque traduction est un acte de communication *sui generis*. Le vrai traducteur est l'*interprète*, qui restitue à la communication verbale la dimension d' « oralité » qui lui est essentielle. La traduction contraint R. Thieberger à dialectiser le concept de langue-cible pour y intégrer les composantes périlinguistiques et les restrictions qui en sont corrélatives, tendant à définir un microsociolecte- ou « topolecte »-cible, le *milieu-cible*.

Elle amène en outre M. Wandruszka (1972) à mettre en lumière le changement linguistique dont la pratique traduisante est sans doute plus que seulement une occasion. C'est un article sur le français langue-cible et sa néologie que propose le romaniste allemand dans une perspective résolument « anomaliste » (pour reprendre les termes du vieux débat alexandrin dont la polémique Zemb-Wandruszka n'est pas sans rappeler certains aspects). Si d'ailleurs le discours théorique par lui proposé agrée si bien aux praticiens de la traduction, c'est que la linguistique du système a fait place chez lui à une « interlinguistique » des usages.

Quant aux traducteurs eux-mêmes, ils n'ont pas attendu que les linguistes se penchent sur leur sort. Comme la phonétique en son temps, la traduction a été une *discipline* avant que la linguistique n'envisage de lui reconnaître ce statut en son sein. Elle est aussi et surtout *un métier*. Discipline et métier — les deux mots tendent ici à la synonymie — la traduction se pratique et s'apprend : D. Moskowitz (1972) nous expose la pédagogie de la traduction telle que la met en œuvre l'un des instituts internationaux d'interprétariat et de traduction dont il est le directeur adjoint : l'E.S.I.T., Université de Paris-III (Dauphine). Daniel Moskowitz s'attache à définir une théorie de la traduction *opératoire* dans une perspective « psycholinguistique » qui fait le pendant aux prolégomènes sociolinguistiques de Maurice Pergnier. C'est la voix d'un praticien, « mercenaire » et non « esthète » de la traduction, au sein d'un concert théorique : elle clôt le numéro en même temps qu'elle entrouvre une porte sur l'atelier du traducteur, qui tend de plus en plus à être une usine, en deçà même des menaces que semble faire peser la « machine à traduire »...

RÉFÉRENCES BIBLIOGRAPHIQUES

Le présent volume fait la synthèse de différentes études parues antérieurement, qui ont été ici remaniées pour en permettre la publication sous la forme d'un livre. En fin de compte, cela donnait quatre parties, auxquelles nous avons ajouté deux Appendices et une Bibliographie systématique des seuls ouvrages cités. Chacune de ces parties harmonise en un seul texte différentes versions antérieures, plus ou moins partielles. Avant de donner ici les références complètes de ces diverses parutions, nous tenons à remercier la rédaction des revues *Langages, Cahiers internationaux de symbolisme, Traduire* et *Dilbilim* ainsi que les Editions Larousse, Fink, Didier et Diesterweg, qui ont bien voulu en autoriser la reprise.

En première partie, sous le titre « Qu'est-ce que la traduction? » (cf. *sup.*, p. 11 sqq.), nous reprenons le texte de notre article *traduction* rédigé pour la *Grande Encyclopédie* Larousse (« la G.E. »), vol. 57, pp. 12065-12067 (Paris, 1976), et déjà publié une fois auparavant sous une forme différente et sous le titre « De la traduction » dans la revue *Traduire* (organe de la Société Française des Traducteurs, Paris), n° 82-83, vol. I-II/1975, pp. 2-8.

Notre deuxième partie (cf. *sup.*, p. 23 sqq.) s'appuie essentiellement sur le texte de notre article intitulé « La traduction dans l'institution pédagogique », paru dans le cadre du numéro de la revue *Langages* (Editions Didier et Larousse, Paris) consacré à *La traduction*, que nous avons eu la responsabilité de constituer : J.-R. Ladmiral (1972), pp. 8-39. Une version différente, notablement allégée, en est parue dans la revue ,*Die Neueren Sprachen* (Verlag Moritz Diesterweg, Francfort s/M.), dans le cadre du numéro de novembre 1977 consacré à la traduction sous la direction de Franz-Rudolf Weller (pp. 489-416). Sous le titre « Théorèmes pour la traduction », il en est paru aussi une version plus développée dans le volume d'Hommages à Fritz Paepcke pour son soixantième anniversaire : *Imago Linguae*. Beiträge zu Sprache, Deutung und Übersetzen, hrsg. v. K.-H. Bender, Kl. Berger & M. Wandruszka, Munich, Wilhelm Fink Verlag, 1977, pp. 289-328.

La première moitié de ce qui allait devenir notre troisième partie (cf. *sup.*, p. 85 sqq.) était parue sous la forme d'un article « A suivre... », intitulé « La problématique de l'objection préjudicielle — une vieille histoire », in *Cahiers internationaux du symbolisme*, n°s 31-32 (1976), pp. 47-64.

Enfin, il est paru une version légèrement différente de notre quatrième et dernière partie (cf. *sup.*, p. 115 sqq.) intitulée « Traduction et connotation », suivie d'un résumé en turc, in *Dilbilim*, n° III (1978), pp. 161-248; il s'agit d'une revue bilingue éditée par le Département de français de l'Ecole supérieure des langues étrangères de l'Université d'Istanbul, sous la direction du professeur B. Vardar (Istanbul Üniversitesi Yabanci Diller Yüksek Okulu, Besim Ömer Pasa Cad. II, Beyazit — Istanbul, Turquie). Une partie de ladite étude avait fait l'objet d'une communication et figure à ce titre dans les Actes du 11e Congrès de l'Association des Germanistes de l'Enseignement Supérieur (A.G.E.S.) Nancy 28-30 avril 1978 : *La Traduction : Un art, une technique*, Nancy, 1979, pp. 17-49. En outre, nous avons intégré une part de notre contribution sur la « sémiotique des Unités de traduction » aux *Akten des Internationalen Kolloquiums über Fragen der kontrastiven Linguistik und der Übersetzungswissenschaft* (Trèves/Sarrebruck 25-30 septembre 1978) publiés chez Fink à Munich.

Pour ce qui est des Appendices, on se reportera au chapeau introduisant chacun d'eux (cf. *sup.*, pp. 249 sqq. et 258 sqq.).

On trouvera ci-dessous les références bibliographiques détaillées des différentes publications citées dans le courant du présent volume — où nous n'avons indiqué que le nom (et les initiales du prénom) de l'auteur suivi de la date de parution (éventuellement indiciée d'une lettre) de l'étude concernée. Précisons bien que la date de référence indiquée concerne l'édition dont nous nous sommes servi pour les citations, mais non pas la première publication.

ADORNO, Theodor W., 1965 : *Jargon der Eigentlichkeit*. Zur deutschen Ideologie, Francfort s/M., [1]1964-[2]1965 (edition suhrkamp, n° 91).
—, 1979 : *Minima Moralia*, trad. E. Kaufholz & J.-R. Ladmiral, Paris, Payot, [1]1979.
ARRIVÉ, Michel, 1973 : « Pour une théorie des textes poly-isotopiques », in *Langages*, n° 31, septembre 1973, pp. 53-63.
—, 1976 : « Poétique et rhétorique », in *Studia Neophilologica*, vol. XLVIII/n° 1, Uppsala, Almqvist & Wiksell, 1976, pp. 97-120.
ARROWSMITH, William & Roger SHATTUCK, 1966 : *The Craft and*

Context of Translation, Austin-New York, Doubleday, 1966 (Anchor Books, A 358).

BARTHES, Roland, 1965 : *Le Degré zéro de l'écriture* suivi des *Eléments de sémiologie*, Paris, Gonthier, ¹1965 (coll. Médiations, n° 40).

BAUSCH, Karl-Richard, 1977 : « Zur Übertragbarkeit der ' Übersetzung als Fertigkeit ' auf die ' Übersetzung als Übungsform ' », in *Die Neueren Sprachen*, Novembre 1977, pp. 517-535.

BAUSCH, Karl-Richard & Josef KLEGRAF, Wolfram WILSS, 1970 & 1972 : *The Science of Translation : An Analytical Bibliography*, 2 vol., Tubingue, 1970 & 1972 (in *Tübinger Beiträge zur Linguistik*).

BLOOMFIELD, Léonard, 1970 : *Le Langage*, Av.-Pr. F. François et trad. J. Cazio, Paris, Payot, ¹1970 (Bibliothèque Scientifique). L'édition originale est de 1933, c'est une « version remise à jour » de l'*Introduction...* d'abord parue en 1914.

BROWER, Reuben A., 1966 : *On Translation*, New York, Oxford University Press, 1966 (Galaxy Books, n° 175).

CARY, Edmond, 1956 : *La traduction dans le monde moderne*, Genève, Georg, 1956.

CASSEN, Bernard, 1974 : « L'anglais, langue de l'impérialisme », in *Le Monde de l'éducation*, n° 1, décembre 1974, p. 20.

CATFORD, John C., 1967 : *A Linguistic Theory of Translation*, Londres, Oxford University Press, ¹1965-²1967 (Language and Language Learning, n° 8).

CELLARD, Jacques, 1975 : « L'enseignement des langues et le monopole de l'anglais » (I) & (II), in *Le Monde*, 4 avril 1975, pp. 1 et 8 & 5 avril, p. 7.

CULIOLI, Antoine, 1968 : « La formalisation en linguistique », in *Cahiers pour l'Analyse*, n° 9, été 1968, pp. 106-117.

DAVID, Jean, 1968 : « L'exploitation de textes continus en laboratoire de langue », in *Les Langues modernes*, n° 6/1968, pp. 23-32.

DELAS, Daniel & Jacques FILLIOLET, 1973 : *Linguistique et poétique*, Paris, Larousse, ¹1973 (coll. Langue et langage).

DELAVENAY, Emile, 1963 : *La machine à traduire*, Paris, P.U.F., ¹1959-²1963-³1972 (coll. Que Sais-je?, n° 834).

DUBOIS, Jean, 1970 : « Dictionnaire et discours didactique », in J. Rey-Debove (1970), pp. 35-47.

—, 1972 : « Grammaire scientifique et grammaire pédagogique », in *Langue française*, n° 14, mai 1972, pp. 6-31.

DUBOIS, Jean et Claude, 1971 : *Introduction à la lexicographie : le dictionnaire*. Paris, Larousse, ¹1971 (coll. Langue et langage).

DUBOIS, Jean & Joseph SUMPF, 1970 : (sous la dir. de) numéro spécial sur *Linguistique et pédagogie* de la revue *Langue française*, n° 5, février 1970.

DUBOIS, Jean & Mathée GIACOMO, Louis GUESPIN, Christiane MAR-

CELLESI, Jean-Baptiste MARCELLESI, Jean-Pierre MEVEL, 1973 : *Dictionnaire de linguistique*, Paris, Larousse, ¹1973.

DUCROT, Oswald & Tzvetan TODOROV, 1972 : *Dictionnaire encyclopédique des sciences du langage*, Paris, Ed. du Seuil, ¹1972.

FISHMAN, Joshua A. (éd.), 1970 : *Readings in the Sociology of Language*, La Haye-Paris, Mouton, ¹1968-²1970.

FOURQUET, Jean, 1972 : « La traduction vue d'une théorie du langage », in J.-R. Ladmiral (1972), pp. 64-69.

FREGE, Gottlob, 1971 : *Ecrits logiques et philosophiques*, trad. et introd. Cl. Imbert, Paris, Ed. du Seuil, ¹1971 (coll. L'ordre philosophique).

FROMM, Erich, 1969 : « Tâche et méthode d'une psychologie sociale analytique », trad. et notes J.-R. Ladmiral, in *L'Homme et la Société*, n° 11, janvier-février-mars 1969, pp. 19-35. Repris in E. Fromm (1971), p. 193 sqq.

—, 1971 : *La Crise de la psychanalyse*. Essais sur Freud, Marx et la psychologie sociale, trad. et notes J.-R. Ladmiral, Paris, Anthropos, ¹1971 (coll. Sociologie et connaissance). Réédition en livre de poche, sans la Note du traducteur : Paris, Denoël-Gonthier, 1973 (coll. Médiations, n° 109).

GALISSON, Robert & Daniel COSTE (Dir.), 1976 : *Dictionnaire de didactique des langues*, Paris, Hachette, ¹1976.

GARY-PRIEUR, Marie-Noëlle, 1971 : « La notion de connotation(s) », in *Littérature*, n° 4, décembre 1971, pp. 96-107.

GECKELER, Horst (éd.), 1978 : *Strukturelle Bedeutungslehre*, Darmstadt, Wissenschaftliche Buchgesellschaft, 1978 (coll. Wege der Forschung, n° 426).

GOBARD, Henri, 1976 : *L'Aliénation linguistique*. Analyse tétraglossique, préf. G. Deleuze, Paris, Flammarion, ¹1976.

GOLDBLUM, Marie-Claire, 1972 : « Etude expérimentale de l'acquisition de la syntaxe chez les enfants de 5 à 10 ans », in *Langue française*, n° 13, février 1972, pp. 115-122.

GRANGER, Gilles-Gaston, 1968 : *Essai d'une philosophie du style*, Paris, A. Colin, ¹1968.

DE GRÈVE, Marcel & Frans VAN PASSEL, 1973 : *Linguistique et enseignement des langues étrangères*, Bruxelles/Paris, Labor/Nathan, ¹1968-²1973 (coll. Langues et Culture, n° 1).

GROSS, Maurice, 1972 : « Note sur l'histoire de la traduction automatique », in J.-R. Ladmiral (1972), pp. 40-48.

GUIRAUD, Pierre, 1963 : *La Stylistique*, Paris, P.U.F., ¹1954-⁴1963 (coll. Que sais-je?, n° 646).

—, 1964 : *La Sémantique*, Paris, P.U.F., ¹1955-⁴1964 (coll. Que sais-je?, n° 655).

HABERMAS, Jürgen, 1973 : *La Technique et la science comme ' idéologie '*, trad. et préf. J.-R. Ladmiral, Paris, Gallimard, ¹1973-²1975 (coll. Les Essais, n° CLXXXIII). Réédition en livre de poche avec la même pagination : Paris, Denoël-Gonthier, 1978 (coll. Médiations, n° 167).

—, 1974 : *Profils philosophiques et politiques*, trad. Fr. Dastur, J.-R. Ladmiral et M. B. de Launay, préf. J.-R. Ladmiral, Paris, Gallimard, ¹1974 (coll. Les Essais, n° CXCI).

HILL, Archibald A., 1958 : *Introduction to Linguistic Structures. From Sound to Sentence in English*, New York, Harcourt, Brace and World, 1958.

HJELMSLEV, Louis, 1968 : *Prolégomènes à une théorie du langage*, trad. A.-M. Léonard *et alii*, Paris, Ed. de Minuit, ¹1968 (coll. Arguments, n° 35). Nouvelle traduction en 1971 par U. Canger et A. Wewer.

HOLYBAND, Claudius, 1953 : *The French Littleton*, Cambridge, Cambridge University Press, 1953 (rééd. avec introd.) Première édition 1576.

VAN HOOF, Henry, 1973 : *Internationale Bibliographie der Übersetzung. International Bibliography of Translation*, Pullach bei München, Verlag Dokumentation, 1973 (Handbuch der internationalen Dokumentation und Information, n° 11).

« IPN » : *Langues vivantes. Horaires, programmes, instructions*, Paris, S.E.V.P.E.N. (I.P.N.), 1970 (brochure n° 74 Pg).

JAKOBSON, Roman, 1963 : *Essais de linguistique générale*, trad. et préf. N. Ruwet, Paris, Ed. de Minuit, ¹1963 (coll. Arguments, n° 14). Réédition en livre de poche : Paris, Ed. du Seuil, 1970 (coll. Points, n° 17).

KRISTEVA, Julia, 1978 : Σημειωτικὴ. Recherches pour une sémanalyse (Extraits), Paris, Ed. du Seuil, 1978 (coll. Points, n° 96). C'est la reprise en livre de poche de la première édition, en 1969, de ce recueil d'articles.

LADMIRAL, Jean-René, 1971 : « Le discours scientifique » in *Revue d'Ethnopsychologie*, t. XXVI/n° 2-3, septembre 1971, pp. 153-191.

—, 1972 : (sous la dir. de) numéro spécial sur *La traduction* de la revue *Langages*, n° 28, décembre 1972.

—, 1973 : (sous la dir de) numéro spécial sur *Bilinguisme et francophonie* de la *Revue d'Ethnopsychologie*, t. XXVIII/n° 2-3, juin-septembre 1973.

—, 1975a : « Adorno *contra* Heidegger », in *Présences d'Adorno*, Paris, U.G.E., 1975 (coll. 10-18, n° 933 : *Revue d'Esthétique*, n° 1-2/1975), pp. 207-233.

—, 1975b : « Allemand-zéro — Sur une expérience pédagogique d'initiation à l'allemand scientifique », in *Revue d'Allemagne*, t. VII/n° 2, avril-juin 1975, pp. 141-154.

—, 1975c : « Une langue de spécialité : l'Allemand philosophique », in *Les Langues modernes*, n° 2-3/1975, pp. 139-148.

—, 1975*d* : « Linguistique et pédagogie des langues étrangères », in *Langages*, n° 39, septembre 1975, pp. 5-18.

—, 1975*e* : « Linguistique Appliquée et enseignement de la langue » (I) & (II), in *Revue d'Allemagne*, t. VII/n° 3 & n° 4, juillet-septembre & octobre-décembre 1975, pp. 321-334 & 517-532.

—, 1975*f* : « Lecture de Heidegger », in *Allemagnes d'Aujourd'hui*, n° 49, septembre-octobre 1975, pp. 98-111.

—, 1978 : « Pour une dynamique des groupes bi-nationaux », in *Langage et Société*, n° 3, février 1978, pp. 3-47.

LALANDE, André, 1962 : *Vocabulaire technique et critique de la philosophie*, Paris, P.U.F., ⁹1962. Première édition chez Félix Alcan en 1926.

LAPLANCHE, Jean & Jean-Bertrand PONTALIS, 1968 : *Vocabulaire de la psychanalyse*, préf. D. Lagache, Paris, P.U.F., ¹1967-²1968 (Bibliothèque de la psychanalyse).

LARBAUD, Valery, 1957 : *Sous l'invocation de Saint Jérôme*, Paris, Gallimard, ¹1946-¹²1957.

DE LAUNAY, Marc B., 1976 : « Présence d'Adorno », in *Allemagnes d'Aujourd'hui*, n° 53, mai-juin 1976, pp. 72-78.

LEWANDOWSKI, Theodor, 1973 : *Linguistisches Wörterbuch* (3 vol.), Heidelberg, Quelle & Meyer, 1973/1975 (Uni-Taschenbücher, n° 200/n° 201/n° 300).

LORTHOLARY, Bernard, 1975 : « Introduction » à M. Demet et B. Lortholary, *Guide de la version allemande*, Paris, A. Colin, ¹1975 (coll. U2), pp. 5-28.

LJUDSKANOV, Alexandre, 1969 : *Traduction humaine et traduction mécanique*, fascicules 1 & 2, Paris, Dunod, 1969 (Documents de linguistique quantitative, n° 2 & n° 4).

LYONS, John, 1970 : *Linguistique générale*. Introduction à la linguistique théorique, trad. Fr. Dubois-Charlier et D. Robinson, Paris, Larousse, ¹1970 (coll. Langue et langage). Ed. originale : *Introduction to Theoretical Linguistics*, Cambridge, Cambridge University Press, ¹1968. Trad. allemande : *Einführung in die moderne Linguistik*, trad. W. et G. Abraham, introd. W. Abraham, Munich, C. H. Beck, ¹1971.

MALBLANC, Alfred, 1966 : *Stylistique comparée du français et de l'allemand*. Essai de représentation linguistique comparée et Essai de traduction, Paris, Didier, ¹1961-²1963-³1966-⁴1968 (Bibliothèque de stylistique comparée, n° II).

MAROUZEAU, Jules, 1951 : *Lexique de la terminologie linguistique* (français-allemand-anglais-italien), Paris, Geuthner, ³1951.

MARTINET, André, 1967 : « Connotations, poésie et culture », in *To Honor Roman Jakobson*. Essays on the Occasion of his 70th Birthday, La Haye-Paris, Mouton, 1967, t. II, pp. 1288-1294.

— 1968*a* : « Réflexions sur le problème de l'opposition verbo-nominale », in *La Linguistique synchronique*, Paris, P.U.F., [1]1965-[2]1968 (coll. S.U.P. : « Le linguiste », n° 1), pp. 195-205. Cet article était paru dans le *Journal de psychologie normale et pathologique* de janvier-mars 1950.

—, 1968*b* : (sous la dir. de) *Le Langage*, Paris, Gallimard, [1]1968 (Encyclopédie de la Pléiade).

—, 1969 : *Eléments de linguistique générale*, Paris, A. Colin, [1]1960-[3]1963...-1969 (coll. U2).

—, 1972 : *La Linguistique*. Guide Alphabétique, sous la dir. de A. Martinet, avec la collab. de J. Martinet et H. Walter, Paris, Denoël-Gonthier, [1]1969-[2]1972 (coll. Guides Alphabétiques Médiations).

MESCHONNIC, Henri, 1970 : *Les Cinq Rouleaux*, Paris, Gallimard, [1]1970.

—, 1973 : *Epistémologie de l'écriture* et *Poétique de la traduction*, in *Pour la Poétique II*, Paris, Gallimard, 1973 (coll. Le Chemin).

MINDER, Robert, 1972 : « Heidegger und Hebel oder die Sprache von Messkirch », in *Dichter in der Gesellschaft*, Francfort s/M., Suhrkamp, [1]1972 (suhrkamp taschenbuch, n° 33), pp. 234-294.

MOLES, Abraham, 1971 : (sous la dir. de) *La Communication*, Paris, C.E.P.L., [1]1971 (Les dictionnaires du savoir moderne).

MOSKOWITZ, Daniel, 1972 : « Enseignement de la traduction à l'E.S.I.T. », in J.-R. Ladmiral (1972), pp. 110-117.

MOUNIN, Georges, 1955 : *Les Belles infidèles*, Paris, Cahiers du Sud, 1955.

—, 1963 : *Les Problèmes théoriques de la traduction*, préf. D. Aury, Paris, Gallimard, [1]1963... (Bibliothèque des Idées). Réédition en livre de poche : coll. Tel, n° 5.

—, 1964 : *La machine à traduire*. Histoire des problèmes linguistiques, La Haye, Mouton, 1964.

—, 1965 : *Teoria et storia della traduzione*, Turin, Einaudi, 1965.

—, 1969 : *La Communication poétique*, Paris, Gallimard, 1969.

—, 1971 : *Clés pour la linguistique*, Paris, Seghers, [1]1968-[2]1971 (édition revue et corrigée).

—, 1972 : article « Traduction », in A. Martinet (1972), pp. 375-379 et 431 sq. Repris in G. Mounin (1976), pp. 71-76.

—, 1976 : *Linguistique et traduction*, Bruxelles, Dessart et Mardaga, [1]1976 (coll. Psychologie et sciences humaines, n° 60).

NIDA, Eugene A., 1964 : *Toward a Science of Translating* with special to principles and procedures involved in Bible translating, Leyde, Brill, [1]1964.

NIDA, Eugene A. & Charles R. TABER, 1969 : *The Theory and Practice of Tranlation*, Leyde, Brill, [1]1969 (Helps for Tranlators, vol. VIII).

OSGOOD, Charles E. & George J. SUCI, Percy H. TANNENBAUM, 1957 :

The Measurement of Meaning, Urbana, University of Illinois Press, 1957.

PERGNIER, Maurice, 1972 : « Traduction et sociolinguistique », in J.-R. Ladmiral (1972), pp. 70-74.

—, 1978 : *Les Fondements sociolinguistiques de la traduction*, Lille/ Paris, Atelier de Reproduction des Thèses (Université de Lille III)/ Librairie Honoré Champion, ¹1978.

POTTIER, Bernard, 1974 : *Linguistique générale*. Théorie et description, Paris, Klincksieck, ¹1974 (coll. Initiation à la linguistique, série B : Problèmes et Méthodes, n° 3).

QUINE, Willard Van Orman, 1977 : *Le Mot et la Chose*, trad. J. Dopp et P. Gochet, Av.-Pr. P. Gochet, Paris, Flammarion, ¹1977 (Nouvelle Bibliothèque Scientifique).

REFFET, Michel, 1971 : « La traduction : propositions de mise en place pédagogique », in *Les Langues modernes*, n° 5-6/1971, pp. 37-44.

REISS, Katharina, 1971 : *Möglichkeiten und Grenzen der Übersetzungskritik*. Kategorien und Kriterien für eine sachgerechte Beurteilung von Übersetzungen, Munich, Hueber, ¹1971 (hueber hochschulreihe, n° 12).

REY, Alain, 1970 : *La Lexicologie*, Paris, Klincksieck, ¹1970 (Initiation à la linguistique, série A : Lectures, n° 2).

REY-DEBOVE, Josette, 1970 : (sous la dir. de) numéro spécial sur *La lexicographie* de la revue *Langages*, n° 19, septembre 1970.

ROZAN, Jean-François, 1970 : *La prise de notes en interprétation consécutive*, préf. R. Confino, Genève, Georg, ¹1956-⁴1970 (Publications de l'Ecole d'interprètes de l'Université de Genève).

DE SAUSSURE, Ferdinand, 1972 : *Cours de linguistique générale*, éd. T. de Mauro, Paris, Payot, 1972 (coll. Payothèque). Il s'agit là d'une édition critique et abondamment annotée, conservant la même pagination que les éditions précédentes. La première édition du Cours remonte à 1916.

SELESKOVITCH, Danica, 1968 : *L'Interprète dans les conférences internationales*, Paris, Minard, ¹1968 (cahiers Champollion, n° 1).

STEINER, George, 1978 : *Après Babel*. Une poétique du dire et de la traduction, trad. L. Lotringer, Paris, Albin Michel, ¹1978. Ed. originale : *After Babel*. Aspects of Language and Translation, Londres-Oxford-New York, Oxford University Press, ¹1975-²1976 (Oxford Paperbacks, n° 364).

TABER, Charles R., 1972 : « Traduire le sens, traduire le style », in J.-R. Ladmiral (1972), pp. 55-63.

TABOURET-KELLER, Andrée, 1972 : article « Plurilinguisme et interférences », in A. Martinet (1972), pp. 305-310 et 426.

THIEBERGER, Richard, 1972 : « Le langage de la traduction », in J.-R. Ladmiral (1972), pp. 75-84.

TODOROV, Tzvetan, 1966 : « Recherches sémantiques », in *Langages*, n° 1, mars 1976, pp. 5-43.

TOMATIS, Alfred, 1963 : *L'Oreille et le langage*, Paris, Ed. du Seuil, 1963 (coll. Le rayon de la science, n° 17).

VIDAL-NAQUET, Pierre, 1974 : « Bévues de traduction — Tuer le général Staff », in *Le Monde*, 18 janvier 1974, p. 16.

VINAY, Jean-Paul, 1968*a* : « Enseignement et apprentissage d'une langue seconde », in A. Martinet (1968*b*), pp. 685-728.

—, 1968*b* : « La traduction humaine », in A. Martinet (1968*b*), pp. 729-757.

VINAY, Jean-Paul & Jean DARBELNET, 1968 : *Stylistique comparée du français et de l'anglais*. Méthode de traduction, Paris, Didier, ¹1958-⁴1968 (Bibliothèque de stylistique comparée, n° I).

WANDRUSZKA, Mario, 1969 : *Sprachen — vergleichbar und unvergleichlich*, Munich, Piper, ¹1969.

—, 1972 : « Le bilinguisme du traducteur », in J.-R. Ladmiral (1972), pp. 102-109.

WEINREICH, Uriel, 1970 : «Is a Structural Dialectology Possible? », in J. A. Fishman (1970), pp. 305-319. Première parution in *Word*, n° 14 (1954), pp. 388-400.

WILSS, Wolfram, 1977 : *Übersetzungswissenschaft*. Probleme und Methoden, Stuttgart, Klett, ¹1977.

ZEMB, Jean-Marie, 1972 : « Le même et l'autre : les deux sources de la traduction », in J.-R. Ladmiral (1972), pp. 85-101.

— 1978 : *Vergleichende Grammatik : Französisch-Deutsch*. Comparaison de deux systèmes, 1ʳᵉ partie, Mannheim-Vienne-Zurich, Bibliographisches Institut (Duden-Verlag), ¹1978 (Duden-Sonderreihe vergleichende Grammatiken, n° 1).

tel

Volumes parus

*Ouvrage reproduit
par procédé photomécanique.
Impression CPI – Firmin Didot
à Mesnil-sur-l'Estrée, le 2 janvier 2010.
Dépôt légal : janvier 2010.
1er dépôt légal : octobre 1994.
Numéro d'imprimeur : 98060.*

ISBN 978-2-07-073743-8/Imprimé en France.